Złoty wilk

Bartłomiej Rychter

Złoty wilk

Wydanie I
Warszawa 2009

Prolog

Sanok. Błonia. Rok 1875

Upalny dzień powoli dogasał, słońce opuszczało się ponad graniastą wieżą klasztoru Franciszkanów, oświetlając rdzawym blaskiem wzgórza po drugiej stronie rzeki.

Dzieci przebiegły przez łąkę, przedarły się przez gęste zarośla i roześmianą gromadą ruszyły ścieżką, którą każdego ranka okoliczni gospodarze pędzili bydło. Prowadził Andrzej, najstarszy syn kowala, tuż za nim biegł zziajany Sebastian, oczko w głowie Jana Wiktora, hodowcy koni z Zarszyna, dalej Janek, bliźniaczki Kasia i Ania, a na końcu Borys, najmniejszy, o włosach białych jak mleko.

Rzeka była blisko, za gęstym szpalerem wysokich chaszczy słychać już było jej szept, rozmowę bystrego nurtu z kamieniami. Roześmiana gromadka wpadła między zarośla, niskie drzewa i szeleszczącą łozinę, przedarła się przez chłoszczące twarz gałęzie i wybiegła wprost na piaszczystą mierzeję, wcinającą się poszarpanym jęzorem w rzekę.

Andrzej pierwszy zrzucił koszulę. Wbiegł do wody, chlapiąc i parskając jak spłoszone źrebię. Pozostali poszli w ślad za nim. Sebastian gnał w stronę końca cypla, ze śmiechem wysoko unosił bose stopy, ranione ostrymi krawędziami naniesionych przez rzekę kamieni. Dziewczęta weszły do wody ostrożniej, trzymając się za ręce. Ubiegłego lata bracia nauczyli je pływać i teraz chciały wykorzystać sposobność odświeżającej kąpieli po całym dniu pracy w polu.

Borys, najmniejszy, o oczach błękitnych jak sierpniowe niebo nad Górami Słonymi, zatrzymał się na skraju zarośli i spojrzał w stronę rzeki, gdzie pławili się już jego towarzysze. Bał się wody, silnego nurtu i fal pędzących ponad kamienistym dnem. Najchętniej wróciłby na łąkę, położył się w wysokiej pachnącej trawie i patrzył w chmury. Miał jednak prawie sześć lat i za nic w świecie nie mógł sobie pozwolić na to, by uznano go za tchórza. Przełamał się i powoli, ostrożnie stawiając stopy między kamieniami, podszedł do brzegu.

San płynął tuż przed nim, na wyciągnięcie ręki, szeptał melodię niesioną z gór i lasów. Borys zanurzył stopę w połyskującej w promieniach niskiego słońca wodzie. Była przyjemnie chłodna.

Ściągnął przez głowę lnianą koszulę i odrzucił ją na trawę. Wszedł między wielkie, obmywane wodą zielone kamienie, wsparł się dłonią na przegniłym pniu zwalonego drzewa i wolnym krokiem szedł w kierunku Andrzeja. Tu woda była już głębsza, sięgała mu do pasa, pieniąc się w zderzeniu z jego ciałem.

Od początku czerwca, odkąd dni zrobiły się na tyle ciepłe, że można było zażywać kąpieli w rzece, całą gromadą każdego wieczora chodzili w to miejsce, a starsi chłopcy uczyli pływać młodszych. Borys bardzo się starał, pił pachnącą wodorostami wodę, tarł brzuchem i kolanami po śliskich kamieniach, ale nie mógł się utrzymać na powierzchni dłużej niż przez trwającą zaledwie dwa oddechy chwilę. Odetchnął głęboko, pochylił głowę i z bijącym sercem pozwolił się porwać falom. Parsknął, odchylił kark do tyłu, wciągnął ze świstem powietrze i powtórzył ruch płynącej żaby w ten sam sposób, w jaki pokazywali mu go Sebastian z Andrzejem. Szeroki wymach ramion do tyłu i do przodu, nogi podkurczają się i prostują. Woda falowała mu tuż pod nosem, ale zdołał się utrzymać na powierzchni.

– Patrzcie – zawołał drżącym z emocji głosem. – Płynę!

Starsi chłopcy pozwolili, by woda uniosła ich w stronę nieodległego zakola, dziewczęta usiadły na płaskich kamieniach przy brzegu, zanurzając stopy w chłodnym nurcie.

– Płynę!

Ramiona do tyłu, szeroko, zgarniają jak najwięcej wody, i znów do przodu, zaś nogi raz za razem wystrzeliwują do tyłu i podkurczają się pod sam brzuch. Zielone, porośnięte gęstym lasem wzgórza na drugim brzegu Sanu są tak blisko, że wystarczy sięgnąć dłonią, by ich dotknąć, zachodzące słońce barwi ich zarys ciemną czerwienią.

– Sebastian!

Woda pędzi między kamieniami, jest silna, o wiele silniejsza niż niewprawne ramiona sześcioletniego chłopca. Jest zimna, znacznie zimniejsza, niż wydawała się jeszcze przed chwilą, już nie chłodzi przyjemnie spieczonej słońcem skóry, ale ziębi stopy i dłonie, mróz wbija się cieniutkimi igiełkami w nogi i ramiona. Borys walczy, przebiera ramionami, usiłuje znaleźć oparcie, ale nie jest w stanie dosięgnąć stopą dna. Woda zalewa oczy, wdziera się do ust, zalewa nos i szorstkim strumieniem wpływa do gardła. Chłopiec chce krzyczeć, ale nie może wydobyć z siebie głosu. Rozkłada szeroko ramiona, a bystry prąd ciągnie go jak wrzucony między fale patyk. Rzeka huczy na kamieniach, szepcze coś prosto do ucha. Chłopiec ostatkiem sił wyrzuca ramiona w górę, wyciąga szyję i próbuje zaczerpnąć powietrza. Po raz ostatni widzi ciemnogranatowe wieczorne niebo, przecięte od strony zamkowego wzgórza szkarłatną wstęgą. Otwiera usta, lecz jego płuca wypełniają się nie powietrzem, ale wodą. Zimną jak kamień.

Opada. Jest ciemno. Oczy ma szeroko otwarte ze strachu. W zielonej poświacie widzi obrośnięte mchem kamienie. Rzeka dudni, zagłusza bicie oszalałego ze strachu serca, jakby wijącym się jak wąż korytem płynęła nie woda, ale lawina kamieni.

Jest coraz ciemniej. Coraz zimniej.

Chłopiec wyciąga ręce. Otwiera usta. Lodowata obręcz chwyta go za gardło. Tuż obok, po prawej stronie, nieco niżej, głębiej, bliżej środka rzeki, coś się poruszyło. Borys obraca się, rozpaczliwie wyciągając ramię. W narastającej ciemności widzi jakiś kształt. Widzi ruch. Z mroku wyłania się dłoń, szczupła i wąska, jak dłoń kobiety lub młodzieńca, o delikatnych, smukłych palcach. Chce ją chwycić, ale ta umyka w ciemność. Chłopiec nie czuje już zimnego ciężaru wody wypełniającej płuca, nie czuje zmęczenia ani strachu. Nawet huk pędzącej po kamieniach rzeki słabnie, zamienia się w cichy szept, w melodię graną na pasterskiej fujarce. W ustach czuje smak mułu. Poddaje się sile nurtu górskiej rzeki, woda kręci nim, stawiając twarzą w twarz z kobietą o delikatnych, dziewczęcych rysach, małym, niemal niewidocznym nosie, wąskich ustach i nienaturalnie wielkich oczach. Wokół jej drobnej, owalnej twarzy wije się korona zielonych jak wodorosty włosów, poruszanych nie wiatrem, ale wodą. Blade usta uśmiechają się zalotnie. Dziewczyna zwinnie jak ryba prześlizguje się tuż pod chłopcem, błyskając mu przed oczyma małymi nagimi piersiami, brzuchem lśniącym jak mokry mech. I ogonem. Grubym, pokrytym łuską, zwężającym się ku zwieńczonemu szeroką płetwą końcowi. Dziewczyna wiruje jak mała rybka, zawraca i chwyta wyciągniętą dłoń chłopca. Ciągnie w głąb rzeki. Chłopiec odpowiada na jej uśmiech.

Coś chwyta go za drugie ramię, mocno, gwałtownie. Coś wpija mu się w bark, miażdży w uścisku rękę i odciąga od wirującej tuż pod nim dziewczyny. Przez chwilę wisi w wodzie jak szmaciana lalka, rozciągnięta między zielonowłosą rusałką a czymś, co odciąga go od niej. Nie słyszy już rzeki. Jego dłoń wyślizguje się spomiędzy drobnych, chłodnych palców dziewczyny.

Jest ciemno. Nie widzi niczego. Nie słyszy niczego.

Pierwsze pojawia się zimno, najpierw w stopach, później w całym ciele. Zaraz potem ból, który ściska wypełnione wodą płuca i drapie gardło. Coś mocno naciska na jego brzuch. Słyszy czyjś krzyk. Ktoś płacze.

Otwiera oczy. Rozchyla usta i łapie powietrze. Niebo nad Sanokiem płonie w promieniach zachodzącego słońca.

1

Sanok, wrzesień roku 1896

Ciągnąca się wzdłuż miejskich murów droga była nierówna, poprzecinana koleinami, w których gromadziła się deszczówka i nieczystości po zwierzętach pędzonych codziennie od strony Bramy Krakowskiej. Rajca miejski Antoni Skwierzyński przeskakiwał pomiędzy kałużami, omijał co większe koleiny, uważając, by nie zmoczyć płaszcza. Na moment stracił równowagę, źle wymierzył kolejny krok. Z przekleństwem na ustach stąpnął dziurawym trzewikiem prosto w gęstą, błotnistą maź. Zaklął jeszcze raz.

Dopiero minęła połowa września, ale wieczory były już zimne i wietrzne. Przez większość dnia padał drobny, chłodny deszcz, który ustał przed zmierzchem, pozostawiając w powietrzu mokry zapach nadchodzącej jesieni.

Rajca Skwierzyński skręcił między niskie drewniane domki, otoczone nierównymi płotami i wysokimi parkanami, odgradzającymi warsztaty rzemieślników od ulicy. Było już ciemno, ale bez wahania skrócił sobie drogę i wszedł między pogrążone w mroku podwórka. Był zdenerwowany. Zbyt wiele spraw zaprzątało jego głowę, by miał się przejmować zrzędzeniem żony, która każdego dnia prosiła, by uważał na siebie, zapinał płaszcz, zabierał z domu nakrycie głowy i wracał przed zapadnięciem ciemności. Chciał jak najszybciej znaleźć się w domu, kazać służącej napełnić balię gorącą wodą, zrzucić ubranie i przemyśleć wszystko, co budziło w nim niepokój. Musiał być ostrożny. Bardzo ostrożny.

Gdzieś daleko, od strony Posady Sanockiej, wiatr niósł niespokojne wycie psa. Rajca Skwierzyński splunął w kałużę i szczelniej otulił się płaszczem. Za pięć, góra dziesięć minut służąca zdejmie z niego przemoczone ubranie, odwiesi przesiąknięty mżawką kapelusz, poda węgierskie grzane wino i przygotuje kąpiel.

Skrócił sobie drogę, przechodząc wąską uliczką między warsztatem szewca Antoniego Borczyka a drewnianym parterowym domem, typowym dla sanockiej zabudowy. Wyszedł wprost na sklep kolonialny starego Lazara Perlstena. Przystanął na moment, ocierając zabłocone trzewiki o kępkę trawy, kiedy usłyszał coś za plecami. Odwrócił się, ale w ciemnej wąskiej uliczce niczego nie dostrzegł. Poprawił nasunięty na czoło kapelusz i ruszył dalej.

Nie obawiał się zaczepek ze strony miejscowych pijaczków, drobnych rzezimieszków czy złodziei. Znali go tu i poważali wszyscy, w końcu był rajcą powiatowego miasta Sanoka, każdy kłaniał mu się z daleka, pozdrawiał i uchylał kapelusza. Wystarczyło jedno jego słowo, by wtrącić opornego obwiesia do aresztu lub ukarać grzywną. Wszyscy w tym mieście okazywali mu szacunek. Wszyscy, prócz małżonki i dwóch rozwydrzonych córek, panien na wydaniu, nieustannie przebierających wśród kandydatów podsuwanych przez kolejne kupieckie rodziny.

Rajca Skwierzyński przeskoczył szeroką, wypełnioną deszczówką koleinę i ruszył w stronę rynku, wzdłuż kamiennego muru o wysokości dwóch metrów, odgradzającego klasztor Franciszkanów od miasta. Jeszcze chwila i będzie w domu.

Blisko, tuż za jego plecami, coś miękko upadło na ziemię. Rajca przystanął, wyjmując ręce z kieszeni płaszcza. Wyprostował się i wytężył słuch. Kot, pomyślał. To musi być kot. Sam nie wiedział, dlaczego postanowił się odwrócić, zamiast prostą drogą, wzdłuż klasztoru, przez rynek, pójść do domu, do żony i marudzących córek.

Przełknął głośno ślinę i powoli odwrócił się na pięcie. Wycie psa znów uniosło się ponad miastem.

Promienie wczesnego słońca przebijały przez okno, tnąc półmrok pokoju drżącymi smugami, rzucając na blat biurka cień świecznika i obrys mosiężnego kałamarza. Plamy światła kładły się na wyblakłym dywanie, wycinając ostrą granicę między jasnością a strefą cienia, obejmującą przeciwległą ścianę i ustawione przy niej łóżko. Pomiędzy dwiema płaszczyznami – drgającym, niepewnym jeszcze blaskiem poranka a mrokiem odchodzącej nocy – z leniwym spokojem leżał kot, drapiąc pazurami nitki dywanu i ustawiając trójkątny pyszczek w stronę słońca.

– Powtórzmy to jeszcze raz. Deklinacja druga.

Borys Pasternak wyjrzał przez okno, wprost na wijącą się u stóp wzgórza rzekę i dalej, na poszarpaną krawędź lasu, mieniącego się brązami i ciemną czerwienią, przetykaną gdzieniegdzie złotem. Wiatr nie zdołał jeszcze rozwiać porannych mgieł i nadrzeczne sady wciąż spowite były mlecznym szalem układającym się wśród drzew. Ponad koronami nagich gałęzi dostrzegł słomianą strzechę, znad której unosiła się smużka bladego dymu.

– Lauro? – spojrzał przez ramię. – Deklinacja druga.

Siedząca na łóżku postać nie poruszyła się, ciemna plama odcinała się od otaczającego ją półmroku głębszą tonią czerni. Kot uniósł łeb i spojrzał w mrok po drugiej stronie pokoju.

– Coś się stało.

– Dlaczego tak sądzisz?

– Jeszcze przed chwilą Józef zamiatał podwórko – plama czerni poruszyła się lekko. – Słychać było, jak podśpiewuje piosenkę wozaków. W pewnym momencie przerwał i zaczął gwizdać ładną melodię. To znak, że Barbara przyniosła jaja i mleko. Zwykle Barbara wita się z Józefem i idzie do kuchni, zostawia tam kosz i znów wychodzi na podwórko flirtować z dozorcą. Słyszysz?

– Co?

– Józef nie gwiżdże, ale drzwi od podwórka nie strzeliły. Barbara przyniosła mleko, ale zamiast zanieść je do kuchni, rozmawia z dozorcą, choć wie, że jeśli ktoś to zauważy, dostanie burę. A zatem musiało się stać coś ważnego.

Borys uśmiechnął się.

– Cokolwiek by to było, nie jest to na pewno tak ważne jak odmiana łacińskich słówek. Dlatego, jeżeli nie masz nic przeciwko, chciałbym wrócić do deklinacji drugiej.

– Dobrze. – Plama czerni przesunęła się do przodu, w stronę granicy między światłem i ciemnością, a blask słońca wydobył z półmroku zarys dziewczęcej twarzy, drobny nos, delikatny podbródek i łagodny owal otoczony szarymi, sięgającymi ramion włosami. – *Nominativus: puer, pueri. Genetivus: pueri, puerorum...*

Borys przymknął oczy, wsłuchany w cichy głos swojej podopiecznej. Zgiął palce, starając się schować wierzch dłoni pod mankiet koszuli. Nie chciał, aby dziewczynka zobaczyła jego starte do czerwoności kostki.

– *Dativus: puero, pueris...*

Śpiewna deklinacja łacińskich rzeczowników urwała się jak ucięta nożem.

– Nie pamiętasz, co dalej? *Accusativus*?

Laura przysunęła palec do ust.

– Słyszysz? – zapytała. – Ciężkie kroki podkutych butów na schodach.

Nauczyciel nie słyszał niczego poza skrzypieniem drewnianej okiennicy.

– To Jacek, służący ojca, to on nosi takie buty. – Dziewczynka wsparła się dłońmi o krawędź łóżka. – Idzie bardzo szybko. Jest chyba zdenerwowany...

Rzeczywiście, gdzieś w dole głośno trzasnęły drzwi.

– Twój ojciec zapomniał pewnie któregoś ze swoich narzędzi...

Dziewczynka pokręciła przecząco głową.

– Papa na dzisiejszy ranek zaplanował odczyt w Czytelni Mieszczańskiej, ma tam spotkanie z delegacją wolontariuszek z Posady Olchowskiej.

Drzwi trzasnęły po raz kolejny, a na schodach znów zabrzmiały ciężkie podkute podeszwy.

– Jacek zabrał torbę papy, wpadł jak po ogień, niczego nie szukał. Po prostu zabrał torbę, która zawsze leży na krześle przy drzwiach.

Borys uśmiechnął się cierpko i przyjrzał swej podopiecznej. Już dawno temu utracił konieczną w swej profesji bezstronność i dystans wobec uczennicy.

– Wróćmy do zajęć. – Przybrał srogą minę i w żartobliwym geście udawanej złości pogroził palcem. Spojrzał na swoją dłoń, na obdarte kostki i posiniaczone palce, w jednej chwili zreflektował się i opuścił ramię. – Zacznijmy od początku. *Nominativus: puer...*

Każdego dnia powtarzali ten sam rytuał. Zaraz po śniadaniu, które Borys jadał w kuchni, Laura zaś, zależnie od nastroju lub stanu zdrowia, w jadalni z ojcem lub w swoim pokoju na piętrze, siadali nad lekcjami: językiem polskim, niemieckim lub łaciną, matematyką, naukami przyrodniczymi bądź historią. Pracowali do południa, kiedy to służąca wnosiła herbatę dla nauczyciela i gorące mleko z talerzem maślanych ciasteczek dla Laury. Godzinną przerwę przeznaczali na swobodne rozmowy o wszystkim, co tylko przyszło im do głowy. O latach, które Borys spędził w Krakowie, o jego przygodach w studenckiej bursie, o kocim zwyczaju cowieczornych spacerów, o wyższości razowych pierogów nad barszczem z fasolą i tysiącu innych, równie ważnych spraw. Po godzinie błahych, choć dla obojga równie przyjemnych rozmów, czasem nieświadomie przedłużonej o leniwy kwadrans, wystawiali tacę z pustymi już szklankami za drzwi i wracali do pracy, do łacińskiej deklinacji bądź greckich filozofów. Siedzieli nad książkami jeszcze trzy godziny. Czasem, kiedy Laura była zbyt słaba, kończyli wcześniej, innym razem, gdy przerabiali coś, co zainteresowało dziewczynkę, a były to na ogół wyrywki z dzieł filozofów, pracowali dłużej, do chwili, kiedy energiczne pukanie służącej przywoływało ich do rzeczywistości, przypominając, że zbliża się pora obiadu.

Tego dnia przerabiali łacińską gramatykę i Laura odłożyła książki bez żalu. Borys złożył notatki, zamknął pióro w skórzanym futerale, podziękował uczennicy skinieniem głowy i wyszedł z jej pokoju. Udał się do siebie, zdjął koszulę, napełnił blaszaną miskę wodą i przemył twarz, szyję i ramiona. Wytarł się ręcznikiem, ostrożnie osuszył pokaleczone dłonie. Stanął w oknie. „Sokole Gniazdo", willa doktora Karola Zaleskiego, przyczajone było na skraju stromego urwiska, będącego przedłużeniem zamkowego wzgórza. W dole roztaczała się rozległa panorama łąk i sadów ciągnących się wzdłuż brzegu rzeki. Zdawało się, że wystarczy zejść po rynnie, przeskoczyć drewniany płotek, zsunąć się po poprzecinanym splecionymi korzeniami drzew urwisku, by znaleźć się u stóp wzgórza i zanurzyć dłonie w chłodnym nurcie spienionego na kamieniach Sanu. Młody nauczyciel doskonale rozumiał zachwyt właściciela budynku, który przed laty stanął na skraju urwiska, spojrzał przed siebie i uznał, że właśnie taki widok chce mieć przed oczyma każdego kolejnego poranka w swoim życiu: szeroka panorama falujących łąk, połyskująca w słońcu kręta rzeka i ściana porośniętych gęstym lasem gór. Jego wzrok prześlizgnął się po linii horyzontu, nad którym przesuwały się zwiastujące deszcz chmury, objął kołysane wiatrem korony drzew w sadach i skoncentrował się na strzesze domu nieopodal rzeki. Patrzył tak przez chwilę, po czym naciągnął na powrót koszulę i zszedł do jadalni.

Na parterze, zamiast oczekiwanego zapachu gorącego barszczu lub gotowanej kapusty, powitał go kwaśny uśmiech służącej.

– Doktora jeszcze nie ma – oznajmiła. – Panienka zje u siebie, panu możemy nakryć w jadalni.

Borys sięgnął do kieszeni i spojrzał na zegarek. Dochodziła piętnasta.

– Nie trzeba – odpowiedział. – Zaczekam na powrót pana Zaleskiego. Mam do załatwienia sprawunki na mieście.

Wrócił do swojego pokoju po marynarkę, spojrzał w ustawione w kącie lusterko, poprawił włosy i wyszedł.

Miasto przywitało go swym codziennym prowincjonalnym gwarem, szmerem prowadzonych w kilku językach rozmów, odgłosami pędzonych rozmokłymi uliczkami zwierząt i nawoływaniem ich przewodników. Austriacki urzędnik w dwurzędowym uniformie podniesionym głosem strofował nieuważnego fiakra. Jedną ręką wymachiwał w stronę odjeżdżającej dorożki, drugą otrzepywał granatowe spodnie z grudek błota.

Woźnica, który najwyraźniej nie rozumiał ani słowa po niemiecku, popędzał konia i zręcznie lawirował między wyładowanymi wozami chłopów, zmierzających do swoich wiosek ze sprawunkami. Dwóch żołnierzy w mundurach 5. batalionu 45. Pułku Piechoty Liniowej księcia Friedricha Augusta Herzoga zu Sachsena zaczepiało służące z domów bogatych mieszczan, które szły na zakupy. Wracające z targu żony robotników wymieniały uwagi na temat wydłużonego czasu pracy w fabryce i likwidacji przerwy na kąpiel w rzece.

Borys przeszedł przez rynek miejski, od zachodniej strony otoczony drewnianymi domami, od wschodniej zaś ograniczony kamienną ścianą klasztoru Franciszkanów, szkołą i murowanymi piętrowymi budynkami, należącymi do najbogatszych mieszczan.

Rynek był dla mieszkańców miasteczka centralnym punktem świata. Dalej, w stronę przedmieścia, Sanok tracił swój małomiasteczkowy charakter, piętrowe kamieniczki ustępowały parterowym, te ustępowały pola drewnianym domom rzemieślników i pomniejszych kupców. Jeszcze dalej, idąc gościńcem na Lisko, Zarszyn lub Mrzygłód, zabudowę tworzyły liche chatynki czeladników, lepianki podmiejskiej biedoty i szałasy tych, którzy porzucili rodzinne wioski i próbowali lepszego życia w mieście.

Nieopodal magistratu, tuż przy wylocie uliczki prowadzącej na plac Świętego Michała, niczym grzyb na wilgotnym drewnie wyrosła osobliwa budowla: niezgrabna kanciasta szopa o nierównych ścianach i krzywym zadaszeniu, sklecona ze zmurszałych bali i przegniłych desek. Co zadziwiające, nikt nie umiał określić, kiedy ów twór pojawił się w śródmiejskim krajobrazie. Najpierw ktoś wzniósł jedną ścianę jako wiatę chroniącą towar złożony dzień przed targiem, potem dobudowano drugą, a jakiś czas później zawieszono między nimi prowizoryczne zadaszenie. Kolejne ranki odsłaniały dalsze postępy w budowie, aż któregoś dnia, tuż pod oknami magistratu, pojawiła się szopa, najeżona mnóstwem różnej długości i szerokości desek, spomiędzy których, na dwa lub trzy dni przed targiem, dochodziło popiskiwanie stłoczonych, wystraszonych świń. Całe miasto dociekało, który z rajców wziął łapówkę, aby zgodzić się na to drewniane szkaradztwo i udobruchać tych członków rady, którzy nie wykazywali tak wielkiej tolerancji.

Borys nie skręcił w pobliski, tętniący codziennym gwarem plac Świętego Michała, ale ruszył w kierunku Bramy Węgierskiej, ulicą Nowej Rady. Rolę chodnika pełniły ułożone przed budynkami deski, śliskie od błota nanoszonego przez przechodniów i chlapiącego spod kół przejeżdżających wozów. Przeskoczył wypełnioną zwierzęcymi nieczystościami koleinę, wyminął brodatego Żyda w brunatnym chałacie, uważnie, by nie zamoczyć nogawek spodni przebiegł wzdłuż fasady składu kolonialnego Lazara Perlstena, i zatrzymał się przed drzwiami sklepu Abrama Berkowicza. Nacisnął mosiężną klamkę, przekroczył wysoki próg i wstąpił na nierówną podłogę z desek od lat znaczonych śladami mysich zębów.

– Witam szanownego pana nauczyciela. – Właściciel sklepu, zgarbiony staruszek o białych jak dmuchawiec włosach, ukłonił się znad kontuaru zastawionego słojami z grubego szkła i drewnianymi kasetami pełnymi przypraw, kawy, herbat różnych gatunków, przyborów do szycia, kart z życzeniami świątecznymi, czernidła do butów i tysiącem innych skarbów. Za plecami kupca, w ustawionych równym rzędem przeszklonych kredensach, eksponowana była pozostała część bogatego asortymentu: blaszane łyżki i widelce najróżniejszych rozmiarów, porcelanowe talerze, zielone fiolki z lekarstwami na wszystkie choroby świata, gumowe podwiązki, kolorowe zapinki, różańce i kalendarze rolnicze. Wzdłuż krawędzi lady, niczym żołnierze defilujący przed samym cesarzem, równym szeregiem stały ciężkie słoje ze słodyczami, mlecznymi sztolwerkami po dwa centy za sztukę, owocowymi dropsami z wiedeńskiej fabryki Hellera i cukierkami od jarosławskiego Gurgula.

– Dzień dobry. – Borys omiótł wzrokiem równe rzędy ułożonych wzdłuż ścian towarów, skupiając się na chwilę na ekspozycji z prasą dochodzącą tu z tygodniowym opóźnieniem ze Lwowa i Wiednia. – Była już u pana dzisiejsza poczta?

– Była, rzecz jasna, że była. – Staruszek z radością zatarł zasuszone dłonie. – Mam coś dla szanownego pana!

Nauczyciel niemal podskoczył z radości. Berkowicz zniknął na długą chwilę gdzieś na zapleczu, a kiedy wrócił, przyciskał do swej nadwątlonej suchotami piersi sporych rozmiarów pakunek, owinięty szarym papierem i kilkoma pętlami sznurka. Ustawił paczkę na kontuarze, przerwał sznurek i jął się zabierać do zdzierania papieru, który odsłonił eleganckie pudełko z gładkiego drewna, ale w dalszych działaniach przeszkodził mu sprzeciw klienta.

– Proszę zaczekać. – Nauczyciel sięgnął po pakunek. – Otworzę to w domu.

– Nie chce szanowny pan sprawdzić, czy zamówienie zrealizowano zgodnie z życzeniem? – zdziwił się staruszek.

– Na pewno przesłano ten model, który wybrałem z katalogu. – Borys zaborczo przysunął skrzynkę do siebie, ignorując spojrzenie kupca utkwione w śladach na jego dłoniach. Zamaskował orzechowe pudełko naderwaną płachtą papieru i ruszył do drzwi.

– Dziękuję – rzucił przez ramię i wyszedł.

Do domu wrócił jak na skrzydłach. Przebiegł przez podwórko, uważnie, by nie natknąć się na służącą, przekradł się przez parter, po schodach wkroczył na piętro i zamknął się w swoim pokoju. Zwalczył pokusę, by otworzyć pakunek, który zaraz ukrył w szafie pod ubraniami, i zszedł do jadalni. Okazało się, że doktor jeszcze nie wrócił. Służąca nakryła dla jednej osoby i podała najpierw talerz parującej zupy jarzynowej z fasolą, potem wniosła sznycle z ziemniakami obficie spryskanymi złoconymi skwarkami. Jako domownik doktora Borys stołował się wraz z nim, co oznaczało, że był jedną z niewielu osób w mieście, które jadały mięso nie tylko w niedzielę i święta.

– Nie wie Anna, co zatrzymało pana? – zapytał, rozcinając blaszanym widelcem lśniącą od masła połówkę ziemniaka. – Chyba nie rozmowa z wolontariuszkami o potrzebie mycia rąk przed każdym posiłkiem?

Krzątająca się przy stole służąca wzruszyła ramionami.

– Pan doktor w szpitalu. Godzinę temu był Józef, w biegu zjadł zupę i zabrał jedzenie dla pana. Pan kazał sobie podesłać powóz na osiemnastą.

Nauczyciel poprosił o kawałek razowego chleba i starannie wyczyścił talerz z resztek mielonego mięsa i tłuszczu. Blisko roczny pobyt w zamożnym domu rozleniwił go nieco, ale nie wyzbył się jeszcze nawyków z nie tak sytej przeszłości. Skończył posiłek i już miał iść odpocząć do siebie, gdy chęć rozprostowania kości wyprowadziła go na ulicę. Zaczerpnął w płuca rześkiego jesiennego powietrza, odetchnął po obfitym posiłku, po czym skierował nieśpieszne kroki w stronę rynku. Włóczył się bez celu wąskimi, zabłoconymi uliczkami, a kiedy wrócił pod dom, zauważył, że Anna wręcza drobną monetę dorożkarzowi. Bez zastanowienia wskoczył na kozła i mrugnął do służącej.

– Pojadę po pana do szpitala – rzucił z wysokości, ignorując rozeźlone spojrzenie woźnicy.

Trzęsący się powóz nadawał się bardziej do transportu niewrażliwych na uszkodzenia towarów niż eleganckich przejażdżek. Zupełnie niepodobny do dorożek wiedeńskich, lwowskich lub krakowskich, powlókł się przez rynek, z cichym cmokaniem obręczy kół przejechał przez błotnisty plac Świętego Michała i ruszył traktem nazywanym powszechnie Starą Drogą. U wylotu Floriańskiej skręcił w kierunku Potoku Płowieckiego, minął most, by zatrzymać się wreszcie przed szarym, piętrowym budynkiem szpitala.

Borys zeskoczył z ławeczki, wszedł do środka i zajrzał przez drzwi do stróża zajmującego niewielkie pomieszczenie na parterze. Wąsaty chłop w pierwszej chwili chciał przegnać gościa przychodzącego poza wyznaczonymi godzinami, zaraz jednak rozpoznał domownika znanego wszystkim doktora Zaleskiego. Wyszedł ze stróżówki i podprowadził nauczyciela korytarzem, ale nie do schodów wiodących na piętro, lecz ku wejściu do piwnicy. Kiwał przy tym na wszystkie strony wielką wygoloną głową i co rusz podkręcał sumiaste wąsiska.

– Co tu się, panie szanowny, nie działo – mówił, sapiąc po każdym słowie. – Co tu się nie działo. Ludzi tyle, co to ich tu nie widziałem od czasu wypadku powozu pana Leszczyńskiego! Wszyscy byli, oglądali, chodzili, łazili i gadali bez końca. Nic gadać nie kazali, żadnych plotek. – Stróż spojrzał kątem oka na nauczyciela, jakby obaj należeli do tajnego sprzysiężenia. – Nikomu nic nie mówić, nikogo nie wpuszczać. Ale pan jest od pana doktora, pan z powozem, to pan może wejść.

Wąsacz otworzył kolejne drzwi, zza których uderzył ostry zapach środków dezynfekujących. Zatrzymał się w progu i przepuścił nauczyciela. Borys zdążył się już przyzwyczaić do coraz chłodniejszych dni i nocy, ale w tym momencie poczuł zimno pełznące w dół kręgosłupa. Podziękował stróżowi i zszedł po schodach. Nigdy nie był w tej części szpitala.

Zatrzymał się przed załomem korytarza. Usłyszał czyjś cichy głos. Wychylił się, przeszedł w półmroku kilka kroków przy ścianie, po czym przystanął przed uchylonymi drzwiami do kolejnego pomieszczenia, skąd sączyło się blade światło lamp.

– Jest pan tego pewny, doktorze?

– Nie mam najmniejszych wątpliwości. – Borys rozpoznał głos swojego chlebodawcy, Karola Zaleskiego. – Mogę się mylić góra o dwie godziny. Widzę to po *palor mortis*, poznaję po *livores mortis*, mających barwę sinowiśniową. Zaczynam już rozpoznawać *frigor mortis*, temperatura ciała obniża się z każdą godziną. Plamy opadowe się utrwaliły, ale całkowite stężenie nastąpi około północy.

Borys ostrożnie wyjrzał zza uchylonych drzwi. W półmroku pozbawionego okien pomieszczenia, w kręgu światła lampy prowadzonej dłonią lekarza, oprócz swego pracodawcy, dostrzegł zarysy jeszcze dwóch postaci. Doktor Zaleski pochylał się nad stołem, obok niego stał miejski komisarz policji Witchenbacher. Łatwo rozpoznał niską, przysadzistą sylwetkę Austriaka. Witchenbacher cieszył się opinią mało błyskotliwego służbisty, bardziej urzędnika niż policjanta, wiecznie niezadowolonego i narzekającego na los, który rzucił go w sam środek austriackiej prowincji, do miasteczka zapomnianego przez ludzi i Boga.

Po drugiej stronie był jeszcze ktoś, ale tej postaci nie potrafił rozpoznać.

– Śmierć nastąpiła zatem około północy?

– Bez wątpienia.

– Co pańskim zdaniem było jej przyczyną?

– Tu również nie mam wątpliwości. Proszę spojrzeć. – Lekarz obniżył lampę, postacie pochyliły się, zawężając krąg światła, i ciemności spowijające obrzeża pomieszczenia zamknęły się ponad stojącym w centrum stołem. – *Vulnera morsa.* Rany kąsane. Na dłoniach, przedramionach, barkach i szyi. Rozerwana tętnica. Szarpane ślady na skórze.

– Biedak wykrwawił się na śmierć...

– Nie zdążył – zaprzeczył lekarz. – Utopił się.

– Utopił?

– Utopił się we własnej krwi. Proszę spojrzeć na tę ranę. Oczyściłem ją i widać wyraźnie, z jaką siłą szczęki zwierzęcia zacisnęły się w tym miejscu. A tutaj, proszę popatrzeć, wyraźnie widać ślady kła, który niczym krótki zakrzywiony nóż rozerwał skórę. To była szybka, choć bolesna śmierć.

Echo nieśpiesznych kroków podkutych butów poniosło się wzdłuż ścian prosektorium, kiedy komisarz Witchenbacher obszedł stół, wziął lampę z rąk doktora i sam nachylił się nad ciałem.

– Uważa więc pan, że ta śmierć to efekt działania zwierzęcia?

– Jedyne, co mogę stwierdzić, to fakt, iż bezpośrednią przyczyną zgonu są rany kąsane.

– Jak w takim razie wyjaśni pan to?

Skupieni nad stołem mężczyźni pochylili się nad tym, co wskazał komisarz. Borys, który w pierwszej chwili zamierzał dyskretnie się wycofać, teraz, bardzo zaciekawiony, wychylił się zza wpółotwartych drzwi, ale w półmroku nie mógł niczego dostrzec.

– Ma pan rację. – Usłyszał głos doktora Zaleskiego. – Poza ranami kąsanymi w okolicy szyi i barków, a także dłoni i ramion, na przegubach zmarłego są świeże sińce.

– O czym to świadczy, doktorze?

– Kolor plam wskazuje, iż powstały przed upływem doby, a ich układ pasuje do rozstawu palców mężczyzny. Widać wyraźnie trzy plamy w równym rzędzie, najwyraźniej wywołane naciskiem palca wskazującego, środkowego i serdecznego, a po drugiej stronie lewego przedramienia zmarłego da się zauważyć obrys ustawionego bokiem kciuka. A zatem...

– A zatem – cichym, choć stanowczym głosem wtrącił się policjant – mamy do czynienia z atakiem zwierzęcia, które zanim zatopiło kły w ciele ofiary, najpierw przytrzymało ją ludzkimi dłońmi?

Borys przestąpił z nogi na nogę. Wahał się, czy ulec ciekawości i zostać, czy też oddalić się niepostrzeżenie. Nieostrożnie oparł się barkiem o drzwi, a te otworzyły się milimetr szerzej, co dało o sobie znać cichym, ledwie słyszalnym skrzypnięciem.

– Jest tam kto? – krzyknął Witchenbacher i wyrwawszy z rąk doktora lampę, skierował strumień światła w kierunku korytarza. Borys zmrużył powieki i osłonił twarz dłonią.

– Kim pan jest? – zagrzmiał basem komisarz. – Co pan tu robi?

– To Borys Pasternak, nauczyciel mojej córki i mój domownik. – Doktor Zaleski wszedł między smugę światła a oślepionego nauczyciela. – Co ty tutaj robisz?

– No tak, już sobie przypominam – warknął komisarz. – Znów się spotykamy!

Borys cofnął się o krok.

– Dorożka czeka przed szpitalem. Prosił pan, żeby podjechać o osiemnastej...

– Podsłuchiwałeś! – Witchenbacher stanął obok lekarza i uniósł lampę, kierując światło wprost na twarz nauczyciela, ale doktor Zaleski powstrzymał go ruchem dłoni, popychając jednocześnie Borysa na korytarz.

– Proszę wybaczyć. To moja wina, nie zamknąłem drzwi. Dokończymy pracę, a ten młodzieniec zaczeka za zewnątrz.

Witchenbacher chciał coś jeszcze powiedzieć, ale Zaleski ujął go lekko pod ramię i pokierował do stołu. Kiedy tylko snop światła zszedł z jego twarzy, Borys odwrócił się i wyszedł. Szybkim krokiem przeszedł korytarzem i zaczął się wspinać schodami, kiedy usłyszał, że ktoś za nim idzie. Obejrzał się przez ramię i rozpoznał Anzelma Ochmańskiego, zamożnego aptekarza i rajcę w jednej osobie. Nauczyciel przystanął w pół kroku, po czym skinął głową i ruszył ku wyjściu. Udawał, że nie słyszy wołania.

– Zaczekaj! – Dopiero na zewnątrz Ochmański zdołał go dogonić i uchwycić za ramię. – Porozmawiaj ze mną choć przez chwilę.

– Słucham pana. – Borys odwrócił się i spojrzał w twarz aptekarza. Pamiętał go jeszcze z czasów dzieciństwa, smukłego, zawsze gładko ogolonego, z falującymi, starannie zaczesanymi ciemnobrązowymi włosami. Niegdyś przystojna twarz poszarzała, nos stracił ostrość, krzaczaste brwi mąciły dawną wyrazistość spojrzenia, włosy się przerzedziły, a upływ lat zmienił ich brązową barwę w kolor zaśniedziałego srebra. Cała sylwetka nabrała kształtów tej leniwej łagodności, która przychodzi z każdym kolejnym dostatnim latem i jesienią. Opięta na pokaźnym brzuchu kamizelka świadczyła jednoznacznie o wygodnym i obfitującym w kulinarne kaprysy życiu.

– Musimy porozmawiać. – Ochmański zacisnął dłoń na ramieniu młodego nauczyciela, po czym zerknął przez ramię w stronę szerokich szpitalnych drzwi. – Ale nie tutaj. Spotkajmy się wieczorem. W „Cafe Corso".

– Przepraszam, ale nie bardzo rozumiem.

– Musimy porozmawiać. – Aptekarz przybliżył twarz i Borys ostatnim wysiłkiem woli powstrzymał się przed skrzywieniem. Oddech Ochmańskiego przesiąknięty był kwaśnym odorem. – Tylko ty możesz nam pomóc.

– O co panu chodzi, panie Ochmański?

– Tylko ty możesz nam pomóc – gorączkował się aptekarz, ignorując fiakra, który przyglądał się im zaciekawiony z wysokości kozła stojącej nieopodal dorożki. – W tej sytuacji tylko ty...

Borys gwałtownie strącił dłoń rajcy ze swojego ramienia.

– Panie Ochmański, proszę nie opowiadać głupstw – rzucił oschle. – Nie wiem, o czym pan mówi, i nie mam nic więcej do powiedzenia.

Aptekarz cofnął się, a jego usta wykrzywił zagadkowy grymas.

– Ja pamiętam, Borys, ja to doskonale pamiętam. Pomogłeś mi przed laty i do końca swych dni będę ci za to wdzięczny, podobnie jak moja żona. Pamiętam, co dla nas zrobiłeś. – Ochmański przerwał i obejrzał się przez ramię, spoglądając na wychodzącego ze szpitala doktora Zaleskiego. Poprawił kamizelkę, przeczesał dłonią włosy, mruknął coś pod nosem, ukłonił się lekarzowi, po czym odszedł szybkim krokiem.

Kilka metrów dalej, wsparty o kamienny murek okalający szpital, w cieniu krzewu dzikiej róży, komisarz Ludwik Witchenbacher obserwował, jak doktor Zaleski wspina się na gondolę dorożki, a obok niego zajmuje miejsce nauczyciel jego córki. Komisarz uważnie przyglądał się jego młodzieńczej twarzy, jasnej czuprynie i wątłym, niemal dziewczęcym ramionom. Poznał go przed kilkoma dniami, w czasie przesłuchania w sprawie bójki. Nauczyciel wracał z wieczornego spaceru, kiedy drogę zastąpiło mu dwóch podpitych robotników. Świadek zajścia nie miał żadnych wątpliwości, to robotnicy zaczepili nauczyciela, ale faktem było, że to oni zostali poszkodowani. Jeden do tej pory leżał w szpitalu z poważnymi uszkodzeniami głowy i złamaną w dwóch miejscach ręką. Drugi zdołał zbiec. Ucierpiał również interweniujący policjant. Obaj zeznali do protokołu, że Pasternak zupełnie nie panował nad swoim zachowaniem. Zdołano go obezwładnić dopiero wtedy, kiedy atak ślepej furii minął.

Komisarz odczekał, aż trzęsący się powóz ruszy błotnistą drogą, postawił kołnierz płaszcza i odruchowo sięgnął do wewnętrznej kieszeni. Namacał palcami obciążający ją kształt i uspokojony, poszedł w ślad za odjeżdżającą dorożką. Mógł poprosić stróża o wezwanie powozu, ale wolał przebyć drogę do domu pieszo, dając sobie tym samym czas i sposobność na zebranie myśli. Szedł wzdłuż torów kolejowych, w stronę przedmieścia, gdzie wraz z małżonką zajmował mały parterowy domek, wykupiony przez przedstawicieli miłościwie panującego Franciszka Józefa na potrzeby publiczne. Dawniej przedmieście podzielone było na sześćdziesiąt trzy działki uprawne o jednakowej wielkości dwunastu mórg. Z biegiem lat i wraz z rozwojem miasta okolica straciła swój rolniczy charakter, a kolejne działki wykupili bogatsi mieszczanie lub urzędnicy przybywający do miasteczka z większych ośrodków. Komisarz uważał, że z racji zajmowanego urzędu należało mu się wygodne mieszkanie na piętrze murowanej kamienicy lub przynajmniej większego domu położonego bliżej ratusza, teraz jednak nie przeklinał, jak to miał w zwyczaju, losu, który rzucił go na ten mały, ciasny i brudny koniec świata, ale pogwizdywał wesoło, chwaląc w skrytości ducha swoją przebiegłość.

Kiedy okazało się, że lekarz miejski, pobierający wynagrodzenie z kasy komunalnej, od samego rana leży nieprzytomny w swoim domu na przedmieściu, Witchenbacher natychmiast polecił odszukać doktora Zaleskiego. Nie lubił tego zawsze poważnego, nieco wyniosłego mężczyzny, ale nie mógł nie doceniać jego wiedzy i umiejętności. Siwobrody lekarz na każdym kroku podkreślał swoją polskość, a mimo to bez słowa sprzeciwu wypełnił swój obowiązek jako cesarski poddany, dostarczając informacji, które być może pozwolą mu, niedocenionemu śledczemu, skazanemu przez ślepy los na pobyt w sennym miasteczku na końcu świata, powrócić tam, gdzie jego miejsce, do Wiednia lub Lwowa.

Komisarz przekroczył próg domu z niezwykłym animuszem, gestem odesłał wiecznie skwaszoną żonę do salonu, służącą do kuchni, sam zdjął płaszcz, odłożył kapelusz i z werwą zasiadł przy biurku w pełniącej rolę gabinetu małej izbie z oknem wychodzącym na polną drogę. Sięgnął do kieszeni spodni, wyjął zwitek banknotów i przez chwilę wdychał ich zapach, połączenie woni wilgotnego papieru z zapachem mikstur, lekarstw i nalewek, które Ochmański sprzedawał w swojej aptece. Rajca nie powinien się mieszać w sprawy rozpoczynającego się właśnie śledztwa, ale komisarz uznał, że jego obecność nie jest aż tak sprzeczna z procedurą, by nie mógł się na to zgodzić. Uśmiechnął się pod nosem i schował pieniądze do szuflady.

Wstał i nie bacząc na przedwieczorny chłód, otworzył okno. Odetchnął świeżym powietrzem, przeszedł się po pokoju, a stukot jego podkutych butów zagłuszał skrzypienie starej podłogi. Odburknął coś nieprzyjemnie, kiedy żona ośmieliła się zakłócić jego spokój i zapukała do drzwi, otarł czoło wierzchem dłoni i na powrót zasiadł przy biurku. Chwilę, która miała nastąpić, celebrował z wielką przyjemnością. Sięgnął do wewnętrznej kieszeni marynarki i drżącymi ze zniecierpliwienia palcami wymacał nieduży, obły, gładki w dotyku przedmiot. Wyjął go, zważył w dłoni, czując spory jak na te rozmiary ciężar, ustawił na biurku i odetchnął głęboko. W duchu żegnał się już z brudnym miasteczkiem, wąskimi zabłoconymi uliczkami, drewnianymi domkami otoczonymi zbutwiałymi płotami i ludźmi, w większości nieznającymi żadnego cywilizowanego języka.

Sięgnął po czystą kartę papieru i pióro skryte w orzechowym sekretarzyku. Przymknął oczy i w myślach rozpoczął redagowanie treści depeszy.

Kiedy kilka minut później szedł z gołą głową – bo zapomniał kapelusza – ulicami miasteczka, którego tak bardzo nienawidził, patrzył na mijane domy z pewną sympatią. Uczucie to wywołane było pewnością, że już niedługo zamiast na chylące się ku ziemi drewniane chatki, patrzeć będzie na eleganckie fasady piętrowych kamienic.

Kiedy skrzypienie osi kół i stukot podków dorożkarskiego konia ucichły za rogiem, a Borys położył dłoń na stalowych prętach prowadzącej na podwórko bramki, doktor Zaleski ujął go lekko pod ramię i zawrócił w stronę ulicy.

– Jedno słowo, jeśli pozwolisz – powiedział poważnym tonem. – Po raz kolejny w ciągu ostatnich dni wystawiasz na próbę moją cierpliwość i zaufanie do twojej osoby! Po raz kolejny muszę z twojego powodu tłumaczyć się komisarzowi policji! Nie uważasz, że to przesada? Dwa incydenty w przeciągu jednego tygodnia!

– Panie doktorze, to nie moja wina...

– Posłuchaj mnie uważnie. Tam, w kostnicy, widziałeś i słyszałeś rzeczy, które nie były przeznaczone dla twoich oczu i uszu. Sprawy, o której rozmawiamy, nie da się długo utrzymać w tajemnicy, jutro plotkować będzie o niej całe miasto. Pewne szczegóły nie powinny się jednak wydostać poza ściśle grono zaufanych osób. Rozumiesz, co mam na myśli?

Borys skinął głową.

– Kto to był?

– To bez znaczenia. Nie powinieneś był tam wchodzić.

– Sam pan powiedział, że jutro...

– Skwierzyński. Znaleźli go nad ranem, koło klasztornego muru.

– Jak to się stało?

– Nie pora na takie rozmowy. – Zaleski uwolnił ramię nauczyciela i nacisnął klamkę przy bramce. – Sprawa z całą pewnością znajdzie swoje wyjaśnienie, choć może jeszcze nie dziś. – Uśmiechnął się. – Chodźmy, kolacja czeka.

Jedli w milczeniu, siedząc naprzeciw siebie przy stole w jadalni. Laura zjadła wcześniej, a teraz odpoczywała w swoim pokoju, czekając, jak co wieczór, na spotkanie z ojcem. Doktor odsunął nakrycie, wstał i ukłoniwszy się elegancko, poszedł do córki. Borys oddał ukłon, a następnie wrócił do posiłku. Wymazał chlebem tłuszcz z talerza i wyjadł pieczywo z wiklinowego koszyka, co zirytowało służącą. Po kolacji mógł pójść do swojego pokoju, poczytać lub położyć się spać, mógł też zejść do służbówki i pograć z Józefem w karty lub warcaby, wypijając przy tym dwa czy trzy kieliszki nalewki z wiśni. Wybrał tę pierwszą możliwość, włożył do ust ostatni okruch chleba i wszedł na piętro. Idąc ciemnym korytarzem, przystanął na moment pod drzwiami swojej podopiecznej; wyraźnie słyszał spokojny, niemal dostojny ton doktora. Minął pokój Laury i wszedł do siebie. Otworzył szeroko okno, a wiatr natychmiast wydął zasłony. Borys schwytał łopoczące płachty materiału i zatknął je za framugi okna. Zatarł ręce i sięgnął do szafy, tam, gdzie ukrył pakunek od Abrama Berkowicza. Wyjął orzechową skrzyneczkę i składanym nożem podważył delikatne, cienkie jak papier wieczko. Niecierpliwym ruchem dłoni odrzucił drewniane trociny, mające chronić wrażliwą na uszkodzenia zawartość. Sięgnął do miękkiego, wyściełanego atłasem wnętrza, wymacał tubę i masywny statyw. Wyjął mechanizm z pudełka i podszedł do okna, ustawił nogi statywu na parapecie, rozkręcił pierścień u jego szczytu i najdelikatniej jak umiał nałożył nań połyskującą mosiądzem tubę. Dokręcił śrubę i sprawdził, czy pierścień pozwala na przesuwanie konstrukcji z należytą łatwością zarówno w pionie, jak poziomie. Delikatnie objął dłonią tubę i rozsunął cylinder lunety. Wyjętą z pudełka bawełnianą szmatką przetarł okular i przyłożył doń oko. Delikatnie, by nie uszkodzić niewyrobionego jeszcze mechanizmu, przesunął pierścień statywu tak, aby w idealnym okręgu okularu znalazła się strzecha domu nad rzeką. Patrzył na nią tak długo, jak pozwolił mu na to wczesny, jesienny zmierzch. Dopiero gdy sąsiednie kamienice odcięły parapet od promieni zachodzącego słońca, a okno krytego słomą domu spowił mrok, starannie złożył lunetę, schował ją do orzechowego pudełka, a samo pudełko do szafy. Położył się do łóżka, ale zamiast ulec senności, długo patrzył w ciemność.

Obudził się w środku nocy, nagle otworzył oczy i w jednej chwili opuściła go senność. Odetchnął głęboko i poczuł narastające mrowienie wzdłuż kręgosłupa. Jeszcze raz zaczerpnął powietrza i najmocniej jak tylko mógł zacisnął powieki. Po chwili uspokoił się na tyle, by zrozumieć, że nie zdoła zasnąć. Znał tę prawidłowość od wczesnego dzieciństwa. Jeżeli nachodziła go chęć ucieczki w sen, musiał uspokoić rozbiegane myśli. Otworzył oczy i szybko, starając się nie patrzeć w ciemność, zapalił lampę. Ustawił minimalny płomień i na powrót ułożył się na poduszce, zamykając oczy i odliczając czas do świtu.

Ciemność rozchyliła się jak kobiece ramiona. Znajdował się w tym szczególnym stanie, w którym człowiek ma świadomość, że śni, ale nie potrafi wrócić do rzeczywistości i przerwać biegu sennych wydarzeń. Leżał w swoim własnym łóżku, z głową wtuloną w poduszkę, zaciskając spocone dłonie na zmiętej pościeli.

Kobiety wyłoniły się z ciemności jak dwa bliźniaczo podobne okręty, wypływające wprost z gęstej mgły. Łączyła je wspólna tajemnica, ich policzki stykały się, jakby zwierzały się sobie nawzajem z najgłębszych sekretów. Nie patrzyły na niego, zajęte sobą, oddychały jednym oddechem, policzek przy policzku, usta w usta. Szeroko otwarte oczy, nieruchome powieki. Proste włosy okalające identyczne twarze o delikatnych rysach. Dwa zastygłe w bezruchu oblicza, jedno będące idealnie symetrycznym odbiciem drugiego, spowite błękitną poświatą. Dopiero teraz to dostrzegł. Widział je wyraźnie, ale nie mógł określić źródła światła, jak gdyby to one same emanowały chłodną bladoniebieską aurą. Kobiety miały uniesione powieki, a mimo to czuł, że go nie widzą. One nie patrzyły na niego, one śniły. Śniły z otwartymi oczami. Niemal dostrzegał w ich nieruchomych źrenicach migoczące obrazy wspólnego snu.

Odeszły tak samo niespodziewanie, jak się pojawiły. Patrzył na ich bliźniacze twarze, a one, pomiędzy jednym uderzeniem serca a drugim, rozpłynęły się w ciemności.

Minęła północ, gdy postanowił urządzić sobie spacer ulicami śpiącego miasta. Lekko wskoczył na parapet, bezszelestnie wyślizgnął się uchylonym oknem, sunąc tuż przy ścianie, zbliżył się do rynny, po czym dał susa w mrok, odbił się i niemal spłynął w dół, dotykając kamiennego gzymsu. Zastygł, balansując ogonem na wąskiej krawędzi muru, odbił się jeszcze raz i miękko opadł na trawę.

Kocur jak cień przemknął przez podwórko i uczepiwszy się pazurami pnia drzewa, wspiął się między ogołocone z liści gałęzie. Przeszedł po chybotliwym, szeleszczącym pomoście na drugą stronę ogrodzenia i zeskoczył w ciemność.

Włóczył się zaułkami piętrowych kamienic, zwiedzał zatęchłe piwnice, wędrował po murach, płotach i parapetach, leniwie spacerował zarośniętym skrajem drogi wiodącej w dół zamkowego wzgórza, między drewniane chaty rybaków. Patrzył chwilę na rzekę, a potem zawrócił, kiedy jego zwierzęcy instynkt nakazał mu skoczyć w bok, znaleźć jakieś drzewo i jak najszybciej wspiąć się wysoko między gałęzie. Strach dodał mu szybkości i siły. Znalazł odpowiednio gruby konar, zawinął ogon pod siebie i z wysokości spoglądał zielonymi ślepiami na pochylony cień, sunący wolno ulicami miasta. Kiedy cień zniknął za zakrętem uliczki, odczekał chwilę i zeskoczył z drzewa. Mógł ze spokojem wrócić do swoich kocich spraw.

2

Ranek nastał zimny i wilgotny, mgły nie rozpłynęły się w promieniach wczesnego słońca, ale niesione wiatrem snuły się nad rzeką. Laura nie przespała nocy i Borys, zamiast udać się do pokoju swojej podopiecznej, zaraz po śniadaniu wrócił do siebie. Usiadł przy uchylonym oknie, przysuwając się do okularu lunety, ale pomiędzy nagimi gałęziami drzew u stóp zamkowego wzgórza nie dostrzegł sylwetki, której szukał. Na powrót ukrył składany mechanizm w szafie i położył się na łóżku. Słyszał ciężkie kroki doktora Zaleskiego na korytarzu, trzaśnięcia drzwi i głosy tuż za ścianą. Nieco później usłyszał służącą, szybko wchodzącą na piętro, znów otwierane i zaraz zamykane drzwi, znów kroki na schodach, tym razem w dół. Leżał tak długą chwilę, słuchając, jak służąca donosi ciepłą wodę, a Zaleski wzywa do siebie Józefa, by ten odwołał poranne wizyty u chorych. Donośny, choć spokojny głos doktora i długie minuty niczym niezmąconej ciszy.

Kiedy stało się już jasne, że przedpołudniowe zajęcia się nie odbędą, nałożył starą, w wielu miejscach pocerowaną marynarkę i wyszedł z domu. Nieśpiesznym krokiem okrążył rynek i wszedł w ulicę Nowej Rady, obserwując zwyczajny, codzienny trud żyjącego miasta: obciążony ponad miarę powóz woziwody, kołyszący się na nierównościach drogi i znaczący trasę swego przejazdu mokrym śladem, spacerującego wzdłuż sklepowych witryn żandarma w granatowym uniformie, uwijających się przy odbiorze towaru subiektów i gromadkę żydowskich dzieci goniących się między zmarzniętymi przechodniami.

Wtem wydało mu się, że między wędrownym handlarzem a plecami żandarma dostrzega znajomą twarz rajcy Ochmańskiego. Chciał zawrócić, ale obawiał się, że aptekarz już go dostrzegł. Przystanął więc i naparł na drzwi sklepu masarskiego Michała Słuszkiewicza. W głębi, na zapleczu, znajdował się ciasny, ciemny szynk, gdzie za dwanaście centów można było zamówić tak zwaną porcję, głęboki talerz rosołu z kawałkiem mięsa, do tego gruba pajda białego chleba. Nauczyciel wszedł do środka. Poza porcją za dwanaście centów, można tu było dostać kiszkę podawaną na trzy sposoby: gładko mieloną wątrobiankę, krajaną z mięsem i bułką oraz we flaku, wypełnioną kaszą gryczaną. Podszedł do kontuaru i wysupłał z kieszeni kilka monet.

Borys usiadł nad drewnianym talerzem, pogięte zęby blaszanego widelca nakłuły jelito kryjące gorące nadzienie. W ciemnej, dusznej izbie tłoczyło się kilkanaście osób, głównie woźniców i tragarzy dowożących towary do sklepów w miasteczku. Było też kilku ruskich chłopów, którzy dostarczali sklepikarzom owczą bryndzę i wyroby snycerskie. Ci pałaszowali swoje porcje z prawdziwie wilczym apetytem, na co dzień przyzwyczajeni do chleba z owsa, owsianki, kapusty i brukwi. Ubogą w mięso dietę znosili łatwiej dzięki kazaniom głoszonym przez popów w cerkwiach zagubionych między karpackimi wzgórzami: pościli czterdzieści dni przed Wielkanocą, czterdzieści dni przed Bożym Narodzeniem, czternaście przed Piotrem i Pawłem, czternaście przed Wniebowzięciem, a do tego w każdą środę i piątek.

– Rozszarpany na strzępy, sam słyszałem, jak żona posterunkowego Walzera opowiadała o tym swojej sąsiadce. – Zza pleców dobiegł go czyjś rozgorączkowany głos. – Ledwo go poznali, chyba po pierścieniu, który nosił na serdecznym palcu lewej dłoni.

– Podobno psy wyżarły mu serce. – Ktoś włączył się do rozmowy. – Prawda to?

– Pewnie, że prawda. – Odpowiedzi udzielił trzeci głos, niski i drżący, jakby jego właściciel mimo dość wczesnej pory zdążył już wypić cały dzban piwa. – Mówią, że brakowało nie tylko serca, ale i wątroby.

– Taki bogaty pan, a śmierci nie uszedł. W tym jednym cała boska sprawiedliwość. Miejski rajca czy ostatni żebrak, w obliczu śmierci obaj równi.

Borys czuł, że z każdym kolejnym kęsem jego ciało wypełnia przyjemne, ciepłe uczucie sytości. Zagryzł łapczywie pajdą razowego chleba, nabrał na widelec szkliste wstążki podsmażonej cebuli.

Kiedy dostrzegł Ochmańskiego, w pierwszej chwili opuścił wzrok, wbił spojrzenie w talerz, kątem oka szukając wyjścia z ciemnej, zatłoczonej izby. Postanowił, że wyjdzie ukradkiem, przemknie pod ścianą i niezauważony dotrze do drzwi, ale żal mu było zostawiać tłustą przetykaną grubymi ziarnkami kaszankę. Nabrał jej jeszcze raz na widelec, zagryzł świeżym, chrupiącym chlebem. Podniósł oczy i zobaczył, że aptekarz idzie wprost ku niemu, podnosząc dłoń w geście pozdrowienia.

– Witam pana nauczyciela. – Ochmański opadł ciężko na drewniany zydel po drugiej stronie stołu. – Pan nie u panienki Zaleskiej?

Borys, żując powoli grubą skórkę chleba, pokręcił przecząco głową.

– Panienka chora.

Aptekarz skrzywił się.

– Wszystko przez pogodę. Wilgoć w powietrzu. Czuć, że jesień idzie.

Pasternak skinął głową, zajęty posiłkiem. Ochmański pochylił się do przodu, niemal brudząc połę marynarki parującą kaszanką.

– Powiedz – odezwał się cicho – ty coś wiesz. Na pewno już coś wiesz.

– A o czym niby miałbym coś wiedzieć?

– Jak to o czym? – Aptekarz ze złością uderzył palcami o stół. – Całe miasto o tym gada, a ty nie wiesz? Skwierzyński pokąsany przez wilka w samym środku miasta, niemal pod klasztorną furtą, a ty nie wiesz, o czym ja mówię?

– Jestem nauczycielem, nie myśliwym. Do lasu nie chodzę, do zwierzyny nie strzelam. Na wilkach się nie znam.

– Ale na innych sprawach się znasz – Ochmański zniżył głos. – Na tym, co dla innych jest zakryte, czego inni nie dostrzegają!

Borys odłożył blaszany widelec, odsunął talerz z niedojedzoną kaszanką.

– Nie wiem, o czym pan mówi.

– Borys, ja cię o pomoc przyszedłem prosić. Nie tylko w swoim własnym imieniu.

– Nie potrafię panu pomóc. Nie znam się na...

– Raz już mi pomogłeś.

Pasternak spojrzał w wystraszone szare oczy aptekarza.

– Przydało się to panu do czegoś? – zapytał cicho. – Nie zamąciło w głowie?

– Nie zamąciło – równie cicho odpowiedział Ochmański. – Przyniosło spokój.

Początek marca, słońce świeci coraz mocniej, zmusza do zmrużenia oczu, kiedy patrzy się na białe połacie pól nad zamarzniętą rzeką. Śnieg skrzypi wesoło pod stopami, jest twardy jak pokruszony lód. Idzie przez błonia w kierunku rzeki, powoli, z wysiłkiem stawiając nogi. Śnieg nie jest głęboki, ale pięciolatkowi sięga do kolan, szroni samodziałowe spodnie, lepi się do wełnianych rękawic. Słońce jest już wysoko ponad białą linią wzgórz, ale mróz szczypie w policzki i czubek nosa, wciska się pod okrycie, krępuje palce. Borys z mozołem przeciska się przez zmarznięte zarośla, mija spękane od długich zimowych mrozów pnie drzew, dochodzi do rzeki. Płynący tuż przy kamienistym dnie nurt spiętrzył lodowe kry. Chłopcu przypominają one pajdy grubo pokrojonego chleba, nierówno ułożone na drewnianym talerzu. Zimne, skruszone przy krawędziach lodowe bloki wyglądają tak, jak gdyby niewidzialna mocarna dłoń zwaliła jeden na drugi z wielkim impetem. Wspina się na zestalone pokłady lodu, ześlizguje się, zdejmuje rękawice i próbuje jeszcze raz. Ostrożnie, balansując rękoma, idzie wzdłuż poszarpanej krawędzi, przeskakuje z jednej kry na drugą. Patrzy na rzekę, w której przed kilkoma miesiącami brodził po kolana. Teraz jest biała, równa jak stół, tylko przez sam środek lodowej łąki płynie wąski strumyk o poszarpanych brzegach. Zbliżająca się wiosna nadwątliła krę, nurt wydostał się na powierzchnię, ale na to, by zobaczyć rzekę w pełnej krasie, trzeba zaczekać jeszcze kilka tygodni. Pomny ostrzeżeń ojca walczy z pokusą, by wstąpić na dziewiczo białą taflę i spróbować podejść do wąskiej nitki wody. Waha się, rozkłada szeroko ramiona, spogląda pod stopy, szukając oparcia na pochyłej krawędzi, a kiedy podnosi wzrok, nieruchomieje ze zdumienia. Przed nim, wsparta o spiętrzony lód, siedzi jasnowłosa dziewczynka, opatulona wełnianym płaszczykiem narzuconym na ramiona. Poznaje ją, to Kasia, towarzyszka jego psot, córka mieszkającego nieopodal rynku aptekarza. Zeskakuje z lodowej hałdy, podbiega do niej.

– Gdzieś ty była? – Próbuje ją chwycić, ale dziewczynka cofa dłoń i patrzy w bok. Zapamięta to spojrzenie na zawsze, nieobecne, smutne, spokojne jak zimowy wieczór. – Gdzieś ty była? – powtarza. – Wszyscy cię szukają. Twój ojciec postawił na nogi całe miasto, policjanci chodzą między domami Żydów, mówią, że cię ktoś porwał. Chodź. – Wyciąga swoją małą, nieporadną dłoń, ale dziewczynka kręci przecząco głową.

Borys przestępuje z nogi na nogę, nie wie, co robić. Kasia jest blada, siedzi na śniegu, pochlipuje, ale policzki ma suche.

– W takim razie siedź tutaj, nigdzie się nie ruszaj – mówi, kładąc przed nią swoje wełniane rękawice. – Załóż je, będzie ci cieplej. Sprowadzę twojego ojca.

Puszcza się biegiem w stronę zamkowego wzgórza, rozchyla zmrożone zarośla, w pół kroku zatrzymuje go cichy głos dziewczynki.

– Powiedz im – słyszy – powiedz im, że już wszystko dobrze.

Borys przeciera palcami oczy, odpędzając natrętne wspomnienia i obrazy, które od dawna chciał wyrzucić z pamięci. Stracił apetyt, odechciało mu się kaszanki z cebulą, a izba, przed chwilą przytulnie ciepła, wydała mu się zbyt ciasna i duszna.

– Teraz to co innego – mówi, wstając z miejsca. Aptekarz usiłuje go zatrzymać, ale strąca jego dłoń ze swego ramienia. – Nie potrafię panu pomóc. Choćbym chciał, nie potrafię.

Komisarz Witchenbacher skrzywił się, przełknąwszy łyk ciepłej lury zabielanej mlekiem. Miał dość zwietrzałej kawy, fałszowanej domieszką kawy zbożowej i cykorii, trzęsącego się biurka z poplamionym blatem, rozchybotanego krzesła, małego zakurzonego gabinetu i wiecznie tych samych spraw zgłaszanych przez posterunkowych: a to, że ktoś kogoś pobił, a to, że ktoś komuś uprowadził kozę z zagrody, a to, że obsługa Urzędu Pocztowego numer 47 znów jest pijana i nie przyjmuje ani też nie wydaje przesyłek. Miał dość wzajemnych skarg żydowskich kupców, miał dość kur biegających po zabłoconym placu przed magistratem i drewnianych wychodków, do których szło się, lawirując między rozlewiskami brunatnych kałuż. Miał dość nędznej pensyjki w wysokości tysiąca sześciuset złotych reńskich rocznie, do tego dwieście złotych dodatku kwaterunkowego, podczas gdy miejski kancelista, urzędnik czwartej rangi, otrzymywał jedynie o sto złotych reńskich mniej. Miał dość płaszczenia się przed burmistrzem i członkami rady miejskiej, którym podlegał zgodnie ze statutem organizacyjnym dla urzędników magistratu. Po trzech długich latach spędzonych na głębokiej prowincji, w miasteczku, z którego jednego końca dostrzec można drugi, miał wreszcie szansę wypłynąć na szerokie wody i powrócić na należne mu miejsce, do wielkiego świata, Przemyśla lub Lwowa, a kto wie, może nawet do Wiednia. Szansa była na wyciągnięcie ręki, w przyjemny sposób obciążała wewnętrzną kieszeń przetartej marynarki.

Sięgnął po złożone na biurku raporty i zagłębił się w lekturze, z trudem odczytując koślawe, nierówne pismo, ciasne rzędy znaków postawionych ołówkiem. W zaułkach dzielnicy żydowskiej ostatniej nocy wybuchła burda, szewski czeladnik pobił się z bratem dziewczyny, której rodzice odesłali z kwitkiem przysłanego przezeń swata. W karczmie przy cesarskiej drodze, przy wyjeździe z miasta w stronę Liska, tragarze poturbowali jednego z podróżnych, a pani Borczykowa, żona szewca, zgłosiła, że kupiec Perlsten oszukał ją na wadze przy sprzedaży mąki. Kolejna skarga na pracownię szczotkarską Krella przy ulicy Wałowej i wniosek miejskiej komisji cholerycznej o zwiększenie nadzoru nad ciemną, zawilgoconą i niewietrzoną klitką. Komisarz Witchenbacher przejrzał wcześniejsze raporty, po czym odłożył arkusze i zatopił się w swoich myślach.

Śmierć Skwierzyńskiego nie obchodziła go ani trochę. Gdyby nie pewne szczegóły tej sprawy, wydarzenie to wywołałoby w nim jedynie irytację. Za każdym razem, kiedy coś burzyło spokój tego zapomnianego przez Boga i ludzi miasteczka, kiedy ktoś w umyślny bądź niezamierzony sposób łamał ustawy Jego Cesarskiej Mości, komisarz Witchenbacher odbierał to jako osobistą zniewagę. Nie obchodził go żaden rajca, ten czy inny, tak samo, jak nie obchodził go żaden obywatel miasteczka, który urodził się tu, w otoczonym zielonymi wzgórzami zakolu Sanu, a nie został przysłany dekretem z Wiednia, Pragi czy Budapesztu. Witchenbacher był gorącym patriotą, przy każdej okazji zerkał na wiszący na ścianie portret Franciszka Józefa. Kochał wszystko, co austriackie, tolerował Czechów, z sympatii dla kuchni i kobiet szanował Węgrów, ale nie mogąc pogodzić się z tymczasową, jak miał nadzieję, polityką autonomii i samostanowienia narodów, nie uważał, aby Polacy byli pełnoprawnymi obywatelami cesarstwa. Był zdania, że nie doceniają przyjaznych gestów Wiednia, nie potrafią miarkować swoich roszczeń, zajmując się wyłącznie piciem, kłótniami i planami kolejnego buntu.

Rodzinę Skwierzyńskiego przesłuchał z samego rana, wszystkich jednocześnie, zapłakaną żonę i rozdygotane córki, wpisując do protokołu nic nieznaczące frazesy. Ubiegłej nocy Skwierzyński miał się spotkać z przyjaciółmi. Może palił fajkę, pił wino i grał w karty lub szachy. Może rozmawiał o interesach, może planował przebieg kolejnej sesji rady miejskiej.

Ostrzegał, że wróci nieco później. Nie miał wrogów, nikomu nigdy się nie naraził, nie brał łapówek ani też ich nie żądał. Spokojny, majętny, szanowany przez sąsiadów. Po niespełna godzinie kobiety złożyły podpisy na protokole i udały się do domu dorożką wezwaną przez jednego z posterunkowych. Witchenbacher miał już swoją teorię na temat przebiegu zdarzeń tej nocy, której zginął rajca. Jeden z miejscowych rzezimieszków, może Antek Foltyński, może Heime Tragarz, nie zauważył, że spóźniony przechodzień to członek rady miasta. Skwierzyński był pijany, nie potrafił się obronić, padł bez przytomności w błoto, a bezpańskie kundle dopełniły dzieła, kąsając bezwładne ciało. W ciągu kilku godzin wykrwawił się na śmierć. Już wczesnym rankiem Witchenbacher polecił zatrzymać wszystkich znanych policji rzezimieszków i drobnych łotrzyków, którzy wieczornymi burdami zakłócali miejski spokój. Cała szóstka siedziała już w celi w oczekiwaniu na przesłuchanie. Wystarczyła solidna pałka, kilka kubłów lodowatej wody i dwa dni bez jedzenia, aby jeden z nich przyznał się do zaczepienia rajcy Skwierzyńskiego. Wykrycie sprawcy pobicia nie było tu jednak najważniejsze, o czym bezustannie przypominał komisarzowi przedmiot wypełniający kieszeń jego marynarki.

Witchenbacher przeglądnął protokół spisany po bójce z udziałem nauczyciela córki doktora Zaleskiego. Pasternak zeznał, że działał w obronie własnej. Strach i wzburzenie spowodowały, że choć odparł atak pijanych napastników, powalił jednego z nich i uderzał jego głową o ziemię. W ciemnościach nie rozpoznał interweniującego policjanta i jego również kilkakrotnie uderzył. Do protokołu dołączona była notatka o uczestnikach zajścia: Borys Pasternak, lat dwadzieścia pięć. Z zawodu nauczyciel. Sierota wychowany przez przybranych rodziców. Po ich śmierci w czasie epidemii cholery zaopiekował się nim miejscowy ksiądz. Dzięki stypendium podjął naukę w Krakowie, po uzyskaniu kwalifikacji podjął pracę jako prywatny nauczyciel w zamożnych domach. W Sanoku mieszkał od sześciu miesięcy. Wcześniej nienotowany.

Komisarz spojrzał na okrągły cyferblat swojego eleganckiego zegarka, pamiątki po zmarłym ojcu, sędzim kryminalnym z Wiednia. Do obiadu pozostały jeszcze dwie godziny. Sięgnął do kieszeni, wyjął skrywany tam przedmiot i zamknął starannie w szufladzie masywnego biurka. Trzasnął drzwiami, wyszedł z budynku i skierował się w stronę żydowskich uliczek wijących się w parowie pomiędzy rynkiem a koszarami. Od niechcenia odpowiadając na pozdrowienia obywateli miasteczka, przeszedł ulicą Niższą Żydowską, okrążył dzielnicę niskich, wielokrotnie przebudowywanych chatynek otulonych przybudówkami, szopami i szałasami, dzielnicę wzniesioną bez jakiegokolwiek ładu czy pomysłu, śmierdzącą wygódkami i nieskanalizowanymi zlewami. Skręcił w stronę miejskiego parku, przekroczył gościniec biegnący stromo w dół, ku Mrzygłodowi, i zatrzymał się przed wysokim, choć w wielu miejscach dziurawym parkanem domu Czarnej Bimełe. Wszedł na ciasne podwórze i zastukał dwa razy do drzwi.

Nienawidził tego małego, rozmytego smutkiem i deszczem miasteczka, błota lepiącego się do butów i drewnianych chałup przy cesarskiej drodze, potrafił jednak dostrzec pozytywne strony głębokiej prowincji, miał je właśnie przed oczami, czuł pod drżącymi palcami, wdychał wraz z zapachem gęstych włosów Czarnej Bimełe, która powoli kołysała się w tył i przód. Spod wpółotwartych powiek obserwował jej senne, leniwe ruchy, miarowe jak ruch wahadła w wiedeńskim mieszkaniu jego rodziców. Wiedział, że Eleonora, jego wiecznie gderająca małżonka, bardzo szybko dowie się, gdzie spędził popołudnie, usłyszy to od służącej lub którejś z sąsiadek, wyczuje w zapachu jego skóry, przesiąkniętej grzeszną wonią kruczoczarnych włosów Żydówki, a nade wszystko wyczyta to z jego oczu, rozmarzonych i sennych. Nie obchodziło go jednak jej zrzędzenie i utyskiwanie; zapewniał jej w miarę wygodne życie, a niedługo, dzięki niemu, będzie mogła zamieszkać w pięknej kamienicy przy jednej z ulic wielkiego miasta.

Kiedy odzyskał już spokój myśli, a mgła odpłynęła sprzed jego oczu, gestem nakazał podać sobie papierosa, podniósł wyżej przesiąkniętą potem poduszkę i mocno zaciągnął się dymem. Bimełe położyła się przy jego ramieniu, niewidzącym, pełnym spokojnej rezygnacji wzrokiem patrząc na brudną, naznaczoną licznymi sękami ścianę.

– Rozmawiałaś z nią? – zapytał, obserwując, jak obłok tytoniowego dymu wzlatuje do góry, układając się w fantazyjne kształty. – Wiesz, o kim mówię.

– Przekazałam jej pańską propozycję. – Bimełe delikatnym ruchem przeczesała ciemny zarost na jego masywnej, szerokiej piersi.

– Powiedziałaś, że dobrze zapłacę? Że potrafię zapewnić jej stosowną opiekę?

– Przekazałam wszystko, co mi pan powiedział.

– Co odpowiedziała?

Wyczuł zawahanie. Rozchyliła usta, ale zanim wypowiedziała to, co zamierzała powiedzieć, upłynęła krótka chwila, jakby szukała odpowiednich słów.

– Ma z czego żyć. Ma swój dom, sad i krowę.

Witchenbacher prychnął dymem i skrzywił się w kwaśnym uśmiechu.

– Wszystkie się tym zajmujecie, wszystkie, jak jedna. Nawet moja żona, kiedy chce wyciągnąć kilka złotych na swoje zachcianki, przekonuje mnie do siebie przez łóżko. Szkoda, że nie jest w tym tak dobra jak ty.

Czarna Bimełe pokręciła głową, nie przestając muskać palcami skóry kochanka.

– Ona nie jest taka – powtórzyła.

– Posłuchaj. – Objął dłonią jej szczupły nadgarstek. – Jeżeli ona zgodzi się na moją propozycję, dostaniesz połowę tego, co zapłacę jej.

– Jest pan bardzo hojny i każda kobieta w miasteczku chciałaby mieć pana za swojego przyjaciela, ale to jej życie i jej decyzja.

Witchenbacher strzelił niedopałkiem pod ścianę i wygodniej ułożył się na poduszce. W mieście pracowało wiele dziewczyn i mógł mieć każdą, a mimo to przychodził do tej kapryśnej, nieprzewidywalnej jak zdziczała kotka Żydówki o oczach czarnych jak nocne niebo. Mógł znaleźć sobie kochankę wśród żon rzemieślników, mógł powagą swojego urzędu uwieść małżonkę jednego z kupców, jasnowłosą Polkę lub rozgadaną Rusinkę, ale przychodził do Żydówki, która często odsyłała swych klientów spod drzwi, która sama wybierała, z kim spędzi noc, a kto będzie pukał bez skutku. Miała w sobie dzikość, do której wciąż nie mógł się przyzwyczaić, namiętność, której uległ, i drapieżność, jakiej dotąd nie spotkał.

Z zamyślenia wyrwało go ciche skrzypienie podłogi. Zmurszałe deski jęknęły, jakby ktoś stanął na nich całym ciężarem ciała, a następnie przesunął się w bok, zmniejszając nacisk. Podniósł wzrok, patrząc w pociemniały, sękaty sufit, nad którym, jak się domyślał, znajdował się strych. Coś zastukało, jakby ktoś podniósł krzesło i bardzo delikatnie ustawił je gdzieś dalej. Witchenbacher zerknął na znieruchomiałą Bimełe. Wystarczyło jedno spojrzenie w ciemne, szeroko otwarte oczy, by dostrzec w nich strach. Gestem nakazał jej milczenie, wstał z łóżka i sięgnął po rozwieszoną na krześle obok marynarkę, z sześciostrzałowym rewolwerem obciążającym prawą kieszeń. Wiedział, że Bimełe przyjmowała również innych mężczyzn, ale nie mógł sobie pozwolić, aby odbywało się to pod jego obecność.

Odciągnął kurek rewolweru i nagi, ostrożnie stawiając stopy na glinianym klepisku, podszedł do wąskich, przypominających drabinę schodów, przywarł plecami do ściany i ruszył w górę. Krok po kroku wspinał się po stopniach, a kiedy był już w połowie drogi do niewielkich drzwi, przeżarta przez czas i korniki deska zapiszczała przeciągle. Zagryzł wargi, a za drzwiami ktoś poruszył się nerwowo, przestawiając jakiś mebel, krzesło lub stół.

Pewien, że jego obecność została zauważona, podniósł broń, przeskoczył kilka ostatnich stopni i pchnął barkiem drzwi. Druciany skobel odskoczył pod naporem jego ciała i Witchenbacher wpadł do wąskiego, przesiąkniętego zapachem kurzu i sosnowego drewna pomieszczenia, tak niskiego, że choć nie był wysoki, czubkiem głowy niemal dotykał sufitu. Uniósł lufę rewolweru i zaklął cicho.

Tuż przy niewielkim, przybrudzonym sadzą oknie stała kobieta. Jedną dłonią przytrzymywała sukienkę, którą zapewne właśnie wkładała, drugą dłoń w geście rozpaczliwej obrony wyciągała w jego kierunku. Była młoda, młodsza od Bimełe, szczuplejsza, delikatniejszej urody. Miała drobną twarz i gęste pukle włosów, których koloru nie mógł dostrzec z powodu półmroku i wirujących w powietrzu obłoków kurzu.

– Proszę schować broń – usłyszał za plecami głos wspinającej się po schodach Bimełe. – Panie komisarzu, to moja przyjaciółka, nie miała gdzie się zatrzymać, a nie stać jej na gospodę. Kiedy się pan pojawił, nie chciałam pana odsyłać, poprosiłam więc, aby nam nie przeszkadzała przez godzinę lub dwie.

Witchenbacher zbliżył się do stojącej przy oknie kobiety o krok, nie przestając celować pomiędzy jej wielkie, nieokazujące strachu oczy, i rozejrzał się po pomieszczeniu. Pod jedną ze ścian, tuż pod skosem dachu, ktoś naprędce ułożył prowizoryczne łóżko z desek, obok leżał sporych rozmiarów skórzany kufer podróżny, na oparciu krzesła przewieszona była gruba peleryna z kapturem. Pod oknem stał dzbanek i blaszana miednica.

Komisarz opuścił broń i uśmiechnął się, uważnie taksując wzrokiem smukłą sylwetkę kobiety, nagie ramię przytrzymujące sukienkę i nie w pełni zakryty dekolt.

– Mogłaś powiedzieć, że masz gościa – powiedział, oblizując wargi. – Chętnie dopłaciłbym za jej towarzystwo w twoim łóżku.

– Panie komisarzu, proszę zejść na dół – odezwała się błagalnym głosem Bimełe. – Bardzo pana proszę.

Nieznajoma kobieta stała przy oknie i choć mogła się wystraszyć widoku wycelowanej w nią broni i nagiego rozgniewanego satyra, nie okazywała bojaźni, a wręcz przeciwnie, zachowywała się tak, jakby cała ta sytuacja nie robiła na niej żadnego wrażenia. Stała, prosta i dumna, ze spokojem czekając na rozwój wypadków.

Z dołu, od strony drzwi, dobiegło głośne pukanie.

– Idź, sprawdź, kto to – polecił Bimełe, nie odwracając się w jej stronę i nie spuszczając wzroku z nieznajomej. Kiedy Żydówka schodziła po schodach, wciąż wpatrywał się w oczy, których koloru nie mógł dostrzec. Coraz bardziej podobała mu się wiotkość młodej kobiety, delikatność twarzy i subtelność pozy, w której trwała. Wiedział, że musiała zauważyć jednoznaczny dowód jego żywego zainteresowania, choć nie dała tego po sobie poznać. Nie odwróciła wzroku, nie przymknęła powiek, jej policzki nie przybrały barwy kwitnących maków.

– Panie komisarzu – ze schodów odezwała się Bimełe. – To posterunkowy Schenke po pana.

Witchenbacher uśmiechnął się i pokiwał głową.

– Zobaczymy się jeszcze, moja piękna. – Opuścił broń i odwrócił się. – Zobaczymy się już niebawem.

Polecił, aby posterunkowy zaczekał na zewnątrz, a sam nalał sobie wody z blaszanego wiaderka do miednicy, przemył twarz, przetarł mokrymi palcami włosy i szybko się ubrał, korzystając przy naciąganiu butów z pomocy Żydówki. Był na nią zły, ale zapłacił tyle, co zwykle, a nawet więcej, dokładając kilka drobnych monet.

– Co się dzieje? – zapytał, kiedy wyszedł już na chłodny porywisty wiatr. Nie miał za złe, że posterunkowy zakłócił mu tak miło zapowiadające się popołudnie. Przed wyjściem z magistratu polecił, aby bezzwłocznie informować go o wszystkich nieprzewidzianych sprawach, nagłych telegramach czy niezapowiedzianych wizytach.

– Ma pan gościa. – Posterunkowy Schenke szedł o krok za swym przełożonym, przytrzymując dłonią zrywaną podmuchami czapkę.

Mimo szczerych nadziei komisarza Ludwika Witchenbachera osobą, która na niego czekała, nie był wysłannik Dyrekcji Policji ze Lwowa, ale niepozorny, szczupły młody mężczyzna o jasnych włosach, które wyglądały tak, jakby nigdy nie widziały grzebienia. Młodzieniec siedział sztywno na krześle ustawionym pod ścianą, tuż przy drzwiach gabinetu, a kiedy zauważył nadchodzącego komisarza, natychmiast poderwał się z miejsca, wygładził poły przydługiej marynarki, przeczesał dłonią włosy i ukłonił się nisko.

Witchenbacher przeklął w myślach swoją głupotę. Od nadania telegramu nie minęła nawet doba, niemożliwe więc, aby wysłannik Dyrekcji w tak krótkim czasie pojawił się w Sanoku.

Komisarz zmrużył oczy i wysilił pamięć, przyglądając się skromnej postaci i niemal dziewczęcej twarzy.

– Wielmożny pan Kaszycki – odezwał się szyderczo po krótkim namyśle. Otworzył drzwi gabinetu i przesadnie szerokim gestem zaprosił młodzieńca do środka.

Od momentu przybycia do tego zagubionego wśród galicyjskich wzgórz i lasów miasteczka Witchenbacher układał swego rodzaju kartotekę, posegregowany alfabetycznie spis osób, które spotkał na swojej drodze i które zapadły mu w pamięć lub które uznał za godne zapamiętania na przyszłość. Każdego, kto przyszedł do niego ze skargą na opryskliwego posterunkowego, hałaśliwego sąsiada lub nietrzeźwego wozaka z urzędu pocztowego, pieczołowicie odnotowywał drobnym pismem w oprawionym w cielęcą skórę grubym zeszycie, gdzie nazwisko radnego sąsiadowało z ksywką kieszonkowca, a sam starosta dzielił stronę ze znanym z licznych bójek tragarzem. Kaszyckiego odnotował przed sześcioma miesiącami, kiedy ten pojawił się w mieście, obejmując stanowisko redaktora w „Gazecie Sanockiej". Chodziły słuchy, że wcześniej pracował w jednym z lwowskich dzienników, gdzie pewnego razu odważnym artykułem zdemaskował nieuczciwe interesy jednego z wyższych rangą urzędników, jak twierdzili jedni, czy też skandal w rodzinie bogatego kupca tekstylnego, jak utrzymywali drudzy. Tak czy inaczej, po kilku tygodniach mieszkańcy miasteczka przyzwyczaili się do młodzieńca, a przemykający uliczkami szczupły człowiek z notesem i ołówkiem przestał kogokolwiek dziwić. Witchenbacher wpisał go do swego zeszytu dość szybko, zaledwie miesiąc po przybyciu Kaszyckiego do miasta, kiedy pojawił się pod drzwiami jego gabinetu z notesem w dłoni i z pytaniem o szczegóły nocnego zajścia pod karczmą przy cesarskiej drodze. Kazał go natychmiast wyrzucić z budynku, rozważając, czy aby nie zamknąć wścibskiego gryzipiórka na trzy dni w miejskim areszcie, o chlebie i wodzie, uznał jednak, że byłby to występek przeciwko wolności słowa pisanego. Swojej łagodności i zbytniej tolerancji dla prasy pożałował kilka tygodni później, kiedy Kaszycki na łamach „Gazety Sanockiej" kpił z miejskiej policji, twierdząc, że ta najwyraźniej nie ma nic lepszego do roboty, skoro cały dzień wszyscy funkcjonariusze asystują komisji wyborczej do rady miasta. Po pewnym czasie Witchenbacher przyzwyczaił się do młodego dziennikarza, w uprzykrzaniu mu życia ograniczając się wyłącznie do głębokich cięć cenzorskich w zgłaszanych do druku materiałach.

Kaszycki usiadł przed biurkiem, z wewnętrznej kieszeni wyjął notatnik, który natychmiast rozłożył na kolanach, i ołówek, który zagryzł w zębach. Witchenbacher sięgnął po papierosa, błysnął zapałką i zaciągnął się głęboko, wydmuchując dym wprost w dziewczęcą twarz dziennikarza.

– Cóż pana do mnie sprowadza?

Młodzieniec przesunął się nerwowo na krześle, potarł ołówkiem czoło i zanotował coś na kolanie.

– Chodzi o wypadek, który miał miejsce pod murami klasztoru Franciszkanów. Ten, w którym rajca Skwierzyński stracił życie. Społeczeństwo naszego miasta chciałoby poznać szczegóły tego zajścia.

– A co szanowne społeczeństwo ma do tego, co się stało z rajcą Skwierzyńskim? I skąd pan w ogóle wie, że pod murami klasztoru coś się zdarzyło?

Nerwowe ruchy młodzieńca przybrały na sile.

– Całe miasto nie mówi o niczym innym. Podobno psy...

– Miasto mówi o wielu rzeczach. Lato się kończy, wieczory są coraz dłuższe, trzeba czymś zabić nadmiar wolnego czasu.

– Tak czy inaczej, nasza gazeta napisze o tym wypadku! – Kaszycki niemal uniósł się na krześle, odważnie wypinając szczupłą pierś. – Czy to się panu podoba czy nie. Byłoby lepiej, gdyby zechciał pan wypowiedzieć się o sprawie oficjalnie na naszych łamach. Rozumiem, że dobro śledztwa jest wartością nadrzędną, ale nie może pan pozbawiać mieszkańców rzetelnej informacji.

– Rzetelnej informacji, powiada pan. – Komisarz z szyderczym uśmiechem powtórzył słowa dziennikarza i już miał zawołać czekającego na korytarzu posterunkowego, by ten wyrzucił natręta za drzwi, kiedy przyszła mu do głowy pewna myśl. Widział już tyle razy, jak Kaszycki kręci się między dorożkarzami, wystaje pod oknami domów, których gospodarze urządzali wystawne przyjęcia, zaczepia miejskich rajców i urzędników powiatowych, włóczy się wśród tragarzy, prostytutek i pospolitych łotrów, że widok ten nie budził w nim żadnych podejrzeń. Wsadzać nos w nieswoje sprawy, zadawać pytania, których nikt inny zadać nie chciał, nadstawiać ucho to zajęcie dziennikarza. Mimo zaledwie kilkumiesięcznego pobytu w miasteczku, zaakceptowali go niemal wszyscy mieszkańcy, a szczera twarz, jasne oczy i polskie nazwisko otwierały mu drogę w miejsca niedostępne dla cesarskiego policjanta.

– Może i racja, panie Kaszycki. Kto wie, może ma pan rację.

Dziennikarz przełknął ślinę i rozluźnił przyciasny kołnierzyk koszuli.

– Co pan komisarz ma na myśli?

– Niech pan nie myśli, panie Kaszycki, że nie doceniam roli prasy. Niech pan nie zapomina, że przyjechałem do tej dziury z wielkiego miasta, gdzie każdy szanowany obywatel rozpoczyna dzień od świeżej kawy i lektury porannej gazety.

Dziennikarze, na równi z nami, policją, stoją na straży bezpieczeństwa ogółu i praw obywateli. Rozumiem, że właśnie w ten sposób pojmuje pan swoją profesję?

Kaszycki odchrząknął. Zamknął notatnik, zakręcił młynka ołówkiem.

– No... Tak.

– Rozumie pan zatem, że obaj mamy ten sam nadrzędny cel – mówił dalej cichym głosem Witchenbacher, uważnie obserwując dziennikarza. – Tym celem jest poszanowanie praw obywateli oraz ochrona ustroju królestwa będącego ich gwarantem.

Młodzieniec przytaknął skinieniem głowy.

– Powiem więc coś panu, panie Kaszycki. Skoro przyświeca nam ten sam cel, czuję się w obowiązku panu pomóc, licząc, że w przyszłości odwdzięczy mi się pan tym samym.

– Co pan komisarz przez to rozumie?

– Będę pana informował o postępach w śledztwie, w takim zakresie, by zapewnić czytelnikom „Gazety Sanockiej" dostęp do interesujących ich faktów, nie narażając przy tym działań policji na fiasko. Pan zaś, ze swojej strony, będzie mnie informował o wszystkim, co wyda się panu podejrzane, co godzi w bezpieczeństwo publiczne, prawa obywateli i porządek królestwa. Na przykład o nastrojach wśród nauczycieli i uczniów miejskiego gimnazjum... Sam pan rozumie, młode głowy tak łatwo rozpalić niedorzecznymi ideami. Albo weźmy spotkania członków towarzystwa gimnastycznego. Kto wie, o czym prowadzi się tam rozmowy i czy nie zahaczają one o zdradę stanu?

– Chodzi panu komisarzowi o... – Kaszycki urwał, szukając odpowiednich słów i bojąc się wypowiedzieć to, co nasuwało mu się na myśl – ...o współpracę polegającą na wymianie informacji?

– Proponuję panu pomoc w pracy na rzecz obywateli naszego miasta! – Witchenbacher uderzył pięścią w stół, wbił spojrzenie w wystraszoną twarz dziennikarza, przetrzymał go dłuższą chwilę, aż tamten oblał się pąsowym rumieńcem i opuścił wzrok, po czym odezwał się przyjaznym tonem: – A teraz, panie Kaszycki, niech pan notuje.

Wieczorem Laura poczuła się nieco lepiej i choć Borys nie miał tego w obowiązku, gdyż jako nauczyciel zobligowany był jedynie do realizacji określonego przez ojca dziewczynki programu nauczania, poszedł do niej, chcąc zabawić ją rozmową. Usiadł przy oknie, opierając ramię o parapet, naprzeciwko skulonego w kącie łóżka kocura, który za nic w świecie nie chciał opuścić swej pani.

Dziewczynka leżała wsparta na poduszkach, okryta pierzyną, której biel niemal zlewała się z jej twarzą, i tylko rozsypane wokół głowy włosy odcinały się czarną plamą od barwy pościeli. Puchaty kocur ułożył się przy jej stopach, podwijając ogon pod siebie i obserwując zielonymi ślepiami siedzącego przy oknie mężczyznę.

Borys milczał, zdając sobie sprawę, że w tej sytuacji nie może powiedzieć nic właściwego. To ona pierwsza przerwała przeciągającą się ciszę.

– Opowiedz mi coś.

– Co chciałabyś usłyszeć?

– Opowiedz mi o tym filozofie, który uważał, że śmierć nie istnieje.

Nauczyciel wytężył pamięć. Ze wszystkich lekcji, ze wszystkich opowieści, dziewczynka najchętniej zapamiętywała to, co w bezpośredni sposób odnosiło się do niej samej.

– Chodzi ci o Epikura? Uważał, że śmierć istnieje, ale nas nie dotyczy. Gdy żyjemy, śmierć jest nieobecna, kiedy ona się pojawia, nas już nie ma.

– Co w takim razie, według niego, spotkało pana Skwierzyńskiego?

– Według Epikura, pan Skwierzyński rozminął się ze śmiercią. Kiedy nadeszła śmierć, jego już nie było. Zostało tylko ciało, bezwartościowa powłoka, duch przebywał już gdzieś indziej. Rozumując w ten sposób, można uwierzyć, że śmierć nie istnieje.

– Musi jednak być taka chwila, kiedy człowiek wciąż żyje, a śmierć jest już blisko, kiedy jego serce uderza po raz ostatni, a myśli ogarnia świadomość, że to już koniec.

– A kiedy zasypiasz, potrafisz uchwycić moment, kiedy twoja świadomość odpływa w krainę snu? Czy nie jest tak, że w jednej chwili marzysz o czymś, wspominasz mijający dzień, jesteś świadoma miejsca i sytuacji, w której się znajdujesz, a potem, nie wiadomo kiedy, otwierasz powieki w świetle poranka?

– Myślisz, że ze śmiercią jest podobnie?

– Tak właśnie myślę.

– A co później? Wiesz, co się dzieje, gdy nas już nie ma, a pojawia się śmierć?

Borys pokiwał ze smutkiem głową.

– Nie umiem odpowiedzieć ci na to pytanie. Nikt tego nie potrafi.

– Niedługo poznam odpowiedź.

– Nie mów tak.

Dziewczynka poruszyła się na łóżku.

– Myślisz, że gdyby była jakaś szansa, mój ojciec by z niej nie skorzystał? Wiem, że pisze listy, widzę, jak nerwowo wyczekuje odpowiedzi, a potem dostrzegam w jego oczach ich treść. Poznaję to po spojrzeniach jego przyjaciół z uniwersytetu, którzy mnie badali, poznaję po jego głosie, kiedy mówi o przyszłości.

– Nikt z nas nie wie, co przyniesie przyszłość. – Nauczyciel zamknął oczy i przetarł palcami powieki. Szukał odpowiednich słów. Nie była to ich pierwsza rozmowa na ten temat, a mimo to nie umiał powiedzieć niczego stosownego. – Nie wiemy, co się wydarzy, dlatego nigdy nie powinniśmy tracić nadziei.

– Myślę, że Epikur nie miał racji – odpowiedziała cichym, lecz pełnym przekonania głosem Laura. – Śmierć istnieje i zaczyna się w momencie, gdy uświadamiamy sobie jej nieuchronność. Z ostatnim uderzeniem serca umiera również sama śmierć.

– Nie powinnaś o tym myśleć.

– Według ciebie należę do świata żywych, czy też jestem już częścią świata cieni? Są dni, kiedy zapominam o ciemnościach i mogę się cieszyć chwilami, które spędzam z ojcem, lub naszą wspólną nauką. Ale to szybko mija i wracam tam, gdzie moje miejsce.

– Nie potrafię ci pomóc – odpowiedział cichym głosem. – Choćbym nie wiem jak chciał, nie potrafię.

– Kto, jeśli nie ty?

– Nie jestem lekarzem, nie potrafię diagnozować ani leczyć chorób. Nie jestem też filozofem ani księdzem, nie znam słów, które niosą ukojenie.

– Nie o taką pomoc mi chodziło.

Spojrzał na nią zdziwiony.

– O czym mówisz?

– Anna rozmawiała rano ze służącą Ochmańskich. Podobno pan Ochmański uważa, że posiadasz pewne... zdolności.

– Zdolności?

– Takie, których nie można wyjaśnić.

– Czy kiedykolwiek widziałaś, abym przy tobie lewitował, wyginał wzrokiem łyżeczki albo siłą woli przesuwał przedmioty? Czy potrafię czytać w twoich myślach?

Laura zaśmiała się cicho.

– Według mnie jesteś zupełnie normalny.

– Ja też tak myślę. A jeżeli odkryję w sobie nadprzyrodzone zdolności, dowiesz się o tym pierwsza.

– Służąca wspominała o córce Ochmańskich, która zmarła w dzieciństwie. Znałeś ją?

Przed oczyma stanęła mu drobna sylwetka jasnowłosej dziewczynki, niebieskie oczy odbijające lipcowe słońce, kiedy bawili się latem nad rzeką, i blade przemarznięte policzki, kiedy widział ją w tym samym miejscu kilka miesięcy później.

– Kasia – powiedział. – Tak miała na imię. W dzieciństwie widywaliśmy się niemal codziennie. Bawiliśmy się razem. Kiedyś, zimą, poszła na spacer nad rzekę i wstąpiła na krę, która nie wytrzymała jej ciężaru. W pobliżu nie było nikogo, kto mógłby jej pomóc.

– Służąca Ochmańskich mówiła...

– Co takiego mówiła?

– Powiedziała, że byłeś ostatnim człowiekiem, który z nią rozmawiał. Mówiła, że to ty zawiadomiłeś dorosłych, że znalazłeś ją nad rzeką, rankiem, że rozmawiałeś z nią, a ona powiedziała, że wszystko jest już dobrze. We wskazanym przez ciebie miejscu znaleziono pływające w przerębli zwłoki. Lekarze stwierdzili, że ciało pływało w wodzie od poprzedniego wieczora.

– Ludziom wszystko się myli. Mogłem rozmawiać z nią dzień wcześniej, sam już nie pamiętam, kiedy to było.

Laura uniosła się na posłaniu i spojrzała na nauczyciela.

– Jeżeli jednak pewnego dnia zdołasz dostrzec to, co znajduje się po drugiej stronie, opowiesz mi o tym, prawda?

– Nikt nie ma takiej mocy. Ale jeżeli kiedyś to nastąpi, na pewno wszystko ci opowiem.

Milczeli przez długą chwilę: Borys, z przymkniętymi oczyma, wsparty o parapet okna, za którym powoli, ale nieuchronnie zapadał zmierzch, Laura z głową ułożoną na poduszce i kotem tulącym się do jej stóp.

– Cieszę się, że ojciec nie traci nadziei. – Znów to ona jako pierwsza przerwała kłopotliwe milczenie. – Kolejny raz sprowadza nowego lekarza.

Nauczyciel uniósł powieki.

– Nic mi o tym nie wspominał.

Laura zaśmiała się cichutko.

– Słyszałam, jak Anna przygotowuje pokój gościnny, a nasza kucharka dostała polecenie, żeby zrobić jutro rano większe zakupy. Z całą pewnością będziemy mieli gościa, kto wie, może nawet już jutro.

Borys wstał, odsunął krzesło pod ścianę i spojrzał na bladą twarz swojej podopiecznej.

– Nie będę ci już przeszkadzał. Powinnaś spać, sen dobrze ci zrobi.

– Sen jest siostrą śmierci, tak mawiali starożytni, prawda?

Pogroził jej palcem, siląc się na uśmiech.

– Dobranoc.

Otworzył drzwi, a skulony do tej pory przy stopach swej młodej pani kocur poderwał się i zeskoczył, jednym susem czmychając na korytarz. Borys zszedł na parter, gdzie w milczeniu i samotności zjadł kolację, popijając grube pajdy ciemnego chleba gorącym mlekiem. Wrócił do siebie, rozebrał się do pasa i mimo ciemności nie zapalił lampy. Uchylił okno i wpuścił do pokoju zapach odchodzącego lata, woń przesuszonych liści i palonych chwastów.

Stał tak długo, wpatrzony w kryty strzechą dom u stóp wzgórza i obrazy, w które układały się jego wspomnienia.

Niebo nad miasteczkiem zmieniło się z ciemnogranatowego w jednolicie czarne, kiedy kocur zeskoczył z kamiennego parapetu, jednym susem przesadził ogrodzenie i dostojnym kocim krokiem ruszył wąskimi uliczkami. Poprzedniej nocy wystraszył się nie na żarty, dlatego teraz sunął ostrożnie i cicho, gotowy w każdej chwili skryć się na drzewie. Usadowił się na murze jednego z domów przy głównej drodze, zmrużył ślepia i obserwował, jak dwie szczelnie opatulone postacie przemykają tuż przy linii zabudowań. Ale sprawy obcych ludzi niewiele kocura interesowały, dlatego zanim jeszcze sylwetki zniknęły z jego pola widzenia, podwinął pod siebie ogon i zapadł w głęboki koci sen.

Borys zasypiał wsłuchany w szum spływającej rynnami deszczówki.

Ciemność otworzyła się przed nim jak drzwi gościnnego domu. Zanim jeszcze zwrócone ku sobie bliźniaczki pojawiły się przed jego spowitymi snem oczyma, wiedział, co zaraz nastąpi. Ciemność zgęstniała, falowała tuż przed nim, rozstąpiła się i zobaczył to, czego się spodziewał. Dwie kobiety zastygłe w niekończącym się pocałunku, wspólny oddech, policzek przy policzku. Kobiety śniące wspólny sen. Śniące z otwartymi oczami. Zaczerpnął głębiej powietrza, szarpnął głową i ze wszystkich sił próbował wyrwać się ze snu. Bliźniacze oblicza nie zniknęły, przeciwnie, przybliżyły się tak, że mógł dostrzec pojedyncze włosy zachodzące na blade policzki i zieloną barwę nieruchomo otwartych oczu. W końcu zrozumiał. Dostrzegł to, co przez cały czas miał przed oczami.

To nie bliźniaczki, ale jedna kobieta, śpiąca z otwartymi oczami, z twarzą przytuloną do lustra. Kobieta śpiąca przy lustrze, nieruchome odbicie, bladobłękitna poświata zwielokrotniona w połyskującej tafli.

3

Obudził ją mokry dotyk gładkiego języka i gorączkowy oddech przesiąknięty wonią trawy. Nie otwierając oczu, wysunęła spod pierzyny rękę, dotknęła wilgotnej, zmierzwionej sierści, zaplotła palce na skórzanej obroży i uśmiechnęła się, wtulając policzek w poduszkę. Na moment na powrót zapadła w sen, a przed oczyma pojawiły się kolorowe obrazy z dawnych szczęśliwych lat, ale wilgotny język nie dał jej uciec od rzeczywistości, szarego chłodnego świtu, nieogrzanej izby i głodu. Niechętnie uniosła powieki i spojrzała prosto w ciemne oczy kędzierzawego mieszańca, który ciężko dysząc, z wywalonym jęzorem i sterczącymi uszami, pilnował swojej pani.

Alina podniosła się z posłania, wsunęła bose stopy w drewniane chodaki, narzuciła na plecy wełniany koc i podeszła do okna. Na łące wciąż kładła się idąca od rzeki mgła. Jeszcze przed dwoma miesiącami budziło ją ostre sierpniowe słońce, a łąka skrzyła się wszystkimi możliwymi kolorami, przed miesiącem zaraz po przebudzeniu patrzyła w stonowaną jasność wrześniowego poranka, teraz odrzucając pierzynę, czuła przenikliwy jesienny chłód. Zwalczyła pokusę, aby napalić w piecu, na to było jeszcze o wiele za wcześnie. Paliła wieczorem, oszczędnie wydzielając polana kupione na targu i chrust zbierany w nadrzecznych zaroślach, tak aby ciepło rozchodzące się z chlebowego pieca pozwoliło jej zasnąć. Za kilka godzin słońce wzniesie się ponad linię gór i ogrzeje izbę na tyle, że będzie można się obejść bez uszczuplenia zapasu opału, który gromadziła na zimę. Upięła włosy wysoko na głowie i napełniła drewnianą misę wodą z blaszanego wiaderka, szczękając zębami umyła się i ubrała. Jeszcze przed miesiącem każdego ranka chodziła boso nad rzekę, by umyć się w bystrej, szemrzącej na omszałych kamieniach toni, teraz musiała jej wystarczyć misa wypełniona przyniesioną ubiegłego wieczora wodą. Usiadła przy stole, z kredensu wyjęła owinięty lnianym ręcznikiem chleb i gliniany dzban mleka. Pętającemu się przy nogach psu wystawiła miskę z potłuczonymi ziemniakami, zwilżonymi kilkoma kroplami mleka. Zjadła chleb, ostrożnie odkrawając nożem ciemne pajdy, schowała pozostałą część bochenka i wyszła do obory, gdzie wydoiła krowę i kozy. Rozlała mleko do glinianych konwi i sprawdziła, czy zwierzęta mają dość pożywienia, po czym zrzuciła z ramion upstrzony kawałkami słomy koc, zdjęła koszulę, założyła wyjętą z malowanej skrzyni halkę, grubą samodziałową spódnicę i haftowaną narzutkę. Spięła włosy, starannie chowając gęste brązowe loki pod chustą, którą nałożyła, jak przystało na mężatkę. Jeszcze raz upewniła się, czy zwierzęta mają wszystko, co potrzebne, pogłaskała psa i nakazała, aby został przy progu i pilnował obejścia. Rozmawiała z nim jak z człowiekiem, a może nawet serdeczniej i bardziej szczerze, bo z ludźmi, poza nielicznymi wyjątkami, nie rozmawiała prawie wcale.

Z wiklinowym koszem pod pachą przecięła mokrą od rosy łąkę, minęła puste już sady, przeszła przez mostek i ruszyła krętą ścieżką biegnącą stromo pod górę, obok cerkwi, w stronę zamku i urzędu powiatowego. Przy jednym z domów krzątała się gospodyni porządkująca obejście i strofująca wychodzącego do pracy męża; na jej widok pchnęła mężczyznę z powrotem do sieni i gwałtownym ruchem zatrzasnęła drzwi. Alina nie zwróciła na to uwagi, uważnie stawiając nogi między koleinami, które wczesnym rankiem zrobił powóz woziwody. Tego dnia w miasteczku miał być targ i uliczki zapełniły się chłopskimi wozami. Gospodarze z Mrzygłodu wieźli równe rzędy zabezpieczonych słomą glinianych garnków, chłopi z Jurowiec i Falejówki wory pełne cebuli, przyjezdni z Mrzygłodu kosze dorodnych jabłek, a bosonodzy Rusini z gór obciążyli swoje kolasy grubymi polanami bukowego drewna. Na rogatkach miasta, na drodze biegnącej od przeprawy na Sanie przy Białej Górze, stały grupki żydowskich przekupniów, proponujących naiwnym chłopom cenę za ich towar o połowę mniejszą od tej, którą mogli uzyskać na targu. Idąc w ślad za klekoczącymi wozami, Alina minęła murowaną dzwonnicę cerkwi, przeszła przez rynek, ale nie weszła na plac Świętego Michała, gdzie pod kasztanami ustawiali swe stragany handlarze, lecz skręciła w stronę żydowskich uliczek, by stanąć przed parterowym drewnianym domkiem otoczonym dziurawym parkanem. Zastukała dwa razy w drzwi, ignorując wścibskie spojrzenia rzucane zza uchylonej okiennicy przez jednego z sąsiadów.

Po chwili siedziała nad blaszanym kubkiem gorącej herbaty, przy stole z Bimełe.

Na przykrytym lnianym obrusem stoliku stał parujący imbryczek i talerz z równo ułożonymi maślanymi herbatnikami. Zjadła już dwa i obawiała się, że jej gospodyni zauważy, że je nie dla przyjemności, ale by zabić głód, a kiedy go zaspokoi, będzie jadła, aby odsunąć w czasie chwilę, w której znów pojawi się ten nieodłączny towarzysz jej jesiennych i zimowych wieczorów.

– Potrzebujesz opału – bardziej stwierdziła niż zapytała Bimełe, podsuwając w jej stronę talerz z herbatnikami. – Powinnaś kupić dziś kilka sągów, drewno z każdym tygodniem będzie drożało.

Alina przemogła wstyd i sięgnęła po kolejne ciastko.

– Kupię ziemniaki i cebulę. Mam zapas drewna, który codziennie uzupełniam, zbierając chrust. Mogę też palić suszonym krowim łajnem.

– Jeżeli potrzebujesz pieniędzy...

– Nie.

– Mam oszczędności. Mogę ci pożyczyć, choćby do wiosny.

– Dam sobie radę.

Przez godzinę rozmawiały o błahostkach, miejskich plotkach i podmiejskich skandalach. Alina opowiadała o chorobie jednej z kóz i psich psotach, Żydówka ze śmiechem powtórzyła plotkę o bogatym kupcu, właścicielu sklepu kolonialnego przy głównej ulicy, który podobno zakochał się w nieletniej córce popa i codziennie słał jej miłosne listy wraz z bukietem kwiatów. Rozmawiały o wypadku rajcy Skwierzyńskiego, którego nocą psy zagryzły pod murem klasztoru.

– Znów o ciebie pytał. – Bimełe dotknęła krawędzi kubka swymi pełnymi wargami, które nie dawały zasnąć męskiej połowie miasteczka, a które budziły zazdrość i wrogość drugiej połowy, i upiła niewielki łyk herbaty.

– Kto?

– Witchenbacher.

– Co mu odpowiedziałaś?

– Powiedziałam, że jesteś mężatką i tylko mąż może składać ci wizyty w łóżku.

Alina zaśmiała się cicho.

– Co on na to?

– To samo, co wszyscy mężczyźni na tym świecie od czasów Adama. Na dziś wystarczyła mu ta odpowiedź, jutro znów będzie rozpytywał, czy kogoś masz, czy ktoś cię odwiedza, a może nawet utrzymuje.

– Myślisz, że może być niebezpieczny?

– Tak samo jak każdy mężczyzna, który ma władzę i niespełnioną namiętność. Ale nie bój się, jest w moich rękach i potrafię cię przed nim obronić.

Alina skinęła głową. Rozmawiały o wszystkim, ale pewnych tematów nigdy nie poruszały. Najważniejszym z nich była profesja Bimełe i to, co robiła w zaciszu swej izby. Dla Aliny czarnowłosa Żydówka była wciąż tą samą umorusaną towarzyszką dziecięcych zabaw, którą pamiętała sprzed lat, kiedy bose biegały po zaułkach Sanoka, strasząc żebraków i zaglądając przez uchylone okno do szynków i gospód. Była też jedyną osobą, która rozmawiała z nią bez uprzedzeń i wrogości. Miasteczko nazywało ją wdową, choć nigdy nie miała okazji zapłakać nad grobem swego męża. Nikt nie wiedział, co się z nim stało, pewnego dnia opuścił dom i odszedł w poszukiwaniu szczęścia. Wielu mężczyzn opuszczało Sanok. Późną wiosną jeździli na Węgry, gdzie z racji cieplejszego klimatu żniwa następowały szybciej niż po północnej stronie Karpat, wyjeżdżali do Drohobycza, Kołomyi i Sambora, by pracować przy szybach naftowych, szukali lepszego życia za oceanem, płynąc długie tygodnie pod pokładami wielkich parowców. Czasem wracali, kupowali ziemię i stawiali piękne domy, inni zapominali o rodzinnych stronach i czekających żonach, zostawali gdzieś w dalekiej Ameryce i tam układali sobie życie. Nikt nigdy nie nazywał ich żon wdowami, nikt nie zakłócał ich spokoju, nie patrzył na nie tak, jak mężczyzna patrzy na swoją kobietę. Z mężem Aliny było inaczej. Opuścił miasteczko w taki sposób, że nikt z sąsiadów się nie łudził, że kiedykolwiek tu wróci. Wyjechał pokłócony z przyjaciółmi, obrażony na partnerów, z którymi prowadził interesy, zły na wszystkich, obok których przeżył tyle lat. Pewnego dnia obudziła się, a jego nie było obok, zniknęło jego ubranie i wszystkie oszczędności. Po pewnym czasie ludzie zaczęli mówić, że zginął, inni twierdzili, że wylądował w przytułku dla ubogich w jednym z wielkich miast, o których zawsze marzył, kiedy nie powiodły się odważne interesy, które planował. Jeszcze inni powtarzali plotkę, wedle której trafił do więzienia za ciężkie przestępstwo. Ją zaś od tego czasu nazywano w miasteczku wdową. Wtedy też zaczęły się jej kłopoty. Nigdy nie dała żadnej kobiecie powodu do zazdrości ani żadnemu mężczyźnie nadziei na coś więcej niż rozmowa i wymiana uprzejmości. Zawsze okrywała włosy chustą, chodziła ze wzrokiem spuszczonym na czubki butów, z czasem nauczyła się, aby nigdy nie zostawać sam na sam z mężczyzną. Mimo to sklepikarze proponowali jej zniżki za towar, który obiecywali przynieść po zmroku do jej domu, urzędnik bankowy starał się zainteresować ją swoją osobą za pomocą wyszukanych komplementów, a komisarz policji bez ogródek zaproponował opiekę i stałą pensję za możliwość regularnych wizyt w jej chacie u stóp zamkowego wzgórza.

– Widziałam go wczoraj.

– Kogo?

– Borysa. Wstąpił do sklepu Abrama Berkowicza na Nowej Rady.

Żydówka patrzyła z uśmiechem, jak jej przyjaciółka czerwienieje niczym wystraszona pensjonarka, jak odstawia parujący kubek herbaty i ruchem dłoni ściera z kącików ust nieistniejące okruszki herbatników.

– Widziałaś się z nim, odkąd wrócił do miasta?

Alina potrząsnęła przecząco głową.

– Widziałam go ledwie kilka razy, na targu lub przed kościołem. Nigdy jednak z nim nie rozmawiałam.

Bimełe zaśmiała się cicho.

– Może powinnaś.

– Przecież on mnie nie pamięta. – Alina uśmiechnęła się, bardziej do odległych wspomnień niż do przyjaciółki. – Byliśmy wtedy dziećmi, od tego czasu sporo się zmieniło. Wszyscy się zmieniliśmy.

– Nieważne, ile czasu upłynęło, pewne rzeczy nigdy się nie zmieniają.

– Bimełe, byliśmy wtedy dziećmi. Ile miałyśmy lat? Dwanaście? Czternaście? On wyjechał, uczył się w wielkich miastach, ja wyszłam za maż, ty... Ty opuściłaś rodzinę. Ostatni raz rozmawialiśmy wieczorem, tuż przed jego odjazdem, potem kilka razy zamieniłam z nim parę słów, kiedy wracał tu na święta, ale to już nie były prawdziwe rozmowy. Później wydawało się, że zostanie tam, w wielkim świecie, a ja wyszłam za mąż. Nie myślałam, że kiedykolwiek jeszcze go zobaczę. Teraz jesteśmy już innymi ludźmi, zupełnie obcymi, różnymi jak ogień i woda. O czym mam z nim rozmawiać? O tym, że co rano zbieram gałęzie, aby przeżyć zimę? Że nie śpię nocami, bo martwię się o paszę dla zwierząt? Że po raz kolejny musiałam odrzucać nachalne zaloty sklepikarza, który proponował mi upust na mące w zamian za chwilę przyjemności? Że nocami rozmyślam o swoim mężu i sama nie wiem, czego bardziej się boję? Tego, że być może nie żyje, czy tego, że pewnego dnia wróci i stanie pod drzwiami mojego domu? Myślisz, że takie sprawy go interesują?

Alina upiła kilka łyków herbaty, odstawiła kubek i wstała, szybkim ruchem wygładzając fałdy spódnicy.

– Pójdę już, bo za godzinę nie będzie już z czego wybierać.

Bimełe odprowadziła przyjaciółkę do drzwi, udając, że nie dostrzega łez w jej oczach.

Laura uniosła się na poduszce, a kocur skulony u brzegu łóżka nadstawił uszu, bezbłędnie odczytując intencje swej młodej pani. Borys podniósł wzrok znad książki, spoglądając na swą podopieczną.

– Słyszysz?

– Co takiego?

– Coś się dzieje na dole. Słyszałam na schodach podkute buty Józefa, był z nim jeszcze ktoś. Chwilę wcześniej pod oknami od strony ulicy zarżał koń.

Nauczyciel miał już wrócić do głośnej lektury podręcznika, kiedy na dole rzeczywiście strzeliły drzwi, a szybkie kroki na schodach zatrzymały się pod drzwiami pokoju. Ktoś cicho zapukał i zaraz nacisnął klamkę. W drzwiach pojawiła się brodata twarz doktora Zaleskiego.

– Przepraszam, czy mogę przeszkodzić? – zapytał, a kiedy Borys skinął głową, wszedł do środka, zamykając za sobą drzwi. Miał na sobie odświętny garnitur, który zakładał tylko przy okazji publicznych wystąpień, zebrań towarzystwa gimnastycznego lub kiedy miał załatwić ważne sprawy urzędowe. – Prosiłbym, abyście dziś skrócili zajęcia – zwrócił się do Borysa. – Chciałbym wam przedstawić mojego serdecznego przyjaciela z lat studenckich, który złożył nam wizytę i który zostanie z nami przez kilka dni. Zaraz przyślę na górę służącą, która pomoże ci się przebrać. – Spojrzał na córkę, która kiwnęła głową, uradowana perspektywą poznania nowej osoby. – My tymczasem zejdziemy już na dół.

Zaleski przepuścił w drzwiach Borysa, po czym obaj zeszli schodami na parter, gdzie w gabinecie doktora, w wygodnym skórzanym fotelu, odpoczywał po podróży tajemniczy gość.

– Drogi przyjacielu, pozwól sobie przedstawić pana Borysa Pasternaka, nauczyciela mojej córki i mojego domownika. – Zaleski wskazał dłonią Borysa. Ten spojrzał w stronę siedzącego w fotelu gościa i ukłonił się grzecznie.

Mężczyzna uniósł się, wypuszczając z ust kłęby dymu tak gęste, że w pierwszej chwili Borys nie był w stanie dostrzec jego twarzy. Człowiek, którego miał przed sobą, był wysoki i zwalisty, szykowny surdut w angielską kratkę opinał masywne barki, wiśniowy fular spięty srebrną szpilą zawiązany był w elegancki sposób, układając się wymyślnymi fałdami na szerokiej piersi. Całość stroju miała w sobie staroświecką elegancję, kojarzącą się z oplecionymi bluszczem murami angielskich uniwersytetów. Mgiełka tytoniowego dymu rozeszła się po gabinecie i nauczyciel mógł spojrzeć prosto w twarz gościa, w szarobłękitne oczy, osadzone pod krzaczastymi, białymi jak mleko brwiami, z których jedno skryte było za szkłem staromodnego monokla. Oblicze przybysza, naznaczone głębokimi bruzdami zmarszczek, emanowało dostojnym spokojem i siłą charakteru: wysokie czoło, masywny prosty nos, siwe włosy spływające za uszy, niemal dotykające sztywno wykrochmalonego kołnierzyka koszuli.

Borys wyciągnął przed siebie prawą dłoń i w jednej chwili poczuł siłę uścisku prawicy przybysza. Gość wyglądał na nieco starszego od pana domu, mógł mieć ponad sześćdziesiąt lat, ale krzepy nie można mu było odmówić.

– Joachim August Hildenberg – zagrzmiał basem przyjaciel doktora Zaleskiego. – Miło mi pana poznać. – Mówił po polsku płynnie, choć z wyraźnym twardym akcentem.

– Borys Pasternak. Bardzo mi miło.

– Profesor Hildenberg jest w nieustającej podróży naukowej i mamy to szczęście, że na trasie jego wędrówek zupełnie przypadkowo znalazły się okolice naszego miasteczka. – Zaleski położył dłoń na ramieniu przyjaciela. – A że z Gorlic do Sanoka jest zaledwie kilka godzin drogi koleją, będziemy mieli okazję powspominać stare czasy.

– Kto wie – uśmiechnął się Hildenberg – może uda mi się połączyć przyjemne z pożytecznym.

– A czy można wiedzieć – zainteresował się Borys – co jest przedmiotem pańskich dociekań?

– Profesor jest uznanym autorytetem w wielu dziedzinach. – Zaleski uprzedził odpowiedź przyjaciela. – Medycyna, historia, nauki ścisłe i przyrodnicze. Mamy przyjemność gościć w naszych skromnych progach prawdziwego człowieka renesansu, autora wielu opracowań naukowych, który niejednokrotnie miał zaszczyt występować z odczytami przed samym cesarzem.

– Zawstydzasz mnie, Karolu. – Hildenberg zaśmiał się tubalnie, po czym spojrzał żywo na Pasternaka. – Obecnie najbliższa memu sercu jest etnografia, badam historię i zwyczaje ludów zamieszkujących tę część Galicji. Wędruję po karpackich wzgórzach, zbieram stare opowieści, notuję pieśni, obserwuję obrzędy. Chcę ocalić od zapomnienia tę różnorodność kultur.

– Zapewniam, że ciekawostek ci u nas nie zabraknie.

Hildenberg dostojnym ruchem strzepnął popiół z cygara i po raz kolejny napełnił płuca słodkim korzennym dymem. Podszedł do okna i uchylił zasłony.

– Ciężko było przejechać dziś z dworca na rynek. Całe miasto pełne jest chłopskich furmanek. Co to za święto?

– Jarmark – wyjaśnił Zaleski. – Do miasta ściągają wszyscy okoliczni chłopi, z gór schodzą nawet Rusini, by sprzedać to, co daje im las, a kupić wszystko, co niezbędne, by przeżyć jesień i zimę w Karpatach.

– Jarmark. – Hildenberg ściągnął krzaczaste brwi. – Chciałbym to zobaczyć.

– Obiad będzie za godzinę. Sądziłem, że zechcesz odpocząć po podróży, zażyć kąpieli i przebrać się...

Hildenberg odwrócił się do wyprostowanego jak struna Pasternaka.

– Czy mogę skorzystać z pańskiej uprzejmości i poprosić o oprowadzenie po mieście? Wrócimy w sam raz na posiłek.

Borys skinął tylko głową i już po chwili, mimo usilnych protestów doktora Zaleskiego, prowadził rosłego siwowłosego Austriaka przez rynek, w stronę placu Świętego Michała, gdzie u stóp kościoła farnego księdza Czaszyńskiego, w cieniu kasztanów, odbywał się targ. Joachim Hildenberg, w eleganckim cylindrze, z laseczką w dłoni i z nieodłącznym cygarem, szedł między kałużami, omijając rozbiegane kury i uganiające się za nimi bezpańskie psy. Nie zraził go fetor bijący od skleconej przy jednej z kamienic szopy, gdzie w dni targowe handlarze trzymali bydło przeznaczone do sprzedaży, najmniejszym grymasem twarzy nie dał po sobie poznać, że dostrzega między budynkami chylące się ku ziemi lepianki, niemal szałasy, zamieszkiwane przez biedotę za cichym przyzwoleniem miejskich rajców. Szedł raźnym krokiem, wypuszczając z płuc kłęby dymu i spoglądając na wszystko przyjaznym wzrokiem, jak gdyby na co dzień moczył nogawki w kałużach prowincji, a nie chadzał wygodnymi brukowanymi ulicami stolicy cesarstwa.

Plac przed kościołem wypełniony był po brzegi. Ciężko było się przecisnąć między stłoczonymi furmankami, chłopskimi rodzinami i żołnierzami, którzy czas poza służbą umilali sobie, spacerując wśród handlarzy, słuchając plotek i wypatrując co urodziwszych dziewcząt. Wokół placu, pod starymi kasztanami, stały wiejskie kobiety z koszami pełnymi jajek i serów, z konwiami mleka, w białych chustach i szeroko fałdowanych spódnicach, zdobionych u dołu różnokolorowym haftem. Bliżej środka ustawiono krąg... Były tam dziesiątki garnców wszelkich rozmiarów, patelnie, kosze i koszyki, drewniane koguty machające skrzydłami, dębowe wanny, drelichowe spodnie i lniane koszule, worki pełne pszenicy i tysiąc innych rzeczy, które jedni chcieli sprzedać z zyskiem, a inni kupić po okazyjnej cenie. Środek placu wypełniały wozy, konie i bydło, między którym uwijali się chłopi w lnianych koszulach wykańczanych kolorowymi tasiemkami przy rękawach i kołnierzu, w parcianych portkach przewiązanych sznurkiem, w słomianych kapeluszach z szerokim kresem i płótniakach domowej roboty. Rusinów z gór można było rozpoznać po wielkich wełnianych czapach, które nosili cały rok. Stroje te zainteresowały Hildenberga. Sięgnął do wewnętrznej kieszeni po oprawiony w skórę notes i szybkimi ruchami ołówka zaczął szkicować charakterystyczne postacie.

Jeden ze stojących przy wołach chłopów nabrał czerpakiem wody z koryta, napełnił nią usta, pochylił się, wypluł w dłonie i energicznymi ruchami obmył twarz, kark i włosy.

– To Rusini, zwani u nas Górniakami – wyjaśnił Pasternak, zaglądając ukradkiem do notesu Austriaka. – Pojawiają się w miasteczku głównie z końcem lata i wczesną jesienią, sprzedają drewno, owce i nabiał. Kupują głównie narzędzia, sól i siarniczki.

– Siarniczki?

– Rodzaj zapałek, po dwa centy za opakowanie.

Hildenberg skinął głową i dokończył szkic, ostatnimi ruchami ołówka dodając rysowanej postaci toporne chodaki, wiązane wysoko do połowy łydek. Schował notes i pozwolił się prowadzić dalej, między kramy i furmanki. Jego słuszna postura, elegancki strój i wytworny cylinder budziły powszechną ciekawość, ale Austriak nie dawał po sobie poznać, że dostrzega natrętne spojrzenia wiejskich kobiet, zachwalających świeże masło i ser. Przeciskali się przez wielobarwny tłum, wsłuchując się w najrozmaitsze odmiany lokalnej gwary, przetykane niemieckimi, czeskimi, a nawet węgierskimi słowami. Kiedy coś szczególnie zainteresowało Hildenberga, Borys natychmiast śpieszył z wyjaśnieniami. Tłumaczył właśnie zwyczaje lokalnej gminy żydowskiej, gdy po drugiej stronie kramu z patelniami i garnkami dostrzegł coś, co przyciągnęło jego uwagę. Błysk słońca na czyichś włosach w kolorze jesiennych liści, kasztanowy kosmyk między słomkowymi kapeluszami, wełnianymi czapami i mrowiem białych chust. Nie przerywając swych wywodów, tak pokierował gościem swego chlebodawcy, by wyjść na wprost drugiego szeregu kramów, gdzie spodziewał się odnaleźć to, co przed chwilą rzuciło mu się w oczy. Spacerowali między Żydami w długich chałatach, białych kamizelkach i sięgających kolan skórzanych butach, ustępowali strojnym w kapelusze małżonkom urzędników i kupców, chłopkom owiniętym w chusty, prowadzonym przez rosłych mężów w barankowych kuczmach powiązanych różnokolorowymi tasiemkami. Zgodnie ze zwyczajem: im bliżej miasta, tym krótsza fryzura, spod baranich czap Rusinów spływały na plecy gęste natłuszczone włosy, podczas gdy odziani w granatowe kapoty mieszkańcy przedmieść chowali przydługie kosmyki pod aksamitnymi konfederatkami. Austriaka szczególnie zainteresował wędrowny bukinista, wysoki Żyd w podartym płaszczu i przykrótkich spodniach, obładowany tobołkami powiązanych ze sobą woluminów.

Borys myślał już, że kasztanowe kosmyki tylko mu się przywidziały, i zamierzał już skręcić w stronę kościoła, gdy stanął na wprost niej. Wyglądała na tak samo zaskoczoną jak on. W pierwszej chwili opuścił wzrok i przełknął ślinę, ale widząc, że bardzo się zmieszała, uśmiechnął się lekko i skinął głową. Odpowiedziała w ten sam sposób, kłaniając się grzecznie i szczelniej okrywając chustą kasztanowe włosy. Minęli się bez słowa, a Borys kątem oka spojrzał na Hildenberga, usiłując odgadnąć, czy Austriak dostrzegł jego zmieszanie. Ten jednak zajęty był swoim cygarem i tym, co widział na straganach. Ponownie obeszli cały plac, przystając, gdy Hildenberg prosił o obszerniejsze wyjaśnienia bądź szkicował coś w swoim notesie, po czym wrócili do domu Zaleskiego.

Obiad, mimo piątku, był wyjątkowo obfity, co utwierdziło Borysa w przekonaniu, że Austriak nie pojawił się w domu lekarza nieoczekiwanie. Przystawka z marynowanych śledzi, barszcz przyrządzony na sposób ukraiński, z dużą ilością moczonej fasoli i ziemniakami, potem razowe pierogi z kaszą, obficie polane roztopionym masłem. Na deser bałabuchy, owoce zawijane w cieście, pierogi z owocami, polane kwaśną śmietaną i obsypane cukrem. Laura jadła wraz z nimi i z zaciekawieniem spoglądała znad talerza na gościa, który zupełnie nie przejmując się etykietą, pochłaniał z lubością kolejne porcje. Zachowanie Austriaka sprawiło, że i Borys poczuł się rozgrzeszony, gdy sięgnął po dokładkę skąpanych w złotym maśle pierogów. Mówił głównie Zaleski: przypominał niedawne artykuły z „Kuriera Lwowskiego", który do Sanoka dochodził z jednodniowym opóźnieniem, wypytywał gościa o szczegóły nowych rozwiązań w zakresie higieny i porządku miejskiego, pytał o wodociągi i spalarnię śmieci, którą, jak gdzieś wyczytał, wybudowano pod Londynem, a która podobno nie dość, że pozwalała w higieniczny sposób pozbyć się odpadków, to jeszcze ogrzewała sporą część miasta. Hildenberg odpowiadał w sposób zdawkowy, więcej czasu poświęcając jedzeniu niż zainteresowaniom gospodarza.

– Jutro wieczorem urządzimy w Czytelni Mieszczańskiej odczyt – gorączkował się doktor Zaleski. – Tak rzadko gościmy w Sanoku ciekawe osoby. Chciałbym, abyś opowiedział o roli higieny w życiu człowieka, o unikaniu chorób poprzez zachowanie czystości. Gdybyś ty widział te brudne podwórka, po których wałęsają się bezpańskie zwierzęta, gdybyś czytał skargi, jakie wypisują do „Gazety Sanockiej" mieszkańcy Podgórza, którym wprost na dachy domostw, pod drzwi i okna, wysypują nieczystości Żydzi mieszkający ponad zamkową skarpą...

Hildenberg skinął ze zrozumieniem głową i sięgnął po lnianą serwetę.

– W niedzielę będziesz honorowym gościem nadzwyczajnego posiedzenia zarządu Towarzystwa Gimnastycznego – ciągnął Zaleski. – Opowiesz nam o osiągnięciach i działalności klubów sportowych we Wiedniu.

Zaraz po obiedzie przyjaciele zamknęli się w gabinecie pana domu, ale kiedy Borys chciał pójść do swojej podopiecznej, oznajmiono mu, że popołudnie ma wolne, a doktor chce skorzystać z wiedzy swego gościa i skonsultować z nim przypadek Laury. Nauczyciel zamknął się więc w swoim pokoju, sięgnął do szafy i na parapecie otwartego okna rozłożył teleskop. Zajrzał w okular i mosiężnym pierścieniem ustawił ostrość. Przez chwilę wydawało mu się, że między gałęziami widzi znajomą sylwetkę, ale to tylko wiatr kołysał nagimi koronami drzew.

Bimełe nadgarstkiem odgarnęła spływający na oczy lok, ostrożnie zdjęła garnek z paleniska i odcedziła kartofle, potem sięgnęła po bób zapieczony z czosnkiem. Usiadła przy stole, sięgnęła po widelec i rozkroiła parujący kartofel. Spojrzała w stronę wąskich, chybotliwych schodów, zawahała się, po czym wstała i sięgnęła po drugi talerz. Weszła na stryszek i zapukała.

– Przygotowałam kolację. Jeżeli jest pani głodna, zapraszam.

Stojąca za uchylonymi drzwiami kobieta nie odpowiedziała od razu. Miała w oczach tę samą nieufność, którą Żydówka dostrzegła przy pierwszym spotkaniu, gdy nieznajoma zagadnęła ją o możliwość wynajęcia pokoju. Była to nieufność kobiety, która mimo młodego wieku niejedno widziała i wiele przeszła, a wydarzenia te odcisnęły głębokie piętno w jej spojrzeniu, ruchach i postawie.

Kobieta skinęła głową.

– Dziękuję – odpowiedziała. – Zaraz zejdę.

Przyszła po kilku minutach, z włosami starannie upiętymi w kok, w szarej prostej sukni, tej samej, w której przyjechała. Usiadły przy stole i jadły w milczeniu, zajęte rozcinaniem gorących kartofli i wybieraniem strączków bobu omaszczonych czosnkiem. Nieznajoma przebywała pod dachem Bimełe już drugi dzień, ale przez cały ten czas zamieniły ledwie kilka zdań. Szybko porozumiały się co do ceny. Kobieta zapłaciła więcej, niż kosztowałby ją wygodny pokój w gospodzie, ale Żydówka nie wnikała, dlaczego wolała zamieszkać na ciasnym poddaszu w drewnianym domu na skraju dzielnicy żydowskiej. Nieznajoma powiedziała, że zostanie tydzień i za cały ten okres zapłaciła z góry. Pierwszy dzień spędziła w zamknięciu, poprosiła tylko o ciepłą wodę do mycia. Wyszła wieczorem, po zmroku, nie było jej dłuższy czas, a kiedy wróciła, skulona w łóżku pod ścianą Bimełe udawała, że śpi. Pieniądze za wynajem nie były aż tak duże, by mogła zrezygnować z pracy, więc przyjęła dwóch klientów. Pierwszego dnia był to czeladnik szewski, uśmiechnięty i porywczy młodzieniec, do którego Żydówka miała słabość, drugiego dnia inspektor policji, który z kolei miał wyraźną słabość do niej. Nieznajoma musiała słyszeć, co się dzieje w głównej izbie, ale nie wyjrzała ze swojego pokoju ani też później o nic nie pytała.

Bimełe rozgniotła widelcem kawałek kartofla i spojrzała ukradkiem na siedzącą po drugiej stronie prostego stołu kobietę. Na pewno podobała się mężczyznom, była już jednak w takim wieku, że jeżeli jeszcze nie miała męża, najprawdopodobniej już go sobie nie znajdzie. W każdym ruchu i geście nieznajomej widoczna była ostrożność i nieufność, ale także elegancja i opanowanie. Bimełe nieczęsto opuszczała miasteczko, w którym się urodziła, i niewiele wiedziała o świecie, domyślała się jednak, że kobieta, która towarzyszyła jej przy kolacji, bywała zapewne w miejscach bardziej eleganckich niż zakurzona ciasna izba jej domu oraz jadała potrawy bardziej wyszukane niż bób z czosnkiem i kartoflami.

Kobieta musiała przyjechać rannym pociągiem ze Lwowa. Bimełe nigdy nie widziała prawdziwego miasta, szerokich brukowanych ulic, kamienic wyższych niż trzypiętrowe, lamp gazowych, konnych tramwajów i tysiąca innych rzeczy, które znała tylko z ilustracji i opowieści. Sama nigdy nie odważyłaby się na taki wyjazd, nie starczyłoby jej odwagi, by spakować podręczny kuferek, kupić bilet i zająć miejsce w wagonie. Najdalszą podróż w swoim życiu odbyła w towarzystwie rodziców do Rzeszowa, smutnego miasta płasko rozciągniętego nad leniwie płynącą rzeką, gdzie poznała wybranego przez ojca kandydata na męża, dwukrotnie starszego od niej wdowca, zarządcę składu tytoniu. Nigdy więcej nie wybrała się już w żadną podróż, a tydzień po powrocie uciekła z rodzinnego domu. Nie miała nikogo ani niczego, co trzymałoby ją w miasteczku, ale nie miała też tyle śmiałości, by zdobyć się na wyjazd. Każdego dnia walczyła z całym światem, ale to był jej własny, dobrze znany świat, a nie ten daleki, obcy i tajemniczy, do którego dostać się można było tylko pociągiem.

Nieznajoma dokończyła posiłek, odłożyła widelec, wstała i podziękowała za kolację. Ukłoniła się, weszła na schody, spojrzała przez ramię na siedzącą przy stole Bimełe, po czym zniknęła za drzwiami swojego pokoju.

Żydówka posprzątała po kolacji, rozścieliła łóżko, sprawdziła skobel przy drzwiach. Wsunęła się pod pierzynę, poprawiła szorstki wełniany koc i skręciła płomień lampy. Przez długi czas nie mogła zasnąć z ciekawości, co też sprowadziło nieznajomą do zagubionego na końcu świata miasteczka.

Borys z przyjemnością wciągnął w nozdrza intensywny aromat i pozwolił, by kawa zmyła rozkoszny smak kolacji. Przyjazd profesora Hildenberga stanowił miłe urozmaicenie nie tylko jesiennej nudy małego miasteczka, ale i codziennej kuchni w domu doktora Zaleskiego.

– Osłabienie organizmu, bladość cery, częste infekcje połączone z zapaleniem ucha lub gardła – mówił znad filiżanki doktor Zaleski, zatopiony w swym ulubionym skórzanym fotelu. – Później gorączka, ból stawów i mięśni. Są dni, kiedy nie jest w stanie podnieść się z łóżka.

– Kiedy wrócę do Wiednia, prześlę ci prace Rudolfa Virchowa, profesora z Würzburga. – Hildenberg chodził od przysłoniętego zasłonami okna do drzwi, zaciągając się cygarem. – Twierdzi on, że każda żywa komórka organizmu pochodzi od innej komórki, jednak cząstki te są nosicielkami nie tylko życia, ale i choroby. Pisze o chorobie, która wiąże się z nadmierną ilością białych krwinek, a jej objawy są bardzo podobne do tego, o czym mówisz.

– *Leucaemia* – Zaleski skinął głową. – Znam tę hipotezę, czytałem o niej. Wciąż jednak nie wiadomo, co powoduje ów nadmiar, jak powstrzymać rozwój choroby, jak leczyć pacjenta, a przede wszystkim, czy wyleczenie jest w ogóle możliwe.

Hildenberg przystanął w pół kroku.

– Nie wolno tracić nadziei – zagrzmiał. – Nigdy, w żadnej sytuacji! Pomyśl tylko, ile razy przyszło ci stawać w obliczu choroby, zdawało się, śmiertelnej, ile razy uznałeś, że dla pacjenta nie ma ratunku, by po kilku tygodniach lub miesiącach przyznać się do pomyłki, gdy wbrew fałszywym zwiastunom chory powracał do zdrowia.

– Jedynie nadzieja trzyma mnie przy życiu, jedynie ona daje mi siły do codziennej pracy. Gdyby nie doświadczenia, o których mówisz, dawno już zaprzestałbym praktyki. Nie ważyłbym się leczyć ludzi, skoro nie potrafię pomóc rodzonej córce. Wieczorami czytam prace Józefa Dietla, sam sobie tłumaczę, że medycyna jest nauką przyrodniczą, że wszystko w niej jest wymierne i konkretne niczym w matematyce, że nie szukamy cudownego eliksiru życia, ale ustalamy prawidła i reguły. Wmawiam sobie, że nie zajmujemy się cudami, ale odkrywamy odwieczne prawa natury, że nasza siła leży w naszej wiedzy. Przyznam się jednak, drogi przyjacielu, że w ostatnich tygodniach coraz bliżej mi do sceptyków i nihilistów, wciąż przypominam sobie twierdzenia Karla von Rokitansky'ego, że my, lekarze, jesteśmy bezsilni wobec choroby, że jesteśmy bezradni wobec sił, których nie rozumiemy i których zrozumieć nigdy nie zdołamy.

– Nonsens – prychnął siwobrody profesor. – Pomyśl tylko, ile wiemy dziś o chorobach, które jeszcze kilkadziesiąt lat temu były dla nas wielką zagadką. Umysł nie zna granic. Nasza ciekawość, pomysłowość, nasz pęd do wiedzy sprawia, że kiedyś poznamy wszystkie sekrety natury, nawet te, które dziś okryte są tajemnicą.

Borys siedział rozparty wygodnie w fotelu, rozkoszując się ciepłem z płonącego kominka i przyjemnym uczuciem sytości. W takich chwilach wracało do niego wspomnienie przeciągów w tłocznej krakowskiej bursie, twardego łóżka, nieszczelnych okien i lichych posiłków. Przymknął oczy, wsłuchany w rozmowę przyjaciół, w pytania zadawane gorączkowym głosem przez gospodarza i długie odpowiedzi gościa, opowiadającego o odkryciach i podróżach. Niemal zasnął, gdy z półdrzemki wyrwał go głos doktora wskazującego gościowi drogę do jego pokoju. Ocknął się, odstawił filiżankę i poszedł do siebie.

Umył się, rozebrał, ułożył spodnie na stojącym przy biurku krześle, koszulę i marynarkę odwiesił do szafy. Czuł się znużony i już miał skręcić płomień lampy, kiedy nagle się zawahał, a jego dłoń zawisła w powietrzu, tuż nad miedzianym pokrętłem. Chciał spać, ale bał się ciemności. Delikatnie przesunął pokrętło, tak aby tylko niewielki fragment knota wystawał ze zbiorniczka z naftą. Światło przygasło, cienie się wydłużyły. Borys ułożył się na łóżku, poprawił poduszkę, przymknął oczy. Wciągnął nosem zapach świeżej pościeli. Chociaż zdążył się już przyzwyczaić do wygód, do czystej wody w emaliowanej miednicy, codziennego gorącego obiadu i łóżka ze sprężynami zamiast desek, słomy i zgrzebnego prześcieradła, do miękkiej poduszki z kaczego pierza zamiast własnego ubrania wciskanego pod głowę, za każdym razem, tuż przed zaśnięciem, delektował się miękkością posłania i wygodą pokoju, który miał do swojej wyłącznej dyspozycji.

Minuty mijały, ale sen nie nadchodził. Co jakiś czas unosił powieki, sprawdzając, czy tlący się płomyk lampy wciąż przełamuje czającą się ciemność. Kiedy kolejny raz otworzył zmęczone oczy, zamiast ciepłego bursztynowego światła zobaczył nieprzeniknione ciemności. Serce zabiło mu żywiej, ale nie wstał i nie zapalił lampy. Po jakimś czasie uspokoił się i w końcu zapadł w sen.

A wtedy pojawiła się kobieta śniąca przy lustrze.

Kiedy przyczajony nad zamkową skarpą dom ułożył się już do snu, kiedy w „Sokolim Gnieździe" zamknięto wszystkie okiennice, sprawdzono zamki przy drzwiach, zasunięto kotary i skręcono lampy, jedna para oczu wpatrywała się w gęstniejącą ciemność w oczekiwaniu przygody. Bystre, przywykłe do mroku ślepia sprawnie wypatrzyły drogę do piwnicy, miękkie łapy pozwoliły spłynąć po schodach i bezszelestnie wspiąć się na parapet. Kocur zwinnym ruchem przecisnął się przez uchylony lufcik i skoczył między zarośla.

Ciemność przesycona była tysiącem kuszących zapachów. Ostrożnie manewrował między kałużami i koleinami, tropiąc pozostałości po targu. Plac przed kościołem zawalony był śmieciami, zbitymi garnkami, ogryzkami, pestkami, ogryzionymi kaczanami kukurydzy, starymi szmatami i zwierzęcymi odchodami. W świetle latarni, zapalonej kilka godzin wcześniej przez żandarma, leżała martwa koza z nieruchomymi racicami wbitymi w rozmiękłą ziemię.

Kocur okrążył plac, zawinął ogonem pod kasztanami, otarł się grzbietem o pień jednego z drzew, gdy raptem koci instynkt nakazał mu czmychnąć w ciemność i poszukać schronienia. Dał susa w uchyloną bramę, ale właściwa wszystkim kotom ciekawość – albo może smród uryny bijący od wilgotnych murów – nakazała mu wyjść na ulicę i pójść śladem złowrogiego cienia, który przemykał pod oknami kamienic.

Kocur ostrożnie wyszedł z bramy, przemknął tuż przy murze, wskoczył na parapet jednego z okien, przeskoczył na następny i w ten sposób dotarł do rynku. Przycupnął w kącie i zmrużył ślepia. Na ogół nie wtykał swojego kociego nosa w cudze sprawy, jednak to, co widział, wzbudzało jego ciekawość.

Bestia, którą spotkał ubiegłej nocy, postanowiła zbliżyć się do ludzi.

4

Obudził go chłód jesiennego poranka, wilgotne zimno wślizgujące się szparami w okiennej futrynie, wnikające pod wełniany koc, wciągane z każdym oddechem do płuc. W lecie budził go skwar wczesnych promieni słońca i trzepot gołębich skrzydeł, jesienią krople deszczu, kapiące przez nieszczelny dach, i chłód. Mógł mieć tylko nadzieję, że zanim nadejdzie zima, znajdzie dla siebie lepsze lokum.

Kaszycki otworzył oczy, wygrzebał się spod sterty koców, naciągnął na siebie koszulę i spodnie. Odczekał jeszcze chwilę, zanim napełnił blaszaną misę wodą z dzbanka i przemył twarz. Usiadł na łóżku i otulił ramiona płaszczem. Zaczął planować w myślach nadchodzący dzień. Najważniejsze to dotrwać do obiadu, zjeść coś niedrogiego na śniadanie, a potem skorzystać z zaproszenia jednej z rodzin mających na wydaniu mało urodziwe córki. Wczoraj był na proszonym obiedzie u tapicera Natana Dorfa. Dwie godziny nudnych rozmów w towarzystwie bladej szarowłosej dziewczyny, jej rodziców i dorastającego brata to niewielka cena za suty gorący posiłek złożony z dwóch dań. Dziś mógł skorzystać z zaproszenia adwokata Jana Gawła, o którego córce mówiono, że nosi buty robione na miarę, bo jedna jej noga jest krótsza od drugiej. Byle do obiadu.

Cały jego dobytek mieścił się w małym pokoju na poddaszu oficyny; dwa komplety bielizny w drewnianej komodzie, dwie koszule i marynarka wiszące na wieszaku przy drzwiach, jedna para butów, notes w skórzanej oprawie, kilka szkolnych zeszytów, dwa ołówki i pióro, butelka atramentu, scyzoryk i podróżny worek z grubego szorstkiego płótna, wystarczająco obszerny, by pomieścić cały majątek właściciela. Odnalazł pod łóżkiem puszkę czernidła i szczotkę, wyczyścił buty, starannie maskując szuwaksem ślady przetarcia. Przeczesał włosy, sięgnął po ołówki i notes. Przejrzał się w kieszonkowym lusterku i wyszedł z mieszkania.

Przystanął na półpiętrze, przed parapetem, na którym wylegiwał się rudy bezpański kocur. Rudzielec był złośliwy i wyjątkowo płochliwy, ale dziennikarz w ciągu wielu tygodni wspólnej niedoli zdobył jego zaufanie. Latem wystawiał mu puszkę z wodą, w nieliczne tłuste dni dzielił się jedzeniem, odlewając nieco mleka lub odkrawając skórkę z chleba, a kiedy kocur wracał na swój parapet po nocnych eskapadach, ostrożnie obmywał jego rany. Dziś nie miał się czym podzielić, przystanął więc tylko na moment, pogłaskał szorstkie futro, objął dłońmi trójkątny łeb. Zwierzę zamruczało cicho i przewróciło się na plecy, ale on nie miał czasu na dłuższe pieszczoty.

Zbiegł drewnianymi schodami na wewnętrzne podwórko kamienicy, ominął stertę cuchnących śmieci rozrzuconych przy bramie i raźno ruszył ulicą, energicznymi ruchami ramion przepędzając chłód wczesnego poranka. Sięgnął do kieszeni i przeliczył garść drobnych monet. Wciąż zalegał z komornym za ten miesiąc, ale właściciel kamienicy, kupiec bławatny Weiner, doświadczony w handlu i znający wielki świat Żyd, doceniał potęgę prasy i był wyrozumiały dla swojego lokatora. Postanowił więc, że uda się na prawdziwe śniadanie do Grand Restauracji pani Szmalowej przy ulicy Kościuszki, naprzeciwko Ogrodu Miejskiego. Na śniadanie podawano tam kieliszek żytniówki, flaczki lub sznycel, gulasz lub paprykarz z chlebem, do tego szklaneczka piwa, wszystko w cenie osiemnastu centów za porcję. Cena obowiązywała do południa, kiedy to wchodził w życie wyższy cennik aktualny do następnego poranka. Minął Ramerówkę i plac Najświętszej Marii Panny, kiedy od strony placu Świętego Michała dobiegł go zgiełk. Spojrzał smętnie w kierunku szynku pani Szmalowej, przełknął ślinę, ale uczucie głodu zwyciężył instynkt żurnalisty. Sprawdził, czy w kieszeni marynarki ma notes i ołówki, po czym ruszył w kierunku kościoła farnego.

Tumult dobiegał spod piętrowej kamienicy Izaaka Stezla, usytuowanej między placem Świętego Michała a rynkiem. Pod oknami zebrał się tłum gapiów. Kilka kobiet z wiklinowymi koszykami stało po drugiej stronie ulicy, pokazując sobie nawzajem, jak posterunkowy Schenke odsuwa gawiedź od drzwi, umożliwiając wyjście zwalistemu mężczyźnie w czarnej marynarce. Po kilku minutach dorożka przywiozła lekarza miejskiego, z laseczką w jednej i eleganckim neseserem w drugiej dłoni. Ubiegłą noc doktor spędził najpewniej przy kieliszku, bo z powozu wyskoczył niezgrabnie, prosto w cuchnącą kałużę. Jeden z policjantów podał mu rękę i pomógł wejść do kamienicy.

– Co się tam dzieje? – zapytał Kaszycki stojącego obok mężczyznę.

– Podobno Stezla zamordowali w nocy. Zabrali mu cały majątek. Wynieśli wszystko, nawet kasę pancerną powozem wywieźli.

– Cała rodzinę wymordowali, nie tylko starego – do rozmowy wtrąciła się młoda dziewczyna z koszykiem, najpewniej służąca w bogatym domu. – Krwi było co niemiara.

– Jaką znowu rodzinę – oburzył się wąsaty chłop. – Stezl nie miał dzieci, tylko żonę, brzydką jak noc. Przed chwilą policjanci wyprowadzili ją do powozu. Podobno ogłuchła od krzyków męża, kiedy go zbóje mordowali.

– Stara Stezlowa to od paru lat była już głucha jak pień – rzucił gniewnie ktoś z tyłu.

Kaszycki wyjął z kieszeni notes i ołówkiem, na gorąco, notował plotki. Wiedział, że najpewniej nic z tego nie jest prawdą, ale każda informacja mogła być później na wagę złota. Tak czy owak w sennym miasteczku morderstwa nie zdarzały się co dzień.

Jeden z policjantów odstąpił od drzwi i nakazał przepuścić gapiom starego Joszkę, Rusina pełniącego funkcję grabarza na miejskim cmentarzu. Joszka przepchnął między ludźmi swój sfatygowany dwukołowy wózek i zaczekał, aż policjanci, pod czujnym okiem komisarza Witchenbachera, wyniosą zawinięte w prześcieradło ciało i ułożą je na chybotliwej platformie. Wśród stojących najbliżej kobiet rozległ się krzyk, jedna osunęła się na ziemię, bo na prześcieradle, w pierwszej chwili śnieżnobiałym, wykwitły zaraz rdzawe plamy.

Joszka pchnął swój wózek, a za nim ruszył zwalisty komisarz w asyście czterech posterunkowych, chwiejący się na nogach miejski lekarz i gromada gapiów, złączona nadzieją, że grabarz, zgodnie ze swoim budzącym powszechne oburzenie zwyczajem, zatrzyma wózek pod pierwszym napotkanym szynkiem, pozostawi klienta na zewnątrz, a sam wejdzie się ogrzać i napić. Teraz jednak, pod czujnym okiem posterunkowych i samego komisarza, grabarz pchał z wysiłkiem swój wózek, ale nie skręcił, jak się tego spodziewano, w stronę cmentarza, tylko ruszył krętą drogą wiodącą do szpitala.

Kaszycki uznał, że nie ma po co iść za tłumem gapiów. Zaczekał, aż wlokąca się za zdyszanym grabarzem procesja zniknie za rogiem, przebiegł przez ulicę i otworzył drzwi kamienicy Stezla. Wszedł na schody, gdzie natknął się na policjanta; nikomu postronnemu nie wolno się było kręcić w pobliżu miejsca zbrodni. Dziennikarz wyszedł więc przed budynek i zapukał do służbówki. Otworzyła mu zapłakana kobieta.

– Dzień dobry – ukłonił się. – Zastałem dozorcę?

– A pan to kto?

– Ja z gazety. Porozmawiać chciałem.

Kobieta otarła oczy i poprawiła narzuconą na włosy chustę.

– Pan komisarz go zabrał – pociągnęła nosem. – Takie nieszczęście. To był taki dobry pan...

Kaszycki wstąpił na próg i delikatnie przesunął zanoszącą się płaczem kobietę. Jeszcze jeden mały krok i znalazł się w małej ciemnej izbie o dawno niebielonych ścianach.

– Co tam się stało?

– Stary, jak co rano, palił w piecu, kiedy usłyszał naszą panią. Wrzask był taki, że sama się obudziłam. Wyjrzałam z izby, ale niczego nie zauważyłam. Stezlowa wciąż wrzeszczała, słyszałam, jak mój stary biegnie po schodach, jak trzaskają drzwi, a potem i on zaczął krzyczeć. Ubrałam się, weszłam na piętro, a mój stary wyprowadzał właśnie naszą panią na korytarz. Miała na sobie długą nocną koszulę, całą we krwi. Co się działo potem, sama już nie wiem. Pani zemdlała, padła na ziemię jak długa. Chciałam wejść do środka, ale stary nie pozwolił. Klął pod wąsem, krzyczał coś, trzymając się za głowę, przeżegnał się ze dwa razy, ale do środka wejść nie pozwolił. Potem pojawił się policjant, najpierw jeden, potem drugi, a potem cała chmara, na czele z samym komisarzem. Zamieniłam ze starym dwa słowa, jak zabierali go do magistratu. Powiedzieli, że przed wieczorem wróci do domu, ale kto ich tam wie.

Dziennikarz pochylił się ku drobnej, zasuszonej twarzy.

– Niech pani powie, co tam się właściwie stało?

– Stary powiedział – kobieta nerwowym ruchem starła z policzka łzę – że naszego pana coś rozszarpało na kawałeczki.

Witchenbacher otworzył szpitalne okno i wciągnął w płuca rześkie, chłodne powietrze. Odetchnął głęboko i uspokoił skołatane nerwy.

Tak jak się tego spodziewał, opłacany z kasy miejskiej doktor Pawlukiewicz chwiał się na nogach, roztaczając dookoła woń alkoholu, i można było tylko zgadywać, czy był to efekt wydarzeń minionej nocy czy konsumpcji zrealizowanej już wczesnym rankiem. Z pomocą grabarza lekarz rozebrał ciało, ale już przy oczyszczaniu go z zakrzepłej krwi strącił przybornik i rozlał wodę z miednicy. Komisarz osobiście wyrzucił go za drzwi i polecił wezwać doktora Zaleskiego.

Witchenbacher oparł się o parapet i wychylił się, patrząc, jak zaprzężona w karego ogiera dorożka zatrzymuje się przed bramą, a z powozu wyłaniają się dwie męskie postacie: szczupła i wytworna, którą dobrze znał, oraz druga, zupełnie mu obca, wielka i zwalista jak niedźwiedź. Obaj mężczyźni zniknęli w wejściu do budynku, by po chwili pojawić się w korytarzu.

– Przyjechałem najszybciej, jak to możliwe. – Doktor Zaleski uścisnął dłoń komisarza i ukłonił się uprzejmie.

Witchenbacher odwzajemnił ukłon i zerknął na nieznajomego. Aby spojrzeć mu w twarz, musiał wysoko unieść podbródek.

– Pozwolę sobie przedstawić mojego przyjaciela. – Karol Zaleski wskazał dłonią rosłego siwowłosego jegomościa bawiącego się trzymaną w dłoniach laseczką. – Panie komisarzu, oto mój gość, profesor Joachim August von Hildenberg z Wiednia.

Zaskoczony Witchenbacher uniósł brew i uważniej przyjrzał się masywnej sylwetce gościa, taksując wzrokiem wysokie czoło, staromodny monokl i szeroką pierś opiętą połami marynarki w angielską kratkę. Poczuł suchość w gardle. Wyprężył się jak struna, poprawił mankiety koszuli, podkręcił wąsa. Nadeszła w końcu chwila, na którą tak długo czekał. Zaraz Austriak klepnie go w ramię, pogratuluje spostrzegawczości, pochwali szybkość działania i precyzję meldunku wysłanego telegrafem do Lwowa. Witchenbacher stał wyprężony niby przed samym cesarzem, ale brodacz milczał, spoglądając z wysokości swym spokojnym, choć stanowczym wzrokiem.

– Witam szanownego pana w Sanoku. – Komisarz ukłonił się z szacunkiem, jaki zwykł okazywać każdemu, kto przybywał ze stolicy cesarstwa.

– Profesor zgodził się okazać nam pomoc przy... – Zaleski zawiesił głos, szukając odpowiednich słów – realizacji naszego zadania. Jego doświadczenie i wiedza w zakresie medycyny sądowej i patologii znacznie przewyższają moje.

Witchenbacher wskazał dłonią w kierunku drzwi wiodących do kostnicy.

– W takim razie, panowie, zabierajmy się do pracy.

Nagie ciało Izaaka Stezla leżało na stalowym stole pośrodku sali, w świetle podwieszonej u sufitu lampy. Pękaty, gęsto owłosiony brzuch, chude ręce i patykowate nogi. Zaleski poprosił o miednicę gorącej wody, a następnie, używając szmatki, obmył ciało ze śladów zakrzepłej krwi. Uważnie oczyścił zadrapania na ramionach i piersi z nici nocnej koszuli, w którą przed śmiercią ubrany był zmarły. Starał się nie patrzeć wyżej, w stronę zastygłej w grymasie przerażenia sinej twarzy i rozerwanego gardła, odsłoniętej tchawicy i tego, co pozostało z języka.

Hildenberg sięgnął do skórzanego przybornika i wyjął duży stalowy cyrkiel. Rozłożył instrument i w asyście przyjaciela, który stał nad ciałem z drugą lampą w dłoni, zbadał rozwarcie rany. Dokonał kilku pomiarów, odnotowując je ołówkiem. Starannie zmierzył pozostałe rany, zapisując ich rozmieszczenie, po czym jeszcze raz sięgnął do przybornika i wyjął szkło powiększające w kościanej oprawie. Obejrzał przedramiona i dłonie ofiary, szczególną uwagę poświęcając paznokciom.

– Karolu, lampa niżej – poprosił.

Doktor Zaleski pochylił się nad ciałem, kierując migotliwe światło lampy naftowej na zaciśnięte kurczowo palce rajcy Stezla.

– Proszę spojrzeć na zadrapania na przedramionach – Hildenberg zwrócił się do komisarza. – Ten człowiek bronił się przed śmiercią, ale nie był w stanie oprzeć się silniejszemu zwierzęciu. Panowie, bardzo was proszę, pomóżcie mi obrócić ciało.

Po chwili światło lampy przesunęło się nad okrytymi plecami ofiary, od grubego, tłustego karku po zadziwiająco szczupłe pośladki. Skóra była czysta, pozbawiona zadrapań.

– Zwierzę zaatakowało od przodu – mówił cicho Hildenberg. – Bronił się, ale nie był w stanie go odpędzić. Musiał natknąć się na tę bestię gdzieś w bramie lub tam, gdzie nie mogła uciec i zareagowała tak, jak nauczyła ją natura. Nie widząc możliwości ucieczki, zaatakowała. Bronił się, ale został powalony. Zastanawia mnie jedna sprawa. Z całą pewnością walczył do końca, ale na plecach nie ma żadnych obtarć czy zadrapań. Musiał upaść na coś miękkiego, na liście lub śmiecie.

– Łóżko – warknął zza jego pleców Witchenbacher. – To było łóżko.

Austriak odwrócił się w stronę policjanta. Pochylony nad ciałem doktor Zaleski wyprostował się, a lampa oświetliła sufit i ściany pomieszczenia.

– Znaleźliśmy go w jego własnym łóżku – komisarz mówił przez zaciśnięte zęby, z trudem hamując wściekłość. – Nie w miejskim parku, nie w ciemnej bramie, ale we własnej sypialni. Dlatego, drodzy panowie, proszę jeszcze raz spojrzeć na rany i odpowiedzieć mi na pytanie, czy obrażenia te mogą być dziełem człowieka.

Hildenberg zajrzał do notatek, które robił przy dokonywaniu pomiarów.

– To podręcznikowy przykład ran szarpanych, jakie zadaje dzikie zwierzę – odpowiedział. – Krawędzie ran są nieregularne, kły z łatwością rozerwały skórę, uszkodziły kości ofiary w okolicach przedramion. Na piersi i brzuchu widać mniejsze zadrapania, najpewniej ślady pazurów bestii, która powaliła rajcę i przegryzła mu gardło. Takich śladów nie pozostawia człowiek.

– A gdyby skonstruował specjalne narzędzie, aby upozorować atak zwierzęcia? – Zaleski snuł domysły, skubiąc palcami gęstą brodę. – Gdyby kazał sporządzić nóż o nieregularnym, postrzępionym ostrzu, a po dokonaniu zbrodni okaleczył ciało, preparując ślady zębów i pazurów?

– Panowie – cierpliwie wyjaśniał profesor Hildenberg – wielokrotnie widziałem ślady ataku dzikich zwierząt, wiele razy uczestniczyłem też w sekcjach ofiar pospolitych przestępców. Zaręczam panu, że nie sposób pomylić śladów pozostawionych na ciałach ofiar.

– A gdyby to narzędzie składało się z dwu ruchomych części, jak nożyce czy sekator? – dociekał Zaleski. – Można by stworzyć pozory pogryzienia, imitując rozstaw szczęk drapieżnika w poszczególnych fazach ataku oraz różnicować siłę zadawanych ran.

– Zazwyczaj najbardziej prawdopodobne rozwiązania są najwłaściwsze. To, co mamy przed sobą, to dzieło kłów i pazurów żywego stworzenia.

Witchenbacher zacisnął pięści i zbliżył się do stołu.

– Chcecie mi panowie powiedzieć – syknął rozsierdzony – że dzikie zwierzę wyszło ciemną nocą z lasu, przemknęło niezauważone przez ludzi i psy, aż do rynku, wkradło się na piętro kamienicy, najpewniej wytrychem otworzyło zamek mieszkania rajcy Stezla i zagryzło go w jego własnej sypialni?

Cyryl de Jaxa Ładyżyński, burmistrz miasta Sanoka, oparł się pięściami o masywny dębowy stół i spojrzał z uwagą na zgromadzonych rajców. Po prawej ręce miał przedstawicieli gminy żydowskiej, siwobrodego Ichela Herziga, chudego jak tyczka Lezora Rottenberga, Jankiela Finka i Lezora Rosnera. Pod przeciwległą ścianą siedzieli Rusini i katolicy, czarnowłosy Józef Milczanowski, aptekarz o nalanej twarzy Anzelm Ochmański, Antoni Smoluszko, który majątku i mandatu dorobił się na handlu bydłem, mrukliwy Cyryl Kiedewicz, wiecznie mający coś do powiedzenia Walenty Pąkowski, a także kilku innych, którzy zdołali się stawić na pośpiesznie zwołaną sesję. Ponownie przyjrzał się twarzom rajców, po czym skierował wzrok na siedzącego na wprost niego przysadzistego mężczyznę o niskim czole i gładko wygolonej głowie.

– Panie komisarzu, w ciągu trzech dni w Sanoku zamordowano dwie osoby. Wszyscy, jak tu siedzimy, mamy prawo żądać od pana stosownych wyjaśnień. Proszę więc odpowiedzieć na moje pytanie. Co u licha dzieje się w naszym mieście?

Witchenbacher przygryzł wargę, a jego splecione na blacie stołu palce przybrały siną barwę. Zgodnie ze statutem organizacyjnym dla urzędników magistratu, podlegał bezpośrednio radzie miasta, a tym samym burmistrzowi, pełniącemu swą funkcję trzecią już kadencję. Mimo niechęci spowodowanej podległością służbową i ostentacyjnie manifestowanemu przez Ładyżyńskiego przywiązaniu do polskości, policjant szanował go za powszechnie znaną dawną służbę w armii austriackiej i kampanię przeciw Prusom zakończoną w tysiąc osiemset sześćdziesiątym szóstym. Dlatego najspokojniej jak potrafił zrelacjonował przed radą miejską dotychczasowy przebieg śledztwa, wyniki oględzin zwłok Skwierzyńskiego, rezultaty przesłuchania członków najbliższej rodziny ofiary oraz ustalenia dokonane przez posterunkowych rozpytujących mieszkańców uliczki przy klasztorze Franciszkanów.

– Jednym słowem – odezwał się burmistrz, kiedy Witchenbacher zakończył swoją relację – nie mamy nic. Zupełnie nic. Rozumiem, że postępy w sprawie śmierci radnego Izaaka Stezla są równie mizerne?

– Zwłoki znaleźliśmy wczesnym rankiem, wdowa nie jest w stanie zeznawać, obecnie znajduje się pod opieką lekarza. Z pomocą doktora Zaleskiego dokonaliśmy oględzin zwłok, ale na wnioski jest jeszcze za wcześnie.

– Co to ma znaczyć?

– Wciąż nie wiemy, czy możemy łączyć oba te przypadki. Skwierzyński został zagryziony nocą, poza swym domostwem, na ulicy, gdzie mógł się natknąć na sforę bezpańskich psów...

Radny Ochmański uderzył dłonią w stół.

– Sforę, której nikt nie usłyszał? – zagrzmiał drżącym ze wzburzenia głosem. – Sforę, której nikt ani wcześniej, ani później nie widział?

Milczanowski uśmiechnął się złośliwie, Cyryl Kiedewicz ukrył twarz w dłoniach.

– To najprostsze rozwiązanie, a najprostsze rozwiązania są na ogół najbardziej prawdopodobne – odpowiedział spokojnie Witchenbacher. – Nie mamy dowodów na to, że ktokolwiek przyczynił się do śmierci rajcy Skwierzyńskiego.

– Mówiąc: ktokolwiek, ma pan na myśli człowieka, czy tak? – dociekał radny Milczanowski.

Aptekarz Ochmański uniósł się z krzesła, ale Milczanowski powstrzymał go ruchem dłoni.

– Pozwól, przyjacielu – poprosił – aby pan komisarz odpowiedział na moje pytanie.

– Tak – warknął Witchenbacher. Nie panował już nad emocjami. Z kieszeni marynarki wyjął chusteczkę i nerwowym ruchem przetarł czoło i kark. – Nie wyobrażam sobie, aby to człowiek mógł zadać śmierć Skwierzyńskiemu.

– A co z ciałem, które znaleziono dziś rano? – pytał natarczywie Milczanowski, mimo że w sali obrad podniósł się gwar, a burmistrz ostrzegawczo uniósł dłoń. – Czy i w tym przypadku za śmierć winić możemy dzikie zwierzę?

Komisarz czuł, że kołnierzyk koszuli krępuje mu szyję tak, że uniemożliwia starcie potu spływającego za uszami. Miał zamiar poprosić, by ktoś otworzył okno, ale tego nie uczynił.

– W tej sprawie występują czynniki, których natury nie zdołałem jeszcze zgłębić.

Milczanowski, mimo że Ochmański starał się go mitygować, wsparł się o stół i wbił spojrzenie w policjanta.

– Nie jest pan nawet w stanie stwierdzić, czy mamy do czynienia z morderstwem czy nieszczęśliwym wypadkiem. – Na powrót rozparł się wygodnie na krześle i wykrzywił usta w ironicznym uśmiechu. – Czy w ogóle jest coś, czego jest pan pewien?

Sala obrad zawrzała, każdy chciał coś powiedzieć, czy to sąsiadowi z ławy, czy też wiercącemu się na krześle inspektorowi miejskiemu. Pąkowski wstał, usiłując skupić na sobie uwagę zebranych, Kiedewicz zmierzał do wyjścia.

– Spokój, panowie! – Ładyżyński uderzył pięścią w stół, a kiedy to nie pomogło, uczynił to jeszcze raz, aż w końcu gwar umilkł i rajcy zajęli swoje miejsca. – Panowie, wszystkim nam, jak tu siedzimy, leży na sercu dobro miasta i jego mieszkańców. Nie pora się kłócić i przekrzykiwać. Należy działać z rozwagą i namysłem. Jak pan sądzi – zwrócił się bezpośrednio do komisarza – czy zagrożenie minęło?

– W tej sprawie, panie burmistrzu, niczego nie możemy być pewni.

– W takim razie, choć nie wiemy, z kim lub z czym mamy do czynienia, musimy się zatroszczyć o bezpieczeństwo mieszkańców. Jeszcze dziś przygotujemy projekty i podejmiemy uchwały w sprawie porządku w mieście i jego okolicach. Proponuję nakazać uwiązanie bądź zamknięcie wszystkich psów, bez względu na rasę. Służby miejskie będą czuwały nad rygorystycznym przestrzeganiem tego przepisu. Komisarz targowy oraz proboszczowie okolicznych parafii odczytają apel do mieszkańców, by w przypadku zaobserwowania najmniejszych nawet grup wałęsających się psów natychmiast powiadamiali magistrat lub policję. Zwiększymy patrole pilnujące porządku, szczególnie w okolicach Ogrodu Miejskiego oraz dzielnic bezpośrednio sąsiadujących z lasem, na Białej Górze i Posadzie Olchowskiej. W razie potrzeby, jeżeli siły policji miejskiej są zbyt skąpe, o pomoc poprosimy członków Towarzystwa Gimnastycznego „Sokół".

– Jeżeli można, panie burmistrzu – odezwał się komisarz.

– Słucham pana.

– Sugeruję obowiązek ujawnienia, w ciągu dwudziestu czterech godzin, wszystkich osób niemieszkających na stałe w mieście, a także zobowiązanie pracowników kolei do zgłaszania podróżnych budzących jakiekolwiek podejrzenia.

– Zgoda. Poddam ten projekt pod głosowanie.

Burmistrz zaczekał, aż siedzący pod oknem pisarz, gorączkowo skrobiący piórem po arkuszach papieru, zanotuje wszystkie projekty uchwał, po czym jeszcze raz zwrócił się do Witchenbachera.

– Panie komisarzu – powiedział powoli, szarpiąc palcami swą siwą, zmierzwioną brodę. – Mam nadzieję, że podjęte przez nas kroki zapewnią bezpieczeństwo mieszkańcom Sanoka. Panu zaś dajemy trzy dni na ustalenie przyczyny śmierci obu radnych i przedstawienie pisemnego raportu w tej sprawie. Trzy dni i ani minuty dłużej.

Śmierć Izaaka Stezla wzburzyła mieszkańców miasta, stając się tematem rozmów w eleganckich salonach bogatych kupców, przedmiotem gorących dyskusji przy stolikach szynków, gospód i kawiarni, a także powodem kłótni w domach ubogich Żydów i skromnych rzemieślników. Mimo zamętu doktor Zaleski postanowił, że zaplanowany odczyt w Czytelni Mieszczańskiej jednak się odbędzie. Po obiedzie, kiedy służąca posprzątała ze stołu, a domownicy pili kawę, wysłał Józefa do czytelni, aby ten sprawdził, czy przygotowania do odczytu przebiegają zgodnie z ustaleniami. Gdy służący wrócił z informacją, że dozorca budynku przygotował krzesła i przewietrzył salę, a wolontariuszki z Koła Kobiet zajęły się poczęstunkiem, polecił wezwać dorożkę i po chwili siedział w kolasie, na wprost profesora Hildenberga i ściśniętego obok niego Borysa. Aby nie narażać Laury na ryzyko przypadkowej infekcji, o którą nietrudno w większym zbiorowisku osób, postanowiono, że dziewczynka zostanie w domu. Borys obiecał jednak swojej uczennicy, że wieczorem, niezależnie od tego, o której zakończy się odczyt, zrelacjonuje jej jego przebieg.

Wysiedli na placu Najświętszej Marii Panny. Borys szedł za swoim pracodawcą, a doktor Zaleski prowadził Hildenberga obok zakopconego sklepu z tytoniem, zamkniętego już z powodu późnej pory, wzdłuż brudnej elewacji, do odrapanych, ledwie trzymających się zawiasów drzwi. Przy osłoniętych arkadami sklepikach stała gromadka chwiejących się na nogach mężczyzn, żebraków, drobnych złodziejaszków i tragarzy, których dziennikarz „Gazety Sanockiej" nazwał w jednym z artykułów „rycerzami w beczki zaklętymi". Wystawali oni pod arkadami od świtu do nocy, żebrząc, zaczepiając przechodniów, a kiedy nie mieli już zupełnie za co pić, najmowali się do prostych, niewymagających uwagi ani szczególnej solidności prac. Dostojny Austriak zdawał się nie dostrzegać stert śmieci wyłożonych przy sklepikach, zabitych deskami okien, gdzie w drewnianych ramach tkwiły odłamki szkła, ani też śladów moczu na brudnych, ciemnych schodach. Na szczęście wolontariuszki z Koła Kobiet zamiotły główną salę na piętrze, a rzędy równo ustawionych krzeseł zasłaniały porysowaną podłogę. Borys podszedł do pierwszego z brzegu wolnego miejsca. Siedzący obok mężczyzna obrzucił go wzrokiem, wstał i przeszedł do następnego rzędu, to samo uczyniła jego sąsiadka wraz ze swoją towarzyszką. Nauczyciel znieruchomiał, poczerwieniał na twarzy i chciał już wyjść, kiedy dostrzegł pod ścianą pojedyncze krzesło. Usiadł w kącie i obserwował, jak Karol Zaleski wita przybywających gości, a następnie przedstawia ich swojemu przyjacielowi, a profesor kłania się nisko każdemu z osobna, w elegancki sposób przytrzymując laseczkę ramieniem i poprawiając monokl po każdym ukłonie.

Najpierw pojawiło się kilku stałych bywalców czytelni, korzystających z wykładanych tu co dnia egzemplarzy „Kuriera Lwowskiego", potem przybyli przyjaciele doktora z Towarzystwa Gimnastycznego „Sokół". Równo o siedemnastej w drzwiach sali stanął sam burmistrz Ładyżyński, mocno uścisnął dłoń Zaleskiego, zamienił kilka słów z profesorem Hildenbergiem, po czym zajął miejsce w pierwszym rzędzie. Zaraz za burmistrzem weszli radni Smołuszko i Milczanowski w towarzystwie księdza Czaszyńskiego i dyrektorki szkoły Teodozji Drzewińskiej. Z przodu zasiadł prezes Czytelni Mieszczańskiej Feliks Giela i bibliotekarz Karol Siekierczyński. Nieco później pojawiła się grupka poślednich urzędników z magistratu i grupka mieszczan z cechu rzemiosł. Na samym końcu na salę wślizgnął się Ochmański, stanął pod ścianą, rozejrzał się po przybyłych, ale nie dołączył do towarzyszy z rady miejskiej, lecz usiadł z brzegu w ostatnim rzędzie.

Borys podniósł się z krzesła, kiedy mijała go wolontariuszka z filiżankami herbaty i sernikiem na tacy, odebrał poczęstunek i na powrót usiadł. Patrzył, jak doktor Zaleski spogląda na zegarek, pyta dozorcy, czy nikt nie czeka na schodach, po czym prosi o zamknięcie drzwi i rozpoczyna imprezę. Zajadając się sernikiem, słuchał, jak doktor wita przybyłych gości, wymieniając z nazwiska burmistrza, rajców i księdza, a potem przedstawia swojego gościa. Pasternak skończył jeść i przymknął oczy, delektując się smakiem herbaty. Ożywił się na moment, kiedy miejsce na mównicy zajął Austriak. Profesor podziękował za zaproszenie i możliwość wystąpienia przed tak zacnym gronem, poprawił monokl, po czym wygłosił referat na temat znaczenia higieny i umiarkowanego stylu życia w profilaktyce wielu chorób. Na zakończenie, gdy umilkły już brawa, a Borys uporał się z trzecim kawałkiem sernika i drugą filiżanką herbaty, doktor Zaleski poprosił publiczność o zadawanie pytań. Po krępującej chwili ciszy jako pierwszy odezwał się ksiądz Czaszyński, zainteresowany działalnością organizacji kościelnych w Wiedniu. Kolejne pytania zadawali burmistrz, jeden z radnych i ktoś z grupy mieszczan.

– Panie profesorze, czy zwierzęta mają wpływ na higienę naszego życia? – odezwał się ktoś ze środkowych rzędów. Borys wychylił się, ale nie dostrzegł, kto zadał to pytanie.

– Dowiedziono, że towarzystwo zwierząt ma dobry wpływ na ludzkie zdrowie – odpowiedział Austriak. – Zwierzęta budzą pozytywne uczucia, a ich obecność koi nerwy.

– A czy mogą stanowić zagrożenie?

– Zwierzęta domowe, choć żyją wśród ludzi, mają nawyki wyniesione ze świata natury, nie cywilizacji, tak więc do nas należy obowiązek dbania o czystość w ich otoczeniu. Brak dbałości w tym zakresie doprowadzić może do wielu chorób. W Wiedniu wprowadzono wiele przepisów porządkowych, służących eliminacji zagrożenia wywołanego przez bezpańskie, opuszczone bądź zaniedbane zwierzęta.

– Mówi pan o zwierzętach udomowionych. A co z dzikimi?

Hildenberg zmarszczył brwi, usiłując odgadnąć intencje pytającego.

– Cesarscy leśniczy dbają o porządek w lasach, eliminują chore zwierzęta i czuwają nad bezpieczeństwem ludzi.

– W takim razie, jeżeli zwierzę dokona zbrodni, winę za to ponosi człowiek, który go nie dopilnował?

Borys odstawił filiżankę na sąsiednie krzesło i uniósł się w krześle, spoglądając ponad kapeluszami dam. Siedzący w jednym z pierwszych rzędów rajca Milczanowski założył nogę na nogę i wbił wzrok w profesora Hildenberga.

– Ataku zwierzęcia nie możemy nazwać zbrodnią – odpowiedział ze spokojem Austriak. – Już starożytne kodeksy przewidywały karę dla właściciela, który nie upilnował swych zwierząt, kiedy te wyrządziły komuś szkodę, i zasada ta znajduje swoje odzwierciedlenie również we współczesnych ustawach. Nie możemy bezrozumnym zwierzętom przypisywać cech ludzkich, inteligencji, umiejętności odróżnienia dobra od zła. Zwierzę kieruje się instynktem, nie prawem.

– Myli się pan, profesorze. – Milczanowski pochylił się do przodu i Borys nie widział już jego czarnej czupryny. –

Zwierzęta, podobnie jak ludzie, kierują się prawem. Jednak w przeciwieństwie do naszego, ich prawo nie jest wytworem ułomnej wyobraźni i słabego rozumu, ale zostało zapisane w ich duszy ręką natury. To, co pan nazywa instynktem, jest odwiecznym prawem przyrody.

Hildenberg wsparł masywne ramiona o drewniany pulpit i wbił spojrzenie w rozmówcę.

– Prawem bezwzględnym i nieludzkim, pozbawionym wartości, które stanowią o naszym człowieczeństwie.

– To, co dla nas jest zbrodnią – ciągnął Milczanowski – dla zwierząt jest realizacją odwiecznego prawa natury. Łowca zabija, aby przeżyć. Jednak zdarzają się przypadki, kiedy zwierzę łamie to prawo. Poluję od siódmego roku życia i zapewniam pana, że widziałem już w lesie niejedno. Wie pan, co mówią o śmierci Izaaka Stezla? Zagryziony, ale...

Na sali zawrzało. Siedzący obok Milczanowskiego Anzelm Ochmański chwycił swego sąsiada za rękaw, zaś burmistrz Ładyżyński podniósł się i usiłował przekrzyczeć kobiety, które głośno dawały wyraz swemu oburzeniu. Siedzący tuż przed Borysem bywalcy czytelni wstali z krzeseł, zasłaniając to, co działo się przy mównicy. Ktoś wyszedł z sali, głośno trzasnęły drzwi.

Doktor Zaleski stanął przy mównicy, próbował coś powiedzieć, ale nikt go nie słuchał. Spotkanie w Czytelni Mieszczańskiej zakończyło się przed czasem.

Ludwik Witchenbacher sięgnął po ulubioną fajkę, wrzoścową bruyerkę z kościanym ustnikiem. Miał w swojej kolekcji kilka fajek z korzenia gruszy, wiśni i czereśni, a nawet węgierską z sepolitu, ale to wrzoścowa bruyerka dawała najlepszy aromat i nigdy nie parzyła dłoni. Doskonale pasowała do tytoniu aromatyzowanego wanilią, gdyż tego właśnie gatunku użył do pierwszego przepalenia fajki, i nagar, warstwa opalonego na jednolitą ciemną masę drewna, zawsze już będzie wydzielał słodki zapach przyprawy. Ubił tytoń, nie za mocno przy podstawie, spiralnie ku górze, coraz mocniej dociskając ubijak. Potarł zapałkę o blat stołu i wciągnął powietrze przez ustnik. Delikatnie, raz za razem, pykał fajkę, aż poczuł w ustach posmak wanilii. Zawsze najbardziej odpowiadały mu tytonie aromatyzowane, miał w szufladzie biurka tytoń o posmaku śliwowicy i winiaku, ale to właśnie woń wanilii była jego ulubioną.

Rozparł się wygodnie na krześle, wyłożył nogi przed siebie, wspierając stopy o taboret, przymknął oczy. Jego małżonka, Eleonora, siedziała zamknięta w sypialni, płacząc i pomstując na niego, rozmyte deszczem galicyjskie miasteczko i ciemnowłosą kobietę z domu na skraju dzielnicy żydowskiej. Ktoś usłużny doniósł jej zapewne, gdzie był dwa dni temu, a może intuicyjnie wyczuła rywalkę w zapachu jego ciała, zamyśleniu i rozmarzonym spojrzeniu. Tak czy inaczej, teraz płakała za zamkniętymi drzwiami, a on siedział przy stole w kuchni, obserwując spod wpółprzymkniętych powiek, jak Olga, ich służąca, kończy pracę i szykuje się do wyjścia.

Chodziła znowu boso, ale tym razem nie zareagował. Kobieta o okrągłej twarzy i wielkich pulchnych dłoniach przybyła do miasteczka z jednej z wiosek rozsianych wzdłuż Osławy. Pewnego dnia zostawiła za sobą chyżę, którą dzieliła z rodzicami, dziadkami i licznym rodzeństwem, a zimą również z wołami, owcami i kozą, i ruszyła na północ, szukając lepszego życia w miasteczku u stóp porośniętej lasem Aptekarki. Zawsze głośnym krzykiem strofował ją, kiedy zauważył, że chodzi po domu bez butów. Zostało jej to z czasów, kiedy od wiosny do wczesnej zimy chodziła boso, nawet do cerkwi. Dopiero przed jej progiem zakładała czarne sztyblety, by zdjąć je zaraz po wyjściu. Niechęć do noszenia obuwia w zamkniętych pomieszczeniach nie była jej jedynym dziwactwem. Olga nie mogła się przyzwyczaić do balii, w której miała prać bieliznę swoich chlebodawców, tęskniła za kanciastą zwarką, gdzie wrzucała pranie, zasypywała grubą warstwą popiołu, zalewała wrzątkiem, by później rozrzucić bieliznę na rozgrzane kamienie.

Olga odstawiła wyszorowane po kolacji naczynia, chwyciła za miotłę i energicznie zabrała się do zamiatania. Zamaszystym ruchem sięgnęła w kąt przy kredensie, trąciła taboret, na którym trzymał stopy.

– Niech Olga idzie do domu. – Leniwym ruchem wyjął fajkę z ust. Zwykle w takim przypadku wrzasnąłby na nią, a może nawet podniósł rękę, ale teraz chciał posiedzieć w ciszy, sam na sam ze swoimi myślami. – Ściemnia się, a Olga ma kawał drogi przed sobą.

Kobieta szybkimi ruchami wymiotła spod kredensu kurz. Nie spojrzała na swego pracodawcę, skupiając się na sprzątaniu miotłą między nogami stołu.

– Niech Olga się zbiera. Lepiej, aby wróciła do domu przed zapadnięciem zmroku. – Wypuścił z ust obłok pachnącego wanilią dymu i uśmiechnął się złośliwie. – Na mieście mówią, że z lasu wyszedł chory na wściekliznę wilk. Kto wie, może to nawet wilkołak. Zna Olga jakąś dobrą modlitwę przeciw wilkołakom?

– To żaden wilk – mruknęła służąca, nie podnosząc wzroku.

– Nie? – Witchenbacher udał zdziwienie. – A całe miasto twierdzi, że to właśnie wilkołak zagryzł Stezla i Skwierzyńskiego.

– Miastowi niczego nie wiedzą. To nie wilkołak. Człowiek może zmienić się w wilka tylko w wigilię świętego Mikołaja, na Boże Narodzenie, Trzech Króli i Matkę Boską Jagodną. To nie był wilkołak.

– Nie wilkołak? A kto lub co, w takim razie?

– Upiór.

– Upiór?

Olga skinęła głową.

– Musieli kogoś źle pochować i teraz upiór chodzi po świecie, atakując tych, którzy narazili mu się za życia. Jak u nas ktoś zemrze, zaraz go myją, chłopy chłopa, baby babę. Sadza się nieboszczyka na ławie, z nogami w cebrzyku, myje się i wyciera żytnią słomą. Chłopu zakłada się na głowę baranią kuczmę, nigdy kapelusz, ubiera w koszulę, ważne, by nie była dziurawa. Jak zemrze kobieta, kładą ją w białej spódnicy, może być innego koloru, ale ważne, by nie była czerwona. Jak zemrze dziewka, kładzie się jej wieniec z ruty z żałobną wstążką, najlepiej czarną, ale ważne, by nie była czerwona. Na nogi nie wolno zmarłemu zakładać butów, bo może wrócić.

Witchenbacher zaśmiał się głośno.

– I co? – zapytał. – Chowacie swoich nieboszczyków boso?

– Na nogi naciąga się płócienne skarpety, szyte specjalnie na tę okazję. – Olga kończyła zamiatanie, starannie wymiatając kurz z kątów. – Trzeba pamiętać, że nie wolno płacić stolarzowi za trumnę, no chyba że wódką. W wieku nie może być sęków, bo trup może wydłubać dziurę i wypatrzeć kogo na cmentarzu. Wychodząc z domu, trzeba trumną uderzyć trzy razy o próg, żeby zmarły mógł się pożegnać. A jak wyjdą na cmentarz, stara baba musi dokładnie uprzątnąć izbę, a słomę wyrzucić daleko, tam, gdzie nikt nie chodzi. W Jaworniku, gdzie wydała się moja siostra, każdego chowają z głową uciętą i złożoną między kolanami albo z solidnym ćwiekiem wbitym między oczy. Jak kogo źle pochowają, może wrócić i sprawiać kłopoty.

Komisarz wyjął spomiędzy zębów kościany ustnik, puknął palcem w cybuch.

– A na takiego upiora jest rada?

– Jest – stwierdziła stanowczo Olga, odstawiając miotłę. – Trzeba go wykopać i pochować jeszcze raz, tym razem prawidłowo.

Witchenbacher rozdmuchał żar i zaciągnął się aromatem wanilii.

– A ten upiór, znaczy się, źle pochowany nieboszczyk, kiedy już wróci, dlaczego może krzywdzić żywych?

– Z zemsty. Może się mścić na tych, którzy go skrzywdzili za życia, może domagać się zwrotu pożyczonych niegdyś pieniędzy albo krów, które ktoś mu kiedyś zagarnął. Może uprzykrzać życie dziewczynie, która go nie chciała, albo żonie, jeżeli poszła z innym. Różnie to bywa, ale zawsze jego złość wynika z dawnej krzywdy.

Witchenbacher zaśmiał się jeszcze raz, palcami potarł zachodzące łzami oczy. Bawiła go ta wiejska kobieta, święcie wierząca w opowieści ojców i dziadów, stare legendy o upiorach mszczących się po śmierci za krzywdy doznane za życia. Drwiącym uśmiechem zbył gniewne spojrzenie służącej, która otuliła ramiona wełnianą chustą i wyszła. Nie przestając się uśmiechać do swych własnych myśli, wstał i sięgnął do kredensu, po flaszkę wiśniowej nalewki, gdy nagle coś przyszło mu do głowy. Momentalnie stracił ochotę na alkohol. Pobiegł do swojego gabinetu, wyjął arkusz papieru, chwycił ołówek i zaczął notować.

Borys skręcił knot lampy i poprawił klosz, a sylwetka skulonego na stole kota odbiła się cieniem na przeciwległej ścianie.

– Myślisz, że Milczanowski mógł mieć rację? – Laura wyciągnęła dłoń, a kocur miękko przeskoczył na łóżko i podstawił trójkątny łeb pod palce swej pani. Zamruczał, zadowolony z delikatnej pieszczoty. – Myślisz, że zwierzęta, podobnie jak ludzie, są w stanie popełnić zbrodnię?

– Nie. Myślę, że nie miał racji. Zbrodnia jest dziełem człowieka, zwierzęta nie znają grzechu.

– Ale Stezl nie żyje, został zagryziony przez wilka we własnej sypialni.

– Skąd możesz wiedzieć, co go spotkało?

Dziewczynka wzruszyła ramionami. Uniosła się nieco i poprawiła podłożoną pod plecy poduszkę.

– Całe miasto nie mówi o niczym innym. Anna opowiedziała mi wszystko, czego się dowiedziała z rozmów ze służbą w innych domach. Niektórzy mówią, że to sprawka szaleńca, uciekiniera z zakładu dla obłąkanych, który mści się za doznane krzywdy. Janek od Krzeszowskich, którego pan jest myśliwym, uważa, że to chory na wściekliznę wilk włóczy się po mieście, szukając pożywienia wśród śmieci. Większość jednak myśli, że to wilkołak.

– Wilkołak? Wilkołaki nie istnieją.

– Skąd masz tę pewność? – oburzyła się Laura. – Pół wilk, pół człowiek. Za dnia zwyczajny mężczyzna, nocą, szczególnie w czasie pełni, przybiera wilczą postać. Niczym nie różni się wtedy od zwykłego wilka, ale poznać go można po tym, że kuleje.

– Kuleje?

– To dlatego, że biega na trzech nogach – z poważną miną wyjaśniła dziewczynka. – Człowiek może przybrać wilczą postać, jego twarz staje się wilczym pyskiem, ciało obrasta futrem, ale brakuje mu ogona, co jest powodem drwin innych wilków. Dlatego, żeby zamaskować ten brak, podnosi do góry jedną nogę, udając, że to ogon, przez co kuleje, biegając na trzech łapach.

Borys zaśmiał się głośno.

– To wszystko powiedziała ci nasza służąca?

– Jeżeli zamierzasz się śmiać, nic więcej ci już nie powiem. – Laura odwróciła się do ściany, a skulony pod jej dłonią kocur skorzystał z okazji i wślizgnął się pod kołdrę. – Dobranoc.

– Dobranoc.

– Borys?

– Tak?

– Oni... oni nie mają racji. Niepotrzebnie się ciebie boją. Ty wcale nie jesteś żadnym odmieńcem ani diabelskim podrzutkiem. Ja znam cię lepiej niż oni.

Borys wstał i skręcił płomień lampy.

– Śpij spokojnie – powiedział, kładąc dłoń na klamce. – Nie myśl o tym, co opowiedziała ci Anna. Nikt z nas nie wie, co tak naprawdę spotkało Stezla, ale na pewno nie kryje się za tym żaden wilkołak. Wilkołaki nie istnieją.

Kiedy szedł korytarzem, usłyszał dochodzący z dołu niski męski głos. Przystanął i wychylił się za poręcz schodów. Dostrzegł, że zza drzwi gabinetu doktora sączy się ciepłe światło. Odczekał chwilę, zwalczając pokusę, by zejść na dół, stanąć pod drzwiami i posłuchać, o czym doktor rozmawia ze swym przyjacielem, po czym poszedł do swojego pokoju.

Kiedy leżał już w łóżku, przykryty grubą pierzyną, mocno zacisnął powieki, modląc się o szybki sen.

Późnojesienny wieczór zapadł szybciej, niż można się było tego spodziewać, zimny wiatr ściągnął nad miasteczko ciemnoszare chmury, kryjąc zachodzące słońce.

Alina otarła dłonią spocone czoło i jeszcze raz sprawdziła, czy zwierzęta mają wszystko, czego potrzebują. Uprzątnęła podwórko przed domem, oceniła ilość nagromadzonego w szopie opału, wyjęła grube polano i ustawiła je na pieńku. Z trudem uniosła ciężką siekierę. Porąbała polano na mniejsze kawałki, zebrała draski i ułożyła je w piecu. Sięgnęła po zapałki i już po chwili siedziała otulona kocem, wpatrując się w ogniki tańczące na kupce drewna.

Kiedy pierwsze krople deszczu spłynęły po szybach, podniosła się z ławy, domknęła okiennice, uchyliła drzwi i stanęła w progu. Jej dom był ostatnim w szeregu; za podwórkiem, między niskimi jabłonkami widać już było podmokłe zarośla kryjące rzekę.

– Pusia – krzyknęła głośno. – Wracaj, piesku.

Wiatr kołysał nagimi gałęziami skarlałych jabłonek, szumiał w słomianym dachu chaty.

– Pusia!

Suka nigdy nie oddalała się na długo. Włóczyła się po okolicy, załatwiając swoje psie sprawy, zawsze jednak wracała na wieczór, by ułożyć się pod łóżkiem swej pani.

Alina wróciła do izby, usiadła na łóżku i otuliła się kocem, ale nie mogła przestać myśleć o zagubionym gdzieś w zapadających ciemnościach przemokniętym psie. Nałożyła płaszcz, owinęła głowę chustą i wyszła na dwór, narzucając jeszcze na ramiona koc. Na rozmytej deszczem ścieżce było ślisko, stawiała więc ostrożnie obute w drewniane chodaki stopy, lawirując między kałużami. Mrok i gęstniejąca mżawka przesłoniły nadrzeczne zarośla.

– Pusia!

Pociągnęła nosem i wierzchem dłoni starła krople spływające z czoła na oczy. Zmrużyła powieki. Spróbowała jeszcze raz przekrzyczeć jednostajny szum deszczu.

– Pusia!

Przeszła przez pastwiska, zagłębiła się w zarośla, aż w końcu stanęła nad kamienistym brzegiem rzeki. Wezbrane wody Sanu wyglądały jak płynne błoto, ciemnobrązowy nurt pędził w kierunku zakola, opasując szeroką wstęgą zamkowe wzgórze.

Drżąc z zimna, Alina szczelniej otuliła się przemokniętym już kocem. W ciemności i zacinającym deszczu nie widziała dalej niż na kilka kroków, wiatr zagłuszał jej wołanie. W takich warunkach nie mogła mieć nadziei na odnalezienie zabłąkanego psa. Pocieszała się myślą, że suka najpewniej znalazła schronienie w którymś z sąsiednich gospodarstw, przeczeka deszcz w szopie lub na ganku, a o świcie, stęskniona i głodna, pojawi się pod drzwiami domu.

Zawróciła i myśląc już tylko o suchej, ogrzanej izbie i miękkiej pierzynie, ruszyła krętą ścieżką w stronę zabudowań. Raptem przystanęła w pół kroku. Zmrużyła zalewane deszczem oczy, wytężyła wzrok. W zaroślach, pod konarami chylącego się ku ziemi drzewa, stał nieruchomo wysoki mężczyzna. Nie widziała jego twarzy, dostrzegła jedynie zarys sylwetki, okrytej długim płaszczem lub peleryną, i kształt kapelusza. Stała tak przez chwilę, wpatrując się w nieodległą postać, ale nieznajomy nawet nie drgnął, postanowiła więc iść dalej. Szła najszybciej jak mogła, ślizgając się na błocie i kępach mokrej trawy. Między gałęziami widziała już otwartą przestrzeń pastwisk, gdy za plecami usłyszała ciche posapywanie. Przystanęła.

– Pusia – zawołała w ciemność. – Pusia, piesku!

Coś zaszeleściło w wysokiej trawie, zawarczało. Nie był to jednak znajomy głos suki, szukającej drogi do swego domu i ukochanej pani. Alinę przejął strach, ale opanowała się i zawołała jeszcze raz:

– Pusia?

Pochylony czarny kształt wystrzelił niespodziewanie z ciemności. Zdołała jedynie unieść ręce, gdy coś uderzyło ją w pierś, zbijając z nóg i ciskając na ziemię. Krzyknęła przerażona. Koc zsunął się z jej głowy, przysłonił twarz i szyję. Tuż nad sobą słyszała dzikie sapanie, ostre pazury drapały o płaszcz. Wijący się ciężar przygniatał ją do ziemi, utrudniał oddychanie. Przez jej głowę w ułamku sekundy przebiegły wszystkie plotki, jakie w ostatnich dniach słyszała, o wściekłym wilku odtrąconym przez stado, grasującym nocami w miejskich zaułkach. Czuła, jak pysk zwierzęcia szuka dostępu do jej szyi, słyszała zgłodniały, chrapliwy oddech, dyszenie, kłapnięcia zębów. Rozpaczliwie, jak pływak wciągany w rzeczny wir, machała ramionami, usiłując strącić z siebie napastnika. Darła stopami trawę, walczyła o choćby łyk świeżego powietrza, ale otwarte usta wciąż ocierały się o gruby, nasiąknięty wodą koc. W pewnej chwili jej dłoń dosięgła twardego, porośniętego szorstką szczeciną grzbietu, poczuła pod palcami giętkie, sprężyste ciało. Najmocniej jak potrafiła, wkładając w ten ruch całe swoje przerażenie i wolę życia, wbiła paznokcie w wilczy bok. Drugą rękę wsunęła pod koc, usiłując zsunąć go z twarzy, by wreszcie napełnić płuca powietrzem. Zwierzę dostrzegło ruch dłoni pod materiałem i uderzyło pyskiem. Silne szczęki zacisnęły się na przedramieniu kobiety. Alina zawyła z bólu, a wiedziony instynktem drapieżnik szarpnął łbem, usiłując mocniej zatopić kły w ciele ofiary, a potem wraz z poskręcanym kocem zsunął się na trawę. Alina gwałtownie zaczerpnęła oddechu, kopnęła stopą przed siebie, odtrącając zwierzę jeszcze dalej. Obróciła się na brzuch, drapiąc palcami trawę rzuciła się do przodu, ślizgając się i potykając na nierównościach. Ledwie zdołała podnieść się z kolan, poczuła silne szarpnięcie i coś pociągnęło ją w tył. Drapieżnik, wczepiając zęby w poły jej płaszcza, jeszcze raz usiłował powalić ją na ziemię. Bose stopy kobiety zagłębiły się w podmokły grunt. Pochyliła się, rozłożyła szeroko ramiona i jednym ruchem zrzuciła z siebie okrycie. Jak strzała wystrzeliła do przodu, byle dalej od dyszącej żądzą mordu bestii. Głuche warczenie oddaliło się. Twarz Aliny chłostały gałęzie, stopy rozbryzgiwały wodę, usta łapczywie chwytały powietrze.

Wypadła z zarośli na łąkę, widziała już blade ogniki lamp w oknach sąsiadów. Upadła i uderzyła kolanami o ziemię. Chciała wstać, ale rozognione płuca nie pozwoliły na zaczerpnięcie oddechu, a drżące z wysiłku i strachu mięśnie odmówiły posłuszeństwa. W zmiażdżonym przedramieniu pulsował ból. Nie wiedziała już, czy krople spływające po jej twarzy to deszcz, czy może łzy bólu, zmęczenia i bezsilności. Przewróciła się na plecy, spojrzała w szeleszczące zarośla.

Tutaj, na otwartej przestrzeni, nie mogła uciec polującemu wilkowi. Od zabudowań dzieliło ją ponad sto metrów, nie była w stanie przebiec tego dystansu szybciej od czworonożnego drapieżnika. Wiatr i deszcz tłumiły jej krzyki, a nawet gdyby wołanie o pomoc dotarło do mieszkańców najbliższych zabudowań, nie mogliby jej pomóc. Jedyne, co przyszło jej do głowy, to słowa starej modlitwy:

Święty Mikołaju,
Weź klucze, idź do raju,
Zamknij pysk psu wściekłemu
I wilkowi borowemu...

Szelest nasilił się, coś przedzierało się przez krzaki. Alina zmrużyła oczy, usiłując przebić wzrokiem mrok spowijający nadrzeczne zarośla. Z bijącym jak oszalałe sercem patrzyła na nienaturalny ruch gałęzi, słyszała już ciężkie posapywanie i warczenie podnieconego polowaniem drapieżnika.

Nagle wszystko ucichło.

Siedziała długą chwilę, drżąc z zimna i strachu, wpatrzona w zarośla, zanim zrozumiała, że to, co spotkała na swojej drodze, odeszło. Opadła na trawę, a jej łzy mieszały się z deszczem.

5

Ciche pukanie do drzwi wyrwało go z zamyślenia.

Borys spojrzał na Laurę. Dziewczynka podniosła wzrok znad zeszytu, w którym zapisywała treść lekcji. Dał znak, aby pisała dalej, po czym wstał i uchylił drzwi.

– Przepraszam. – Stojąca w korytarzu pokojówka dygnęła nieśmiało i zaciekawionym wzrokiem zajrzała ponad ramieniem nauczyciela do pokoju dziewczynki. – Ktoś do pana. Czeka na dole, przed służbówką.

– Kto taki?

Służąca uśmiechnęła się i spojrzała w bok.

– Proszę, niech pan zejdzie.

Borys polecił podopiecznej, by kontynuowała pracę bez niego, sam zaś zszedł schodami na parter, okrążył budynek i stanął przed tylnym wejściem.

Przed drzwiami, odwrócona do niego tyłem, stała kobieta otulona szeroką chustą. Zatrzymał się w pół kroku, czując, że twarz oblewa mu rumieniec. Kobieta odwróciła się. Twarz, którą ujrzał, nie była tą, którą spodziewał się zobaczyć, ale zaskoczenie nie było przez to ani trochę mniejsze.

– Witaj – powiedziała, patrząc mu w oczy.

Stali naprzeciw siebie zakłopotani, jak zwykle ludzie, którzy spędzili ze sobą dzieciństwo, a w dorosłym życiu ich drogi rozeszły się zupełnie. Stali naprzeciw siebie, szukając słów stosownych do wieku i sytuacji, a każde z nich miało przed oczyma obrazy sprzed lat, wąskie uliczki, podwórka drewnianych domków, zaułki niskich kamieniczek i zamkową skarpę, gdzie bawili się wśród zarośli.

– Wiem, nie powinnam tu przychodzić. – Bimełe jako pierwsza przerwała milczenie. – Narażam cię na nieprzyjemności, ale wiedz, że nie zrobiłabym tego bez ważnych powodów.

– Co się stało?

– Nie chodzi o mnie.

Nie musiała mówić niczego więcej.

– Daj mi pięć minut.

Bimełe skinęła głową.

– Zaczekam za rogiem.

Wbiegł na piętro i przeprosił swoją uczennicę. Naprędce wymyślił temat wypracowania i zapowiedział, że sprawdzi jego treść jeszcze przed obiadem. Laura patrzyła na niego szeroko otwartymi oczami. Wiedział, że korci ją, aby zapytać o powód nagłej zmiany planów i przyczynę widocznego podenerwowania spokojnego zazwyczaj nauczyciela. Miał świadomość, że jego rozmowę z Bimełe podglądały ukradkiem zza firanek służąca z kucharką, a informacja ta z łatwością dojdzie do jego podopiecznej. Nie tłumaczył się choćby słowem, pożegnał się i zbiegł za dół.

– Co się stało? – zapytał, kiedy idąc ramię w ramię z czarnowłosą Żydówką, schodził ścieżką w stronę nadrzecznych błoni. Zanim dotarli między drewniane domki i zwarzone chłodem sady, minęło ich kilka osób wspinających się z mozołem w stronę rynku. Wiedział, że przez kilka najbliższych dni ten poranny spacer będzie głównym tematem plotek w miasteczku. Nierządnica, która wyparła się wiary przodków i opuściła rodzinę, upadła córka pobożnego znawcy Pisma i domownik szanowanego lekarza urządzają sobie przechadzki!

– Chodzi o Alinę. – Bimełe uniosła rąbek sukni, ostrożnie przekraczając kałużę. – Miała odwiedzić mnie rankiem. Nie przychodziła, więc wybrałam się do niej. Zastałam ją w łóżku, roztrzęsioną i zapłakaną.

Borys przystanął, przez nieuwagę wdeptując w sam środek bagnistej mazi.

– Nie mogłam jej uspokoić – ciągnęła Żydówka. – Mówiła coś o mężczyźnie, który zmienił się w wilka, spotkała go ubiegłej nocy nad rzeką. Jej ręka... Borys, na jej ręce odciśnięte są ślady wilczych zębów!

– Musimy sprowadzić lekarza!

Widząc, że Borys chce zawrócić w stronę miasta, Bimełe chwyciła go za ramię i pociągnęła ścieżką w dół.

– W pierwszej chwili chciałam wysłać dorożkę po doktora, ale gdy zastanowiłam się nad tą sprawą, uznałam, że nie jest to najlepszy pomysł.

– Jeżeli coś jej się stanie...

– Zaraz będziesz mógł obejrzeć ranę. Jeżeli uznasz, że konieczna jest pomoc lekarza, natychmiast zawieziemy ją do szpitala. Sanok to zapadła mieścina, a ona jest samotną kobietą żyjącą bez męża. Od kilku dni ludzie nie mówią o niczym innym jak tylko o bestii, która poluje na ulicach naszego miasteczka, a Alina trzęsie się i bredzi coś o mężczyźnie zmieniającym się w wilka. Nie sądzisz, że póki nie dowiemy się czegoś więcej, lepiej tę przygodę Aliny zachować dla siebie?

Niechętnie przyznał jej rację. Wijącą się między drzewami ścieżką doszli na skraj zabudowań i stanęli przed drewnianym domem krytym strzechą. Bimełe bez pukania weszła do środka, Borys, z pewnym wahaniem, w ślad za nią przekroczył wysoki próg, wstępując do zacienionej przestronnej izby. Kosmaty mieszaniec skulony pod piecem podniósł się i zawarczał, ale Żydówka, którą pies najwyraźniej znał, uspokoiła go kilkoma cichymi słowami.

Pod oknem, na szerokim łóżku zasłanym kocami, leżała skulona postać, drżąc od tłumionego płaczu. Kasztanowe włosy rozsypane były w nieładzie na śnieżnobiałych poduszkach. Bimełe zbliżyła się powoli, usiadła na brzegu łóżka i objęła ramieniem leżącą kobietę.

– Już dobrze – powiedziała cicho – wszystko jest już dobrze.

Kobieta uniosła się, wsparła na ramieniu i wtuliła twarz w pierś przyjaciółki. W tej samej chwili dostrzegła, że w izbie jest jeszcze ktoś. Krzyknęła.

– Spokojnie, to tylko Borys. – Żydówka pogłaskała dłonią jej włosy i twarz.

Pasternak zbliżył się o dwa kroki.

– Witaj. – Miał nadzieję, że jego głos nie zdradza zdenerwowania.

Bimełe dała znak wzrokiem, aby podszedł do łóżka, delikatnie przesunęła leżącą kobietę i ujęła jej rękę, do tej pory kurczowo przyciśniętą do ciała. Ostrożnie rozwinęła białą chustę, zsunęła bandaże.

Borys nachylił się nad raną. Skóra naznaczona była sinymi pręgami, gdzieniegdzie przybierającymi barwę pociemniałej miedzi. Pośrodku, na smukłym przedramieniu, czerwonymi śladami odciśnięty był równy szereg zębów.

– W walce musiała owinąć ramię czymś grubym, kocem lub płaszczem – półgłosem wyjaśniła Bimełe. – Skóra nie jest przecięta.

Nauczyciel, najdelikatniej jak umiał, nie zważając na płacz i tłumione syknięcia, zbadał przedramię Aliny, ostrożnie przesuwając palcami wzdłuż kości. Ujął delikatnie szczupły nadgarstek, przechylił go w jedną i w drugą stronę, sprawdził, czy dłoń jest w stanie zacisnąć się w pięść. Przyjrzał się śladom zębów, sunąc opuszkami palców po nabiegłych krwią wgłębieniach.

– Według mnie, kość jest nieuszkodzona – orzekł. – Rzeczywiście, zęby nie przecięły skóry, nie ma mowy o zakażeniu. Powinno wystarczyć unieruchomienie przedramienia i okłady.

Bimełe delikatnie ułożyła przyjaciółkę, przykryła ją kocem. Dołożyła drewna do paleniska, na płycie ustawiła blaszany czajnik z wodą. Sięgnęła po ustawione na półce kubki, posadziła Borysa przy stole.

– Jak myślisz, co to mogło być?

– Nie wiem, nikt tego nie wie. Miasto mówi o wściekłym wilku, który wyszedł z lasu i kąsa ludzi.

– To nie jest zwykły wilk. Alina mówi o mężczyźnie, który na jej oczach zmienił się w wilka, a potem powalił ją na ziemię i chciał zagryźć.

– Wiem tyle, co i ty.

Żydówka wbiła w niego spojrzenie oczu czarnych jak noc.

– Kto może coś o tym wiedzieć, jeżeli nie ty?

Westchnął ciężko i przymknął zmęczone powieki.

Lato pachniało gorącą trawą, rumiankiem i polnymi kwiatami, szumiało wiatrem w koronach drzew i leśnym strumykiem, wijącym się wśród kamieni. Lato mieniło się tysiącem barw, zachęcało do zabaw, całodziennych wędrówek i nocnych psot, na przekór wystraszonym dorosłym, milczącym ojcom i zapłakanym rozmodlonym matkom, wbrew naprędce organizowanym pogrzebom i niemieszczącej się w wyobraźni dziesięciolatka groźbie. Epidemia cholery.

Wraz z kilkoma dziesiątkami innych dzieci z miasta zostali wysłani na wieś, byle dalej od przesiąkniętych smrodem uryny uliczek, stert śmieci na podwórkach kamienic, wałęsających się bezpańskich psów i pogrzebów na skraju miasta, gdzie we wspólnych grobach chowano obcych sobie ludzi. Jasnowłosy Borys, Bimełe, córka znanego w okolicy badacza Tory, milcząca Alina i Antoni, syn wdowy po grekokatolickim księdzu. Sypiali w wielkiej szopie, po zmroku wymykali się do lasu, tropili skrzaty i rusałki z babcinych opowieści, szukali kwiatu paproci i słuchali tego, co niósł wiejący od gór wiatr. Żyli we własnym świecie niewinnych zabaw i dziecięcej wyobraźni, daleko od grozy przepełnionego miejskiego szpitala, krwawej biegunki i śmierci.

Pewnego poranka, zanim jeszcze wieś budzona pianiem kogutów i ujadaniem psów podniosła się do życia, a ciemność ustąpiła przed blaskiem unoszącym się ponad wzgórzami na wschodzie, otworzył oczy, gwałtownie wyrywając się ze snu. Znał ten stan. Przyśpieszone bicie serca, suchość w ustach, przenikliwa jasność umysłu, ani śladu sennego odrętwienia. Przymknął powieki i bardzo chciał zasnąć. Bezgłośnie szeptał słowa modlitwy, ale sen nie nadchodził. Pogodzony z losem otworzył oczy i cichutko wyczołgał się z szopy, ostrożnie omijając inne posłania.

Zadrżał z zimna. Kropelki rosy osadzały się na jego bosych stopach, kiedy szedł między zabudowaniami. Spojrzał w swoje odbicie w szybie okna niskiej chaty, ominął warzywnik i poszedł w kierunku kościoła. Wtedy ją zauważył.

Szła ścieżką od strony lasu, powoli, z szeroko rozłożonymi chudymi ramionami. W pierwszej chwili sądził, że to przewidzenie, że pomylił ruch kołysanych wiatrem zarośli ze spokojnym krokiem siwowłosej kobiety. Wyłoniła się z mgły i wydawało się, że z mgły utkana jest jej sięgająca stóp szata. Szła, a właściwie płynęła w dół wzgórza, w stronę wioski.

Borys wstrzymał oddech. Kobieta weszła między zabudowania, z uniesionymi niczym w geście błogosławieństwa dłońmi mijała kolejne chałupy. W pewnej chwili wydało mu się, że spojrzała prosto na niego, obracając w jego stronę pomarszczone oblicze z parą białych, bezdennych oczu.

Krzyknął cicho i biegiem wrócił do szopy, wrzeszczał, w locie zdzierając pledy ze śpiących dzieci. Po chwili wszystkie były na nogach, a hałas obudził gospodarza. Wąsaty chłop, przecierając kułakami zaspane oczy, szybko ustalił sprawcę zamieszania i w ruch poszedł skórzany pasek.

Borys połykał łzy. Nie płakał z bólu. Płakał z bezsilności.

Tylko czworo dzieci nie śmiało się z niego, kiedy mówił o tym, co widział, lecz z uwagą wysłuchało jego opowieści. Jeszcze przed śniadaniem wraz z Bimełe, Aliną i Antkiem uciekli do lasu, zostawiając za sobą wioskę, do której właśnie zawitała cholera.

Bimełe wciąż wpatrywała się w niego nieuznającym sprzeciwu wzrokiem.

– Pamiętam, co wtedy zrobiłeś – powiedziała. – Jeżeli ktoś może pomóc Alinie, to właśnie ty.

Borys odsunął od siebie kubek z herbatą, wstał i przeszedł się po izbie. Spojrzał na śpiącą Alinę. Odwrócił się i wsparł dłonie o blat stołu.

– Jeżeli coś jej grozi – powiedział, nie spuszczając wzroku pod spojrzeniem Żydówki – zrobię wszystko, by była bezpieczna. Nie wiem, co spotkało ją ubiegłej nocy, ale zrobię co w mojej mocy, aby ją przed tym uchronić.

Komisarz Witchenbacher przygryzł cybuch wiśniowej fajki i jeszcze raz przebiegł wzrokiem po arkuszu zapisanym nierównym ołówkowym pismem. Żona Stezla w dalszym ciągu nie była w stanie logicznie odpowiadać na zadawane jej pytania. Wciąż zanosiła się szlochem, kryła twarz w dłoniach i mamrotała coś pod nosem. Lekarz zaaplikował jej podwójną dawkę środków uspokajających i zalecił minimum dwanaście godzin nieprzerwanego snu, jednak kobieta nie była w stanie zmrużyć oczu, bała się zostać sama i za nic w świecie nie chciała wrócić do mieszkania na piętrze kamienicy. Witchenbacher w końcu zezwolił, by dorożka zawiozła ją do domu krewnych mieszkających pod miastem. Przesłuchanie służby, subiektów ze sklepu należącego do Stezla oraz najbliższych sąsiadów również nie dało żadnych rezultatów. Nikt nic nie wiedział, nikt nic nie słyszał, nikogo nie podejrzewał. Żadnych śladów, poszlak czy mglistych choćby hipotez.

Krótkie gwałtowne pukanie wyrwało go z lektury protokołów przesłuchań. Wypuścił z ust kłąb pachnącego wanilią dymu i spojrzał na posterunkowego Schenkego, który właśnie zameldował się w drzwiach.

– Doprowadziliśmy Franciszka Czerniaka. – Schenke po wojskowemu stuknął obcasami.

– Wprowadzić – polecił krótko komisarz.

Po chwili na krześle po drugiej stronie biurka usiadł łysiejący mężczyzna o rozbieganym wzroku i ruchliwych dłoniach. Witchenbacher zmierzył go zimnym wzrokiem, po czym powoli, nie zwracając uwagi na nerwowe gesty i niespokojne ruchy, zajął się nabijaniem fajki nową porcją tytoniu. Sięgnął po zapałkę i potarł nią o porowaty blat.

Zaciągnął się dymem i zaczął standardowe przesłuchanie. Pytał szybko, niecierpliwie, o sprawy pozornie bez znaczenia. Pytał o rzeczy dobrze mu znane, szczegółowo wynotowane w uzupełnianym każdego dnia rejestrze, stanowiącym sformalizowany rachunek sumienia większości mieszkańców miasteczka. Czerniak był skromnym kupcem; sprowadzał towary z Nowego Sącza i Rzeszowa, zalegał od czasu do czasu z wypłatą wynagrodzenia dla swoich dwóch pracowników i wdawał się w kłótnie z zarządcą składu towarów kolonialnych należącego do tragicznie zmarłego Izaaka Stezla. Kłótnia o cenę herbaty w blaszanych puszkach czy przepychanki zwaśnionych sklepikarzy walczących o klientów nie mogły być powodem okrutnego zabójstwa, ale na razie komisarz nie miał żadnego innego punktu zaczepienia.

– Ma pan rację – niechętnie przyznał Czerniak, biegając wzrokiem po ścianach gabinetu. – Pamiętam go jeszcze z czasów, kiedy był młodszym pomocnikiem w sklepie mojego ojca. Nie nadawał się do niczego więcej jak tylko przenoszenie paczek z wozów na magazyn. Nic innego mu nie wychodziło. Zapominał języka w gębie, kiedy zapytano go o cokolwiek.

– Proszę nie zapominać, że mówi pan o miejskim rajcy – upomniał przesłuchiwanego komisarz. – Tragicznie zmarłym rajcy.

Czerniak skrzywił się, jakby chciał splunąć.

– Jaki tam z niego rajca. Mendel Wenig też zasiadał w radzie, a dwa lata temu okradł listonosza na sześćset reńskich! Żydzi i Rusini zawsze potrafią się dogadać przed wyborami i zawrzeć sojusz przeciw nam, chrześcijanom. To dlatego to miasto zawsze będzie utaplaną w błocie, zapadłą dziurą. Ten stary Żyd obiecał Rusinom wydzierżawić na potrzeby ich stowarzyszenia miejski lokal, a żydowską biedotę przekupił darmowym czerstwym chlebem. Podstęp i pieniądze sprawiły, że my, chrześcijanie, musimy znosić rządy takich kreatur. Kiedyś to było nie do pomyślenia, a teraz? Do kogo należą cegielnie i tartaki, gorzelnie i rafinerie? Kto otwiera nowe kancelarie adwokackie? W Brodach, Stryju i Tarnobrzegu burmistrzowie, zamiast w kościele, modlą się w bożnicy! A kto na tym cierpi? My wszyscy! Pamięta pan sprawę Izraela Londera z Liska? Wielki pan, przemysłowiec, handlarz drewnem, właściciel dwóch największych kamienic w mieście. Wszystko pięknie, aż pewnego ranka, razem z Abrahamem Eliaszem, swoim rodzonym bratem, uciekli do Anglii, zostawiając długi na sto dwadzieścia tysięcy złotych reńskich!

– Niech pan nie odbiega od tematu, panie Czerniak. Znał pan osobiście zmarłego?

Kupiec skinął głową.

– Byłem jeszcze małym chłopcem, kiedy pracował w sklepie mojego ojca, za kilka groszy tygodniowo i dwa posiłki dziennie. Jadł resztki z naszego stołu. Pewnego dnia zniknął. Ktoś mówił, że wyjechał do Ameryki, ale to nieprawda, bo wrócił po miesiącu. Nie prosił ojca o powtórne przyjęcie do sklepu, zaczął pracować na własny rachunek. Otworzył sklep, powiększył go, kupił kamienicę. Fałszował mąkę, kupował tanie towary złej jakości i sprzedawał je z dużą marżą. Oszukiwał chrześcijan, mataczył swoich współwyznawców. Mówili, że w domu jadał wieprzowinę, a do bożnicy chodził tylko w wielkie święta i przed wyborami.

– Panie Czerniak! – zagrzmiał Witchenbacher, podenerwowany nic niewnoszącymi do sprawy wywodami kupca. – Nie jest tajemnicą, że wielokrotnie sprzeczał się pan ze Stezlem. Co więcej, groził mu pan i złorzeczył!

– Prawda – przyznał podniesionym głosem Czerniak. – Bo Stezl to był złodziej, nie kupiec!

– Nazywa go pan złodziejem tylko dlatego, że sprzedawał swoje towary po niższych cenach? To się nazywa konkurencja!

– Gówno, nie konkurencja. – Czerwony ze zdenerwowania Czerniak nie panował nad słowami. – Jak można konkurować z kupcem, który kupił sobie głosy wyborców i poszedł w samorządy! Kto ustalał stawki podatków? Kto decyduje o opłatach targowych i czynszach za miejskie mienie?

– Z tego, co wiem, Stezl po objęciu mandatu radnego oddał swój skład towarowy w obce ręce i nie prowadził już interesów.

– Oddał, ale w arendaż! Nie w obce ręce, tylko siostrzeńcowi swojej przygłuchej małżonki! I nie wycofał się z interesu, bo umowa gwarantowała Stezlowi udział w wygospodarowanym zysku!

Komisarz pyknął kilka razy fajeczkę i pośpiesznie zanotował ostatnie słowa Czerniaka. Postanowił, że w najbliższym czasie dokładnie zbada sytuację prawną majątku, jaki pozostawił po sobie zamożny żydowski rajca oraz ustali kolejność sukcesji.

– A co z żoną Stezla? – zapytał po chwili. – Ją też pamięta pan z dawnych lat?

– Pewnie, że pamiętam. – Czerniak wzruszył ramionami i zaśmiał się złośliwie. – Jeszcze w czasach, kiedy był ostatnim pomocnikiem w magazynie mojego ojca, smalił do niej cholewki. Nie chciała nawet spojrzeć w stronę młodszego o kilka lat, jąkającego się chudzielca bez grosza przy duszy. A nawet gdyby spojrzała, ojciec panny, wówczas zamożny aptekarz, szybko wybiłby jej z głowy amory. Wszystko zmieniło się, kiedy Żydek otworzył własny sklepik, a gdy w ręce Stezla przeszła jeszcze kamienica, sam aptekarz namawiał swoją córkę do przyjęcia oświadczyn. Panna płakała i krzywiła się, bo jak powiadali, jej serce należało do jakiegoś oficera z sanockiego pułku, ale w końcu rozsądne argumenty ojca i gorące obietnice kawalera ją przekonały.

Ołówek, niczym szpada w dłoni szermierza, błyskał po papierze.

– Skąd Stezl zdobył pieniądze na otwarcie sklepu?

– Kto go tam wie? – Kupiec skrzywił się. – Ludzie różnie gadali. Jedni, że dostał spadek po wuju, który prowadził hotel gdzieś w Ameryce, inni, że wygrał w karty. Jeszcze inni, że sprzedał duszę diabłu, w księżycową noc, na placu przed synagogą.

Komisarz dokończył notatki, wygładził dłonią zapisany arkusz, wytrzepał resztki tytoniu z fajki.

Kiedy Schenke wyprowadził już spoconego Czerniaka, Witchenbacher wstał zza biurka, rozprostował kości, przeszedł się po gabinecie, od naznaczonej wilgotną plamą ściany do blaszanego piecyka, który ogrzewał gabinet zimą i późną jesienią. Wsparł się o odrapaną framugę okna, nabił fajkę nową porcją tytoniu, wyjrzał na psy uganiające się za świnią, która rozbryzgiwała kałuże na miejskim rynku. Z zamyślenia wyrwało go ciche pukanie.

– Wejść! – rozkazał.

Posterunkowy stuknął obcasami, wyciągnął przed siebie zwitek papieru. Witchenbacher sięgnął po przesyłkę, przebiegł wzrokiem po nierównych linijkach tekstu. Otworzył szeroko oczy, a pogryziony ustnik fajki wysunął się z jego ust.

– Skąd to masz! – ryknął.

– Przesyłkę przyniósł przed kilkoma minutami jakiś chłopiec – odpowiedział zdziwiony Schenke. – Wiadomość dla pana komisarza.

– Gdzie jest ten chłopiec?

– Zaczepił mnie przed wejściem do urzędu...

Witchenbacher rzucił się do drzwi, przebiegł korytarzem, ściągając na siebie zdziwione spojrzenia pracujących w kłębach tytoniowego dymu kancelistów, asystentów i kopistów, rozwarł ramionami ciężkie wejściowe drzwi i wypadł na zewnątrz.

Rynek był pusty. Tylko wystraszona, ubrudzona błotem świnia wciąż wymykała się ujadającym kundlom.

Bimełe otuliła ramiona wełnianą chustą i z uniesioną wysoko głową schodziła w dół miejskiego wzgórza, między piętrowe domki kryte gontem, drewniane chatynki, których chylące się ściany uszczelniano gliną i mchem, chwiejące się pod naporem jesiennego wiatru szałasy i zapuszczone rudery. Szła powoli i dostojnie, a za jej plecami trzaskały okiennice i zamykane drzwi. Skrzywiła się na widok zdechłego kota leżącego w stercie przegniłej słomy. Już jako mała dziewczynka wiedziała, że zrobi wszystko, aby opuścić to miejsce. Nie chciała uciekać daleko. Zanurzona w błotnistym parowie dzielnica była jak wrzód na ciele miasteczka, ale spomiędzy biednych chatynek widać było wieżę kościoła Franciszkanów i dach ratusza. Dwa światy, oddalone od siebie o nie więcej niż kilkaset metrów. Uliczki wijące się w parowie zamieszkiwała biedota, bogaci Żydzi budowali murowane kamienice w pobliżu rynku, przy ulicy Nowej Rady lub nieopodal cesarskiej drogi, biedni gnieździli się w ciemnych dusznych izdebkach, wielokrotnie przebudowanych, poszerzanych bądź dzielonych, tak że ich nieregularne kształty przypominały odległe czasy średniowiecza.

Żydówka stanęła pod drzwiami rodzinnego domu, wsparła dłoń o chropowate deski drzwi. Dochodziła trzecia, a o tej porze, niezależnie od pogody, jej ojciec przebywał w synagodze, gdzie prowadził uczone dysputy z podobnymi sobie badaczami Pisma i znawcami ustnej tradycji. Bez pukania naparła na drzwi.

Matkę zastała przy stole, zajętą obieraniem cebuli. Bez słowa usiadła przy niej, na drewnianej ławie, w niskiej, ciemnej kuchni. Najpierw jednak sięgnęła pod kaftan, wymacała palcami skórzany portfel, wyjęła zwitek banknotów i wsunęła go do blaszanej puszki po herbacie, stojącej na półce przy piecu. Matka nie popatrzyła w jej stronę.

Bimełe sięgnęła po cebulę. Zdjęła szeleszczącą łupinę, delikatnie nacięła złotą skórkę, odsłoniła białe wnętrze.

– Jak się czuje ojciec? – zapytała po długiej chwili, kiedy już wszystka cebula została obrana i drobno pokrojona, a matka przyniosła ze spiżarni wiklinowy kosz z ziemniakami. Obierały je powoli, jeden po drugim, po czym wrzucały do miednicy z wodą.

– Bez zmian. – Matka przygięła ubrudzone palce i nadgarstkiem poprawiła chustkę opinającą wygoloną głowę. – Nie pamiętam już, kiedy przespał spokojnie całą noc. Nie może zasnąć, a kiedy uśnie, oddycha ciężko i niespokojnie. Nad ranem zanosi się kaszlem, wstaje, by wypluć żółć i spłukać gardło wodą.

– Pojedziesz z nim do lekarza, do prawdziwego szpitala, choćby do samego Lwowa. Powiesz mu, że sprzedałaś spinkę i naszyjnik po babci.

Matka z gorzkim uśmiechem pokiwała głową.

– Badało go już wielu lekarzy. Zapisują mu coraz to inne lekarstwa, ale tego, co tkwi w jego płucach, nie da się przegonić. To coś karmi się chłodem i wilgocią tej izby, smrodem z kałuż i zaułków, ziemniakami z cebulą, które jadamy codziennie. Wyjazd do lekarza, choćby do samego Lwowa, nic tu nie pomoże.

Bimełe nacięła kolejnego ziemniaka, cienka obierka ciągnęła się za nożem.

– Wciąż ślęczy nad pismami – mówiła dalej matka. – Wciąż martwi się sprawami całego świata, nie bacząc na to, co rozwija się w jego piersiach. Szczególnie teraz, kiedy wiele złych słów zwraca się przeciwko nam.

Bimełe uniosła wzrok.

– Żona Hirsza, kupca korzennego, opowiadała mi wczoraj, że odwrócili się od nich stali klienci. Kupują u konkurencji, nie bacząc na wyższe ceny. Syn kulawego Sterna, Jakub, został pobity ubiegłej nocy, kiedy wracał z fabryki. Ludzie na mieście mówią, że ostatnie wypadki to sprawa Żydów.

– Przecież Stezl sam był Żydem!

– Mówią, że wilk, który oszalał i wyszedł z lasu, to kara za nasze grzechy i bluźnierstwa. Mówią, że w jednej z ruskich wiosek zaginęło dziecko, że zostało porwane przez kogoś z kahału.

Bimełe prychnęła gniewnie i odłożyła nóż. Pomogła matce rozpalić w piecu, ustawiły na blasze garniec z wodą.

– Myślisz, że to prawda? – zapytała po chwili, kiedy obie siedziały na ławie pod ścianą, słuchając dochodzących zza okna nawoływań wędrownego handlarza. – Myślisz, że to wilk, który wyszedł z lasu?

Matka, niczym Malke, żona Szaloma Rokeacha, która przez tysiąc dni i tysiąc nocy trzymała przy mężu płonącą świecę, by ten mógł w spokoju studiować Pismo, całymi latami czuwała nad ojcem, troszcząc się o sprawy dnia codziennego. Pielęgnowała go w chorobie, podawała wodę, gdy czuł pragnienie, zapalała świece, kiedy gęstniejący mrok uniemożliwiał czytanie. Ojciec każdego ranka wychwalał Boga słowami modlitwy, dziękując za to, że nie został stworzony jako kobieta. Prędzej rzucisz słowa Tory w ogień, mówili uczeni talmudyści, niż przekażesz je kobiecie. Matka, podobnie jak Bimełe, nie chodziła do chederu, nie czytała Pisma, nie zajmowała się uczonymi dysputami w bocznych korytarzach synagogi. Całymi latami troszczyła się o dom, przysłuchując się uczonym rozmowom męża z innymi mężczyznami z kahału i jego monologom, kiedy siadał wieczorami przy piecu i sam ze sobą spierał się o naturę świata. Dzięki temu nabyła wiedzę równą biegłym w Piśmie mężczyznom, a jako kobieta była spadkobierczynią ustnej tradycji wypływającej z księgi Zohar, przekazywanej z pokolenia na pokolenie, od czasów, kiedy Żydzi opuścili Hiszpanię.

– Każde zwierzę rodzi się po to, by służyć człowiekowi – odpowiedziała matka. – Wół pracuje w polu, pies pilnuje stada, sarna daje mięso i skórę. Ogon wilka jest lekarstwem na choroby dzieci, kieł zawieszony u szyi konia sprawi, że zwierzę nie będzie się płoszyć. Jeżeli mąż natrze w czasie snu szyję małżonki wilczym sadłem, ta zdradzi mu każdy swój sekret. Zwierzęta nie czynią zła, zło czynią ludzie. Żywi lub martwi.

– Dybuk?

Matka skinęła głową.

– Czasem dusza zmarłego wchodzi w ciało osoby żyjącej, szczególnie grzesznika lub kogoś, kto nie panuje nad swymi namiętnościami. Szczególnie w noc poprzedzającą święto Jom Kipur. Taka osoba czyni zło, nie będąc świadoma swego postępowania.

– Czy zła dusza może wcielić się w zwierzę?

– Nigdy nie słyszałam o takim przypadku. Jeżeli jednak zła dusza może wcielić się w człowieka, może też zawładnąć ciałem zwierzęcia, które nie ma przecież tak silnej woli. Prorok Ezechiel mówi, że wilk jest wcieleniem dzikości. W kogóż więc mógłby się wcielić zły duch, gdyby chciał przybrać postać zwierzęcia?

– A jeżeli tak się stanie, czy jest sposób na to, aby odesłać złego ducha tam, skąd przybył?

– Tikun. Rytuał naprawiania. Można odesłać złego ducha, o ile się pozna jego tożsamość, jego prawdziwe imię. Wtedy należy wypowiedzieć je głośno w obecności opętanego, odprawić naprawianie, a duch odejdzie i nigdy już nie wróci.

Matka wstała, zdjęła z drewnianej półki talerze, ustawiła je na stole. Dwa talerze. Jeden dla niej samej, drugi dla ojca, który niedługo miał wrócić z bożnicy. Bimełe wstała i na pożegnanie ucałowała matkę w policzek.

Szare deszczowe popołudnie z wolna zmieniało się w mglisty wieczór. Okna zabudowań rozproszonych u stóp zamkowego wzgórza wypełniały się światłem lamp naftowych. Pojedyncze ogniki w bezkresnym oceanie gęstniejącego zmierzchu.

– Piękny widok. Nic dziwnego, że Karol postanowił w tym właśnie miejscu wybudować swój dom.

Pasternak drgnął i niemal odskoczył od okna. Spojrzał przez ramię.

– Przepraszam, nie chciałem pana przestraszyć.

Profesor Hildenberg stał tuż za nim. Wyniosły i dumny, nienagannie ubrany, z rękami założonymi za plecy i krzaczastą brwią uniesioną w uniwersyteckim grymasie.

– Karol nieraz pisał mi o tym widoku. – Austriak poprawił monokl i spojrzał na daleką panoramę karpackich wzgórz, ponad którymi kłębiły się brązowe obłoki. – Wspomniał kiedyś, że gdy po raz pierwszy stanął nad urwiskiem, pomyślał, że taki właśnie widok chciałby mieć przed oczami co rano, aż do końca swoich dni. „Sokole gniazdo". Wyborna nazwa dla willi zawieszonej nad zamkową skarpą.

Borys odsunął się, robiąc miejsce rosłemu mężczyźnie. Zbliżała się pora kolacji, doktor Zaleski wydawał w kuchni ostatnie dyspozycje dotyczące posiłku.

– Zna pan dobrze Sanok?

– Tutaj się urodziłem. – Nauczyciel nie był w stanie ukryć zdziwienia. – Tutaj dorastałem i choć kilka lat spędziłem daleko stąd, dość dobrze orientuję się w miejscowych sprawach.

– Prawda, Karol wspominał mi, że studiował pan w Krakowie. Pańscy rodzice muszą być z pana dumni.

– Nie znałem swoich rodziców – powiedział Borys głosem pozbawionym emocji, tak jak się mówi o sprawie oczywistej lub pozbawionej jakiegokolwiek znaczenia. – Wychowałem się w rodzinie, która przygarnęła mnie we wczesnym dzieciństwie. Ci ludzie już nie żyją, przed wielu laty zabrała ich epidemia cholery.

Hildenberg skinął głową.

– Rozumiem. Bardzo mi przykro. – Ukłonił się lekko, po czym spojrzał Borysowi prosto w oczy. – Jak pan sypia?

– Przepraszam, nie bardzo rozumiem?

– Pytałem, czy sypia pan spokojnie? Czy rankiem wstaje pan wypoczęty, czy też może ma jakieś problemy z zasypianiem?

– Dlaczego pan mnie o to pyta?

– Sen jest bardzo ważny dla zdrowia. Nie tak dawno Karol przesłał mi kopię swojego artykułu, który napisał dla „Gazety Sanockiej". Nasz gospodarz twierdzi, że sen jest ważniejszy od pożywienia. W pełni się z nim zgadzam. Zaburzenia snu mogą być przyczyną wielu schorzeń i przypadłości. Człowiek pozbawiony wypoczynku staje się niespokojny, nerwowy. Czasem niezwykle porywczy.

Borys przełknął ślinę i poluźnił kołnierzyk koszuli.

– Dziękuję, sypiam całkiem dobrze.

– Gdyby jednak miał pan jakiś problem, gdyby pan sobie coś przypomniał lub po prostu chciał zasięgnąć porady, proszę się nie krępować. – Profesor Hildenberg uważnie spoglądał spod krzaczastych brwi. – Proszę mi wierzyć, w toku swojej praktyki lekarskiej widziałem naprawdę wiele. Czasem warto przełamać strach i przyjąć pomocną dłoń.

– Dlaczego sądzi pan, profesorze, że potrzebuję pomocy?

– Tego nie powiedziałem. – Austriak uśmiechnął się i serdecznie klepnął Borysa w ramię, niemal zwalając go z nóg. –

Gdyby jednak zechciał pan porozmawiać, proszę o mnie pamiętać.

Zapadł w sen. W jednej chwili wszystkie rozbiegane myśli skryły się gdzieś poza granicą świadomości, wszystkie problemy, obawy i zmartwienia rozpłynęły się, zatonęły w mroku nocy jak kamień wrzucony do jeziora. A potem pojawiła się kobieta śpiąca przy lustrze.

Oblicze nieznajomej zawisło tuż nad jego twarzą. Wiedział, że śni, czuł, że to, co widzi, jest senną marą, że wystarczy się obudzić, aby wszystko wróciło do porządku, a przytulona do połyskującej tafli zwierciadła twarz rozpłynęła się w jednej chwili. Nie potrafił jednak powrócić do rzeczywistości, obudzić się i stracić z oczu nieruchomą jak woskowa maska twarz. Szarpał dłonią prześcieradło, bezradnie chwytał ustami powietrze i patrzył prosto w zastygłe oczy kobiety.

Śpiąca przy lustrze kobieta zniknęła tak samo nagle, jak się pojawiła. W jednej chwili skryła się gdzieś za kotarami nocy, a on gwałtownie otworzył oczy i niemal zerwał się z łóżka. Odetchnął głęboko i otarł dłonią spocone czoło. Wyjrzał za okno. Do brzasku było jeszcze daleko.

Wstał i nałożył koszulę. Nie miał zamiaru kłaść się spać. Zapalił lampę i sięgnął ku zawieszonej nad stolikiem półce, ale szybko stracił ochotę na lekturę. Mimo wiatru raz po raz uderzającego w szybę, postanowił odetchnąć świeżym powietrzem. Skręcił płomień lampy i wyszedł ze swojego pokoju, pogrążonym w absolutnych ciemnościach korytarzem przeszedł ku schodom, po czym, kierując się bardziej pamięcią niż wzrokiem, zszedł na dół. Przemknął przez salon, wyszedł na balkon. Ostrożnie zamknął za sobą drzwi.

Chłód jesiennej nocy natychmiast przegnał resztki snu i sprawił, że wspomnienie śniącej z otwartymi oczami kobiety zbladło. Odetchnął głęboko, wciągając w płuca zapach wiejącego od Karpat wiatru, wilgotną woń odległej rzeki... I coś jeszcze. Coś słodkiego, a jednocześnie budzącego niepokój, coś ostrego i aromatycznego jak orientalne przyprawy. Coś, czego nie miał prawa czuć w tym miejscu i o tej porze. Odwrócił się gwałtownie.

Człowiek stojący przy ścianie cofnął się, ale nie był w stanie skryć się przed jego wzrokiem, nie pozwalał mu na to słuszny wzrost i postura.

– Pan profesor?

Hildenberg wyprostował się. Mimo ciemności Borys zauważył, jak Austriak szybkim i nerwowym ruchem chowa coś do kieszeni marynarki, zadźwięczało szkło, coś miękko upadło mu pod nogi. Natychmiast pochylił się i pochwycił zgubę. Słodki, kuszący zapach przybrał na sile, by zaraz rozpłynąć się na wietrze.

– Ma pan jednak problemy ze snem – zauważył Hildenberg, podchodząc bliżej. Miał na sobie tę samą elegancką marynarkę, w której zasiadał do kolacji, choć teraz wyglądał w niej znacznie mniej dostojnie. Zmiana ta nie wynikała tylko z niedopiętej koszuli i braku fularu. Włosy Austriaka, podobnie jak broda, były zmierzwione, jakby dopiero wstał po ciężkiej nocy. W całej jego postaci było coś, czego Borys nie umiał nazwać czy uchwycić, coś w jego oczach, ruchach i gestach.

– Nie ja jeden.

Austriak zbliżył się jeszcze bardziej, stając przed Borysem niemal na wyciągnięcie ręki. W powietrzu znów rozszedł się ten sam słodko-korzenny zapach.

– Czasem wszyscy mamy problemy z zasypianiem.

– Czasem sami sprowadzamy na siebie problemy, które

nas trapią – zimnym głosem odpowiedział Pasternak. – Jeżeli któryś z nas potrzebuje pomocy, to raczej pan niż ja.

– Czasem każdemu z nas przydałaby się pomocna dłoń – przyznał Austriak, dopinając koszulę i wygładzając skołtunioną brodę. – Często bywa też tak, że sytuacja przedstawia się zupełnie inaczej, niż w pierwszej chwili nam się to wydaje.

– Mnie się nic nie wydaje, panie profesorze. Wyszedłem się przewietrzyć, a teraz mam ochotę położyć się spać.

Borys odwrócił się i położył dłoń na klamce, ale zanim ją nacisnął, poczuł na ramieniu rękę Austriaka.

– Mam nadzieję – usłyszał – że nasze nocne spotkanie jest sprawą zbyt błahą, by komukolwiek o nim wspominać.

Pasternak obejrzał się przez ramię.

– Niech się pan nie obawia. Zaraz położę się spać i do rana zapomnę o naszej rozmowie.

– O ile zdoła pan zasnąć.

– Słucham?

Austriak położył drugą dłoń na jego ramieniu i zmusił do odwrócenia się. Był wyższy o głowę, szerszy w barkach i mimo swego wieku, znacznie silniejszy. Borys czuł jego niespokojny, przesiąknięty korzennym zapachem oddech na swojej twarzy, widział płonące niezdrowym podnieceniem oczy.

– Niech mi pan powie, co się panu śni. Co nie pozwala panu spać, co wywabiło pana tej niespokojnej nocy na balkon?

– Profesorze, proszę mnie zostawić. Wiem, jak działa opium. Nie jest pan w stanie racjonalnie...

– Chłopcze, co widzisz, kiedy zamykasz oczy? Jakie obrazy przychodzą do ciebie w nocy, kiedy zapadasz w sen?

– Nie wiem, o czym pan mówi.

– Karol wiele mi o tobie opowiedział. Co burzy spokój twoich myśli? Co sprawia, że tak często tracisz nad sobą kontrolę? Co wtedy czujesz? Co widzisz w swoich snach?

– Niech się pan uspokoi, bo obudzimy cały dom...

– Mów, do diabła!

– Kobietę – niemal wykrzyczał Borys w brodatą twarz Austriaka. – Widzę kobietę śniącą z otwartymi oczami przy lustrze.

– Kobietę przy lustrze?

– Leży z policzkiem wspartym o lustro, jej twarz odbija się w zwierciadle.

Hildenberg nerwowym ruchem skubnął brodę, potarł nos. Pochylił się jeszcze bardziej, mocniej przycisnął Borysa do drzwi.

– Jak wygląda ta kobieta? – zapytał rozgorączkowanym szeptem. – Powiedz, chłopcze, jak ona wygląda?

– Blada twarz, nieruchoma, szeroko otwarte oczy. Proste włosy sięgające ramion.

– Co jeszcze, mów, co jeszcze? Przypominasz sobie jeszcze coś? Coś szczególnego?

Borys wytężył pamięć, niechętnie przywołując w myślach wspomnienie kobiety.

– Jest jeszcze coś, choć nie jestem pewien – odezwał się po chwili. – Coś z jej ustami. Coś w kąciku ust. Blizna lub znamię. Ślad schodzący pionowo w dół, ku brodzie.

Profesor pochylił się, Borys ze zdumieniem patrzył, jak Austriak trzęsie się cały w spazmach nerwowego, tłumionego śmiechu. Jednak kiedy uniósł głowę, w jego oczach nie było kpiny, ale gorączka niezaspokojonej ciekawości.

– Połóż się spać – polecił, otwierając drzwi i wypychając Borysa do salonu. – Rano porozmawiamy. Opowiem ci, kim jest kobieta z twojego snu.

6

Promienie słońca wpadły przez szybę wprost na twarz śpiącego nauczyciela. Otworzył oczy i przeciągłym ziewnięciem przywitał dzień, w którym miał zobaczyć na jawie kobietę ze swego snu.

Po śniadaniu, które Borys jadł ze wzrokiem wbitym w talerz, unikając spojrzeń siedzącego po drugiej stronie stołu Austriaka, doktor Zaleski zapowiedział Laurze, że tego dnia lekcji nie będzie. Dziewczynka zaraz po posiłku z pomocą służącej udała się do siebie, najmniejszym choćby grymasem twarzy nie zdradzając, jak bardzo intrygowała ją zmiana w ustalonym porządku dnia. Pan domu polecił, by Józef napalił w salonie i dopilnował, aby służąca podała kawę. Kiedy płomienie objęły ułożone w palenisku polana, a zapach kawy pobudził zmysły i myśli, Zaleski zamknął starannie drzwi i usiadł przy stoliku, ramię w ramię ze swym przyjacielem, na wprost zdezorientowanego nauczyciela.

Przedłużającą się chwilę milczenia przerwał gospodarz.

– Drogi chłopcze, zdajesz sobie zapewne sprawę, iż wydarzenia w naszym miasteczku mają ostatnio dość niezwykły charakter.

Borys skinął głową i sięgnął po filiżankę z kawą.

– Wczoraj wieczorem, a także dzisiaj rano, jeszcze przed śniadaniem, rozmawiałem z Joachimem. – Zaleski spojrzał na Hildenberga, szukając w nim wsparcia w rozmowie, do której z wielkim trudem się zabierał. – Przewyższa mnie on wiedzą i doświadczeniem, szczególnie w sprawach, które, wydawać by się mogło, wymykają się ludzkiej zdolności poznania. Dowiedziałem się od Joachima... Sam nie wiem, jak mam cię o to zapytać, ale...

– Borysie – Hildenberg wszedł doktorowi w słowo – proszę cię, opowiedz nam swój sen.

Pasternak spojrzał niepewnie na swego chlebodawcę. Miał go za człowieka racjonalnie patrzącego na świat, zawierzającego rozumowi i rozsądkowi, osiągnięciom współczesnej nauki i nauczaniu Kościoła. Zachęcony spojrzeniem Austriaka oraz skupionym wyrazem twarzy gospodarza, nauczyciel zwilżył usta kawą i pokrótce opowiedział swój sen o kobiecie śniącej z twarzą przytkniętą do lustra. Kiedy o tym mówił, przyjaciele wymienili znaczące spojrzenie, po czym Hildenberg poprosił, aby Borys dokładnie opisał twarz, którą widział w snach.

Zaleski ukrył twarz w dłoniach, a kiedy na powrót złożył je przed sobą na stoliku i spojrzał na Austriaka, ten wzruszył tylko ramionami, wstał i naciągnął na siebie marynarkę.

– Nie ma na co czekać – Hildenberg sięgnął po wspartą o stolik laseczkę – niech służba wezwie dorożkę.

Po chwili wszyscy trzej trzęśli się w jadącym wąskimi uliczkami powozie. Jechali w milczeniu, aż woźnica wstrzymał konia przed szpitalną bramą. Zaleski poprowadził ich obok stróżówki, a następnie korytarzem w stronę tej części budynku, w której Borys przed kilkoma dniami podejrzał sekcję rajcy Skwierzyńskiego. W powietrzu unosił się intensywny zapach środków dezynfekujących. Nagie ściany odbijały głośnym echem ich pośpieszne kroki.

– Jesteśmy na miejscu – mruknął Zaleski, otwierając kluczem drzwi na końcu korytarza. Sięgnął po zapałki i zdjął klosz ze stojącej obok lampy. Oświetlił wąskie, długie pomieszczenie. Borys stanął nieco z boku, przepuszczając do środka Hildenberga. Słyszał, jak mężczyźni coś przesuwają, jak coś sunie po posadzce z metalicznym łoskotem.

– Podejdź bliżej.

Borys wyjrzał spoza pleców Austriaka, pochylił się w stronę szerokiego stalowego stołu, który doktor Zaleski oświetlał lampą. Spojrzał w dół i oniemiał. Miał przed sobą twarz, którą znał ze snów.

Była tuż przed nim, na wyciągnięcie ręki, oświetlona światłem lampy. Wyglądała nieco inaczej, niż to zapamiętał. Jej skóra zwiotczała, nie opinała już kości policzkowych i kształtnego podbródka, ale układała się niczym woskowa maska. Zmienił się też kolor skóry i kształt ust, ale bez wątpienia była to ta sama twarz. Kobieca twarz wtulona w lustro. Twarz wsparta o połyskujący blok lodu, odbijający światło lampy i spowijający spokojne oblicze nierzeczywistą błękitną poświatą. Dokładnie tak, jak to zapamiętał. Całe ułożone na stalowym stole ciało obłożone było lodem, grubymi, kanciasto ociosanymi blokami, mniejszymi, pokruszonymi jak zmrożony śnieg. Kłujące drobinki, lodowe skrawki, iskrzyły się na ramionach i odkrytym płaskim brzuchu.

Borys przełknął ślinę i odwrócił wzrok.

– To ona – powiedział cicho. – To ją widziałem w swoich snach.

Wyszedł na korytarz i szybkim krokiem, niemal biegnąc, wydostał się na dziedziniec. Odetchnął chłodnym powietrzem, spojrzał w zaniesione szarymi chmurami niebo. Poczuł na ramieniu czyjąś dłoń.

– Chodź. – Hildenberg pchnął go lekko w stronę szpitalnej bramy. – Przejdziemy się. Powinniśmy porozmawiać. Na razie sami. Karol, podobnie jak i ty, nie jest w stanie poradzić sobie z tym, co się tutaj dzieje.

Minęli zatopionego w rozmyślaniach dorożkarza i ruszyli ciągnącą się w stronę nagich pól dróżką.

– Kim jest... kim była ta dziewczyna?

– Nie znamy jej nazwiska. Prawdopodobnie była służącą. Jej ciało znaleziono przed tygodniem w podmiejskim stawie. Po pobieżnych oględzinach Karol wysłał do mnie telegram.

– Skoro nie znacie nazwiska tej dziewczyny, skąd wiecie, czym się zajmowała?

Hildenberg uśmiechnął się.

– Miała swój zawód wypisany na dłoniach, popękanych i zniszczonych od prania i szorowania podłóg. Znaleziono ją przypadkiem, ale nikogo nie zainteresowała jej śmierć. Nie zgłosił się nikt z rodziny, nikt nie powiadomił o zaginięciu kogoś bliskiego. Policja nawet nie podjęła śledztwa, uznając, że był to nieszczęśliwy wypadek. Oficjalnie za przyczynę zgonu przyjęto utonięcie, uznając, że obrażenia na ciele powstały później, kiedy ciało pływało już w wodzie. Gdyby nie Karol, nikt nie zastanawiałby się nad śmiercią bezimiennej służącej.

Wszystko się zgadza, pomyślał Borys. Wizyta Austriaka nie jest przypadkowa. Profesor przybył do Sanoka zaledwie na drugi dzień po odkryciu zwłok Skwierzyńskiego, co było zadziwiające. Ale jednocześnie kilka dni po wyłowieniu ciała dziewczyny. Wystarczający czas, by wysłać wiadomość i zaplanować podróż.

– Ta dziewczyna... Utopiła się?

– Nie. Wrzucono ją do wody już po śmierci. Jej ciało... nosiło wiele śladów, bardzo dziwnych i rzadko spotykanych. Jej ramiona, nogi i kark noszą ślady zębów, ale na skórze widać było wiele innych obrażeń, pochodzących z różnych okresów, zabliźnionych i całkiem świeżych, zadawanych ogniem, szczypcami, czymś ostrym, najpewniej brzytwą. Nadgarstki i kostki nosiły ślady więzów. Zginęła gwałtowną, ale na pewno nie szybką śmiercią. Prawa dłoń została zmiażdżona, nie znaleźliśmy palców, coś zerwało z tyłu jej głowy skórę wraz z włosami.

– Ludzie mówią, że to wilk. Wilk, który oszalał i wyszedł z lasu. Inni powtarzają, że to człowiek, który potrafi zmieniać się w wilka.

Hildenberg przystanął, z kieszeni surduta wyjął jedwabną chusteczkę zdobioną eleganckim monogramem, otarł czoło.

– Możesz mi wierzyć, drogi chłopcze, widziałem w swoim życiu rzeczy, o których ci się nie śniło. A wiem, że śni ci się wiele rzeczy. – Zmrużył oko i uśmiechnął się szelmowsko. – Jednak opowieści o ludziach, którzy potrafią przybierać wilczą postać, to wymówka. Usprawiedliwienie. Sąsiedzi mordercy lub gwałciciela, którzy co niedziela siedzieli z nim w kościelnej ławie, śpią spokojniej, kiedy winą za jego przestępstwa obarczą wilczą naturę. Ludzie nie lubią przyznawać się do swych grzechów, nie chcą ponosić za nie odpowiedzialności. Wilk to nasza druga twarz, gorsza strona naszej duszy. Pewnego dnia nauka wyjaśni legendy opowiadane przy ognisku przez naszych ojców i dziadów. Już dziś potrafimy diagnozować przypadki, kiedy ludzka dusza rozpada się na dwie części, kiedy w umyśle jednego człowieka potrafią zamieszkać dwie niezależne świadomości. Słyszałeś o schizofrenii, o rozszczepieniu umysłu? – Profesor gorączkował się, z laseczką włożoną pod ramię nerwowymi ruchami przetrząsał zakamarki odzienia w poszukiwaniu cygara i zapałek. – Pomyśl tylko, jak ta teoria w cudowny sposób zbiega się choćby z żydowskimi podaniami o tym, że każdy człowiek ma dwie dusze, dobrą i złą, które nawzajem się zwalczając, przesądzają o jego zachowaniu.

– W takim razie – podjął Borys – wilkołak nie istnieje. Szukamy człowieka. Nie chorego wilka, ale szaleńca, który być może nawet nie jest świadomy swoich czynów i choroby?

– Słyszałeś kiedyś, drogi chłopcze, o prawie swoistej energii zmysłów Mullera? Według niego diabły i demony, anioły i zjawy, wizje szaleńców i objawienia proroków, są tylko iluzją, halucynacją, ale nie kłamstwem. To oszustwo podsuwane nam przez nasze zmysły, a tych przecież nie możemy oskarżyć o kłamstwo.

Pasternak spojrzał w płonące oczy Austriaka.

– Wczoraj wieczorem zapytał mnie pan o mój sen. Nie śmiał się pan, kiedy go opowiedziałem. Uwierzył pan w moją opowieść, a dziś rano wszystko się potwierdziło. Nigdy wcześniej nie widziałem kobiety, o której śniłem. Nie wiedziałem o jej śmierci. A jednak śniła mi się jej twarz obłożona bryłami lodu. Jak więc można nazwać to halucynacją, oszustwem zmysłów?

– Na wiele pytań nie znajdujemy dziś odpowiedzi, ale potrafimy rozwiązać zagadki, które kilkanaście czy kilkadziesiąt lat temu były tajemnicą. Tak będzie i ze sprawami, o których mówisz. Może za dziesięć, dwadzieścia, a może za sto lat, ktoś zgłębi te tajemnice ludzkiego umysłu, które dziś wydają się nam nieprzeniknione.

– Skąd pan wiedział, że ja... – Borys zawiesił głos, szukając odpowiednich słów.

– Skąd wiedziałem, że dręczą cię koszmary? – podchwycił Hildenberg, miętosząc w palcach nieodpalone cygaro. – W jednym z listów Karol napomknął, że prywatny nauczyciel jego córki cieszy się niezwykłą opinią. Napisał o tym jak o zabawnej ciekawostce, wiedząc, że interesują mnie przesądy i wierzenia prostych ludzi. Wystarczyło jednak zamienić z tobą kilka słów, spojrzeć w oczy, przyjrzeć ci się, kiedy jesteś zamyślony, gdy nieobecny duchem patrzysz gdzieś w dal, by dostrzec twoje uzdolnienia.

– Uzdolnienia?

– Są ludzie, których uzdolnienia na razie wymykają się naukowemu poznaniu. To empaci, osoby szczególnie wyczulone na to, co niedostrzegalne dla innych, nadwrażliwcy obdarzeni wyobraźnią i dodatkowym zmysłem. Dorośli z wyobraźnią i ufnością małego dziecka, wrażliwi na to, co przychodzi ze sfery zamkniętej dla zwykłych śmiertelników. W swojej praktyce spotkałem kilka takich osób. W snach widziały odległe miasta, w których nigdy nie były; biorąc do ręki jakiś przedmiot, potrafiły opowiedzieć o jego właścicielu. Bały się wejść do pomieszczeń, w których popełniono zbrodnię, nawet jeżeli od tego czasu upłynęło wiele lat. Zdarzało się, że takie osoby potrafiły opisać zdarzenia, które dopiero miały nadejść. Sam widzisz, ilu niezwykłych uzdolnień doszukać się można u ludzi i jak przydatne, na pierwszy rzut oka, mogą się wydawać. Mój znajomy z Wiednia, profesor kryminalistyki, przeprowadzał eksperymenty z osobami o nadprzyrodzonych zdolnościach, badając ich przydatność w rozwiązywaniu zagadek kryminalnych.

Borys zamyślił się.

– Chyba wiem, do czego pan zmierza. Chciałby pan skorzystać z moich... uzdolnień, aby wytropić wilkołaka czy też szaleńca, który się pod niego podszywa?

Hildenberg wydął usta w pogardliwym grymasie.

– Ależ skąd – prychnął. – Doświadczenia mego przyjaciela okazały się całkowitym fiaskiem. Uzdolnienia, o których ci opowiadałem, są bezsprzecznym faktem, poddają się naukowej obserwacji, ale nie dają się kontrolować, co wyklucza korzystanie z nich w toku śledztwa. Nie bez znaczenia jest też ich rola w postępowaniu dowodowym w trakcie procesu karnego. Żaden sąd nie uzna za wiarygodne dowodów przedstawionych przez jasnowidza, nawet mało rozgarnięty adwokat znajdzie luki w rekonstrukcji zbrodni przedstawionej przez empatię. Poza tym... – Austriak zawiesił głos – uzdolnienia, o których mówimy, odkrywają również ciemne cechy ludzkiej natury. Osoby obdarzone, a może dotknięte, takimi zdolnościami często są nerwowe, mają utrudniony kontakt z otoczeniem, nie są w stanie budować zdrowych relacji z innymi ludźmi. Zdarza się, że tracą nad sobą panowanie, stanowiąc zagrożenie dla otoczenia.

– W takim razie, czego pan ode mnie oczekuje, profesorze? – zapytał zimno Borys.

– Zadałem ci wczoraj pytanie, czy znasz to miasto i ludzi, którzy w nim mieszkają. Potrzebuję przewodnika, kogoś, kto orientuje się w lokalnych zależnościach. Bez twojej pomocy nie odkryję tropu prowadzącego pod drzwi mordercy.

– Dlaczego to pana interesuje? Dlaczego nie zostawi pan tej sprawy policji?

Austriak skrzywił się.

– Zdążyłem już poznać tutejszego komisarza i mimo całego szacunku, nie sądzę, aby był on zdolny rozwiązać tę sprawę. Tu nie chodzi o kradzież krowy wyprowadzonej nad ranem z chłopskiej zagrody, ale o bestialskie morderstwo czterech osób.

Borys chciał coś powiedzieć, lecz zaskoczenie odebrało mu na moment mowę.

– Jak to czterech? – zapytał po chwili. – Dziewczyna, Skwierzyński, Izaak Stezl...

– Dziewczyna była w ciąży – odpowiedział krótko profesor. – Zabójca uśmiercił zatem dwie żywe istoty.

Nauczyciel skinął głową i pomyślał o kobiecie w krytym strzechą domu nad Sanem, o jej ramieniu naznaczonym śladem wilczych zębów i przerażeniu, które wyczytał z jej w oczu.

– Dobrze. Zrobię co w mojej mocy, aby panu pomóc.

Ludwik Witchenbacher z przekleństwem na ustach wsparł się dłonią o kamienny mur okalający klasztor Franciszkanów, otarł zabrudzony but o kępę trawy. Nie dowierzając zdolnościom swoich wywiadowców, od wczesnego ranka zaglądał w ciasne podwórka kamienic i bramy cuchnące uryną, chodził między domkami zawieszonymi nad miejską skarpą. Stukał do drzwi, pukał w okiennice, wypytywał, zagadywał, prosił i straszył. Zaczepił nawet przygłuchego żebraka zmierzającego w stronę kościoła farnego. Niczego się nie dowiedział. Nikt nic nie widział, niczego nie słyszał. Przez cały dzień uważał, aby nie ubłocić butów, lawirował między cuchnącymi kałużami, przeskakiwał koleiny wypełnione stęchłą deszczówką, by pod klasztorną furtą wpaść po kostki w parujące końskie jabłka.

Wytarł dokładnie podeszwę i już miał ruszyć dalej, gdy nagle zauważył chudego człowieka idącego wzdłuż klasztornego muru od strony Podgórza. Ubrany w lichą marynarkę mężczyzna przystanął i rzucił coś na ścieżkę. Zdjął czapkę, przeżegnał się, po czym ruszył dalej szybszym już krokiem. Zrobił to dokładnie tam, gdzie przed pięcioma dniami znaleziono ciało rajcy Skwierzyńskiego. Komisarz zerwał się do biegu. Zatrzymał się w miejscu, w którym mężczyzna coś upuścił. Przyklęknął ostrożnie, aby nie ubłocić nogawek. Przy ścieżce, w kępie przemarzniętej trawy, leżały śmiecie. Witchenbacher sięgnął do kieszeni, wyjął składany nóż, rozgarnął mokrawą kupę połamanych patyków, zbutwiałych liści i starych szmat. Rozgrzebał stos, przeorał ostrzem noża nasiąkniętą deszczem ziemię, ale nie znalazł niczego interesującego.

Podniósł wzrok, ale mężczyzny już nie było. Musiał skręcić w stronę Nowej Rady. Komisarz wstał, złożył nóż i schował go do kieszeni. Szybkim krokiem minął klasztorną bramę, przeszedł przez rynek i wstąpił do budynku magistratu, od razu kierując się na piętro.

– Schenke! – wrzasnął w głąb korytarza. – Do mnie!

Zamaszystym ruchem otworzył drzwi swojego gabinetu, usiadł przy biurku i wbił spojrzenie w wyprężonego pod ścianą posterunkowego. Schenke był pół-Austriakiem, synem urzędnika, który przed laty przybył do miasteczka w służbie cesarza. Urodził się w Sanoku, z matki Rusinki, po polsku mówił lepiej niż po niemiecku, a mieszkańcy traktowali go jak swojego.

– Przed chwilą byłem przy klasztornym murze, w miejscu, gdzie zginął Skwierzyński. Widziałem coś dziwnego. – Witchenbacher sięgnął do szuflady, wyjął fajkę i blaszaną puszkę z tytoniem. – Tam, gdzie znaleźliśmy ciało, ktoś ułożył kopczyk, tak jakby miał zamiar rozpalić ognisko. Trochę połamanych patyków, stare szmaty i inne śmieci.

Schenke głośno przełknął ślinę.

– To namiot, proszę pana.

– Co takiego?

– Jeżeli ktoś zginie nagłą śmiercią, pozostawia swój ślad na miejscu tragedii. Można powiedzieć, że śmierć odciska tam swoje złe piętno. Tutejsi, zwłaszcza pochodzący z gór, wierzą, że takie miejsce można oczyścić ogniem. Przechodząc, rzucają to, co mają pod ręką, na ogół patyki, mniejsze i większe. Po kilku dniach usypie się z nich mały kopczyk, wtedy ktoś podkłada ogień. Ogień oczyszcza zbrukane miejsce i żywi mogą być spokojni.

Witchenbacher zaśmiał się głośno.

– Schenke, mamy prawie dwudziesty wiek. Kolej żelazna dociera w każdy zakątek cesarstwa, za pomocą telegrafu możemy przekazywać informacje choćby na sam koniec świata, a ci bosonodzy wieśniacy wciąż wierzą w swoje przesądy?

– To prości ludzie, panie komisarzu. Nawet ci, którzy mieszkają w mieście, są potomkami tych, którzy przybyli tu z gór. Wielu nie kończyło żadnych szkół, nie potrafią czytać ani pisać. Miną lata, zanim się ucywilizują.

Witchenbacher machnął ze zniecierpliwieniem ręką i zajął się nabijaniem fajki.

– Znaleźliście coś ciekawego?

Posterunkowy wyprężył się jeszcze bardziej.

– Zgodnie z rozkazem, zatrzymaliśmy wszystkich, którzy w ostatnich tygodniach w jakikolwiek sposób zakłócili porządek publiczny. Szczególnie tych, którzy karani byli za używanie przemocy. Mamy w piwnicy dwanaście osób. Zgodnie z poleceniem, jeden dzień o chlebie i wodzie, racje żywnościowe zmniejszone o połowę, potem przymusowa kąpiel i przesłuchanie.

– Rozpytywałeś wśród służby u sąsiadów Stezla? Pytałeś wśród wozaków, tragarzy, żebraków z dzielnicy żydowskiej?

– Protokoły leżą na pańskim biurku.

Komisarz sięgnął po niechlujnie wyrwane z notatnika kartki, zapisane niewprawnym, kanciastym pismem. Pobieżnie przejrzał protokoły, nie zwracając uwagi na błędy i zgubione litery. Trochę plotek, wiele oszczerstw i fałszywych oskarżeń dotyczących oszukiwania na wadze i jakości towaru, skargi na wysokie podatki i ceny dyktowane przez żydowskich sklepikarzy. Nic, co mogło stanowić punkt zaczepienia.

– Co to za dyrdymały, Schenke! – wrzasnął, mnąc w dłoniach papier. Miał świadomość, że jako miejski policjant w stopniu komisarza był tylko magistrackim urzędnikiem średniego szczebla, którego byle skarga mogła skazać na niełaskę burmistrza. Wiedział, że jego podwładni, kilku półanalfabetów będących Austriakami tylko z nazwy, zdają sobie sprawę z jego niewielkiej władzy, dlatego przy każdej okazji, głośnym krzykiem i obelgami ciskanymi po niemiecku, usilnie pracował nad umacnianiem swojego autorytetu. – Nie obchodzą mnie plotki powtarzane po targowiskach przez stare baby! Nie interesują mnie skargi niepiśmiennych wozaków! Chcę faktów, Schenke. Ja chcę faktów. Czegokolwiek, co pozwoliłoby nam złapać ślad.

Wstał, z trzaskiem odsunął od siebie krzesło, podszedł do okna. Wyjął z kieszeni zawieszony na srebrnym łańcuszku zegarek. Do spotkania pozostawało jeszcze sześć godzin. Nie łudził się, że w tym czasie zdobędzie jakiekolwiek dowody czy poszlaki wskazujące na to, co naprawdę dzieje się w miasteczku. Miał tylko jedną szansę, by popisać się czymś przed wysłannikiem z Wiednia.

– Leć do drukarni Pollaka, do redakcji „Gazety Sanockiej" – polecił. – Wezwij mi tu Kaszyckiego, byle prędko.

Promienie słońca przenikały kufel, załamywały się na grubym szkle, podświetlając zawartość, która przypominała teraz płynne złoto.

– Kiełkujące ziarno pszenicy, krystaliczna woda i chmielowe szyszki. Nic tak dobrze jak piwo nie oddaje postępu, który dokonał się w nauce. Czy wiesz, że flamandzcy mnisi zabraniali dociekań, w jaki sposób drożdże doprowadzają do fermentacji pszennego zacieru, i tłumaczyli zachodzące w kadziach reakcje wolą bożą?

Borys Pasternak otrząsnął się z zamyślenia, umoczył usta w mieszczańskim piwie pilzneńskim. Siedzący po przeciwnej stronie stolika Hildenberg delektował się właśnie zarszyńskim beczkowym, które, jak sam przed momentem powiedział, jest całkiem znośne, choć nie dorównuje piwu z browaru w Żywcu.

– Zdajesz sobie sprawę – mówił, dyskretnie ścierając z wąsów resztki piany – że według hrabiny Wielopolskiej, woda z Żywca nie nadaje się nawet do prania bielizny? Moim zdaniem, porter z Browaru Arcyksiążęcego to najlepsze piwo w świecie. Lubię budapeszteńskiego drehera, ale gdzie mu tam do piw żywieckich!

Siedzieli przy stoliku Grand Restauracji pani Szmalowej, mając widok na skrawek Ogrodu Miejskiego. Sąsiednie miejsca zajmowali urzędnicy z magistratu, pracownicy sądu, banku i kas pożyczkowych, którzy korzystali właśnie z przerwy obiadowej. Co jakiś czas zaciekawieni stali bywalcy rzucali w ich kierunku ukradkowe spojrzenia, ale siwowłosy profesor nie dawał po sobie poznać, że jest świadom sensacji, którą wzbudza; siedział przy stoliku jak za uczelnianą katedrą i dostojnym ruchem, raz za razem, sięgał po kufel. Znów emanował staroświecką elegancją i Borys wprost nie mógł uwierzyć, że ubiegłej nocy widział go zgarbionego i słabego.

Austriak spróbował piwa z browaru miejskiego, potem sięgnął po kwietniowe żywieckie, jeszcze później zapragnął spróbować beczkowego z Zarszyna, Borys zaś opowiadał o wszystkim, co ostatnio działo się w mieście, o składzie rady miejskiej, ostatnich wyborach, manewrach wojska na łąkach nad rzeką, skargach na żebraków i wypadkach, jakie od czasu do czasu zdarzały się w dni targowe. Gdy wyschło mu w gardle, sięgnął po kufel, napił się i na nowo podjął swoją opowieść. Od czasu do czasu profesor przerywał mu, zadając pytania.

– Co może łączyć ubogą dziewczynę, chodzącą od domu do domu, utrzymującą się z prania i wykonywania prostych prac, z dwoma majętnymi i szanowanymi obywatelami?

– Być może pracowała u któregoś z nich?

Hildenberg pokręcił przecząco głową.

– Karol sprawdził już rejestr służby w urzędzie miasta. Zgłaszanie zatrudnionych osób jest obowiązkowe. Ani Skwierzyński, ani Stezl nie zarejestrowali w ostatnich miesiącach nowej posługaczki. Wiem, mogli tego nie zrobić, wielu obywateli nie dopełnia obowiązku rejestracji służby, ale powinniśmy ustalić, czy dziewczyna pracowała w którymś z tych domów. To łatwe.

– Nie wiemy nawet, jak się nazywała. Po drogach pełno jest ubogich dziewcząt ze wsi, szukających zatrudnienia w pańskich domach. Nikt nie pamięta ich imion ani twarzy.

– Skupmy się więc na tym, co łączy dwie kolejne ofiary.

– Dwóch członków miejskiej rady. Katolik i żyd. Obaj żonaci. Pierwszy miał na głowie dwie córki, kapryśne panny na wydaniu, drugi nie doczekał się potomstwa. Startowali, rzecz jasna, z dwóch różnych komitetów wyborczych. Obaj powszechnie szanowani, choć za wejście do rady musieli słono zapłacić, przekupując wyborców i składając niezdecydowanym wszelkie obietnice, jakie ci chcieli usłyszeć.

Hildenberg zakręcił trzymanym w dłoni kuflem, złoty płyn zawirował, zostawiając na szkle pienisty osad.

– Musi istnieć coś, co ich łączy. Coś więcej niż to, że obaj zasiadali w ławach miejskiej rady.

– A jeśli morderca, wybierając swoje ofiary, zdaje się na ślepy los? Jeśli to przypadek decyduje o tym, kogo pozbawi życia?

– Nauka nie uznaje przypadków. Zawsze istnieje klucz, logiczna ciągłość wypadków, zależność między przyczyną i skutkiem. Umysł szaleńca również kieruje się ustalonymi prawidłami, choć są one zrozumiałe wyłącznie dla niego samego. Nawet jeżeli w naszej ocenie poczynaniami mordercy kierował ślepy los, zbrodniarz działał zgodnie z własnymi regułami.

– Naprawdę sądzi pan, profesorze, że jesteśmy w stanie wyjaśnić te zbrodnie drogą naukowej dedukcji? A jeżeli to oni mają rację? – Borys rozejrzał się po restauracji, wskazując wzrokiem skupionych nad obiadem wozaków, handlarzy i niższych urzędników. – A jeżeli to rzeczywiście wilkołak? Coś, co wymyka się naszej zdolności poznawania świata?

– Prawa nauki są obiektywne i niezmienne, niezależne od tego, co poddajemy naukowej obserwacji. Pytasz, czy może rację mają wieśniacy i górale, obciążając winą za popełnione zbrodnie wilkołaka? Słyszałeś kiedyś o likantropii?

Borys pokręcił przecząco głową.

– To wiara w zdolność przemiany człowieka w wilka, schorzenie psychiczne łączące się niekiedy z pewnymi cechami fizycznymi, między innymi z nadmiernym owłosieniem. Człowiek dotknięty likantropią jest przekonany, że posiada magiczną moc przemiany w dzikie zwierzę, co wiąże się ze zdobyciem nadludzkiej siły i wyostrzeniem zmysłów, a nade wszystko usprawiedliwia mordercze instynkty i chorobliwą żądzę mordu.

– Chce pan powiedzieć, że taka osoba wierzy, że może przemienić się w wilka, podczas gdy lekarz, zamiast niezwykłej przemiany, dostrzeże poważną chorobę psychiczną i zbrodnicze skłonności?

– Dokładnie tak. – Austriak jednym haustem dopił piwo i odstawił kufel. – Sama przemiana i wszelkie inne czarodziejskie zdolności są mitem, częścią ludowej tradycji, folklorem. Choroby umysłu wiążą się jednak z zupełnie rzeczywistymi objawami fizycznymi: nadpobudliwością, agresją, zanikiem empatii, objawiającym się zwierzęcym wprost okrucieństwem, brakiem jakichkolwiek zahamowań i niemożnością kontroli własnych poczynań. Do tego dochodzi ponadprzeciętna siła fizyczna, wynikająca z chorobliwie silnej motywacji do działania. Prawdziwe są również skutki działania domniemanego wilkołaka.

– Tym samym, jeżeli ma pan rację, mamy do czynienia z człowiekiem, który uwierzył, że jest wilkołakiem, zachowuje się jak wilkołak, zabija, znajdując usprawiedliwienie swoich poczynań w zwierzęcej naturze i kierując się przy tym logiką zrozumiałą tylko dla niego samego.

Hildenberg przytaknął, bawiąc się w zamyśleniu swoją laseczką.

– Śledztwo zmierzające do schwytania szaleńca jest tym trudniejsze, że musi odsłonić motywy działania, które są sprzeczne z logiką, jaką kieruje się przeważająca większość ludzi. Co więcej, zbrodniarz może być szanowanym obywatelem, przykładnym ojcem i mężem, może odpowiedzialnie piastować poważne stanowisko, a co niedziela siadać wraz z rodziną w kościelnej ławie. Obłęd ujawnia się czasami dopiero w pewnych okolicznościach; może to być księżyc w pełni, widok krwi czy cokolwiek innego. Kto wie, może sprawca dotknięty jest schizofrenią, a w jego głowie i ciele mieszkają dwie niezależne osoby, a jedna nic nie wie o drugiej? Może jeden z obywateli miasteczka zasypia pełen obaw o życie swoje i najbliższych, zaniepokojony wypadkami ostatnich dni dokładnie zamyka okiennice i rygluje drzwi, a potem, po zapadnięciu w sen, kontrolę nad jego członkami przejmuje zupełnie inna świadomość, wiara w moc przemiany w wilka, żądza krwi. Sam widzisz, jak trudne zadanie nas czeka. Potrzebujemy śladu. Musimy znaleźć nić, która doprowadzi nas do sedna sprawy. Nie będzie to łatwe. Na razie nie mamy niczego prócz trzech ciał w miejskiej kostnicy.

Borys zacisnął dłoń na szkle, wplótł palce w gruby uchwyt kufla, zmrużył oczy. Jego myśli pomknęły w kierunku krytego słomą domu u podnóża zamkowej skarpy.

– Przeciwnie. Myślę, że mamy już pewien ślad.

Powolnymi ruchami odwijała bandaż, odsłaniając opuchnięte przedramię, naznaczone śladami wilczych zębów. Zwinęła opatrunek, odłożyła go na bok, przesunęła rękę w krąg światła rzucanego przez lampę. Spuściła wzrok, kiedy rosły brodaty mężczyzna pochylił się nad stołem, jego grube palce niespodziewanie delikatnie ujęły jej nadgarstek, delikatnie przesunęły się wzdłuż siniejącej opuchlizny.

– Miałeś rację. – Elegancko ubrany brodacz poprawił tkwiący pod krzaczastą brwią monokl. – Szczęki zacisnęły się z wielką siłą, ale zęby nie zdołały przebić osłoniętej skóry. Nie ma mowy o zakażeniu. – Palce siedzącego mężczyzny mocniej ucisnęły przedramię kobiety. Syknęła z bólu. – Spokojnie, już kończymy. Kość nie została uszkodzona. Za tydzień obrzęk powinien ustąpić.

Brodacz sięgnął do swojego skórzanego kuferka, szukał w nim czegoś przez chwilę, poszczękując szkłem i metalem, wyjął niewielki słoiczek, odkręcił wieczko. Poczuła intensywny zapach kamfory. Mężczyzna ostrożnie nałożył maść na jej przedramię, delikatnie wodząc palcem między sinymi śladami zębów, pomógł nałożyć opatrunek, i starannie zawinął bandaż.

Alina wstała od stołu, przeszła w ciemność, poza krąg światła. Spojrzała ponad ramieniem brodacza na stojącego pod ścianą Borysa. Wiedziała, że jako gospodyni powinna zaproponować gościom kolację, ale nie miała w domu niczego poza resztką suchego chleba, ziemniakami i cebulą. Chciała podejść do kuchni i nastawić wodę na herbatę, ale

Borys powstrzymał ją ruchem dłoni. Wyszedł do sieni, gdzie trzymała drewno na opał, rozniecił ogień, ze stojącego pod kuchnią wiadra zaczerpnął wody i ustawił czajnik na rozgrzewającej się blasze. W milczeniu patrzyła, jak krząta się po izbie. Wydawało jej się, że choć minęło już tyle lat od czasów, kiedy spędzali razem całe dnie, niewiele się zmienił. Był teraz mężczyzną, wysokim i silnym. Nie tak wysokim jak jej mąż, miał szczuplejsze ramiona, bardziej płaską pierś, palce delikatniejsze, ale bezsprzecznie był już mężczyzną. Mimo to wciąż widziała w nim jasnowłosego chłopca o niebieskich oczach, z którym kryła się w zaroślach porastających zamkowe wzgórze, z którym upalnym latem brodziła w Sanie, a zimą toczyła bitwy na śnieżne kule. Ostatnim razem rozmawiali przed dziesięcioma laty, był wtedy nieśmiałym chłopcem o zamyślonym, nieobecnym spojrzeniu. Mimo to dziś ufała mu tak samo jak wtedy, dlatego, gdy stanął pod drzwiami jej domu w towarzystwie nieznajomego starszego mężczyzny, wahała się tylko chwilę. Przez godzinę, która wydawała się wiekiem, opowiadała o tym, co wydarzyło się tamtego wieczora. Choć wspomnienia te przyprawiały ją o zimny dreszcz, opowiedziała o wszystkim: o zaginięciu psa, poszukiwaniach w nadrzecznych zaroślach, mężczyźnie kryjącym się przed deszczem i wściekłym ataku wilka. Wiedziała, że mogą jej nie uwierzyć, ale opowiedziała wszystko tak, jak zapamiętała.

– Powinna pani lepiej się teraz odżywiać. – Brodacz sięgnął pod stół do płóciennego worka, który przyniósł wraz z kuferkiem, wyjął bochenek ciemnego chleba, pęto suszonej kiełbasy i zawiniątko z czymś, czego nie potrafiła od razu rozpoznać. – Trzeba odpocząć, nabrać sił.

Uśmiechnęła się z wdzięcznością. Obok kiełbasy i chleba, na stole pojawiła się fasola, jabłka i puszka śledzi. Przez cały dzień nie miała niczego w ustach, czuła w żołądku nieustanne ssanie. Nie mogła sobie pozwolić na odrzucenie prezentu. Głód i chęć poczęstowania gości kolacją wzięły górę nad wstydem. Sięgnęła do kredensu po talerze, pokroiła chleb, podzieliła kiełbasę, otworzyła puszkę ze śledziami.

– Twierdzi pani – odezwał się siwowłosy brodacz, gdy usiedli już do posiłku – że widziała kryjącego się w ciemnościach mężczyznę, który, kiedy tylko go pani wyminęła, przemienił się w wilka.

Alina poczuła, że smakująca dymem kiełbasa zagryziona kęsem chleba staje jej w gardle. Stało się to, czego obawiała się najbardziej. Mężczyzna nie wierzył w jej opowieść.

– Tak właśnie było. – Przełknęła i popiła herbatą. – Odwróciłam się, a coś uderzyło mnie w plecy i powaliło na ziemię.

– Jak wyglądał ten mężczyzna? Zdołałaby go pani rozpoznać?

– Był wysoki. Tak mi się przynajmniej wydawało. Było zbyt ciemno, aby dostrzec jego twarz, miał na sobie pelerynę z kołnierzem sięgającym ramion i taki dziwny kapelusz. – Alina uniosła zdrową dłoń wysoko ponad głowę.

– Cylinder. Miał na głowie cylinder, czy tak?

– Tak.

– Mówiła pani o wilku. Widziała go pani?

– Nie...

– Skąd więc pewność, że był to wilk, a nie człowiek, którego zobaczyła pani w zaroślach nad rzeką?

– Słyszałam jak dyszał, jak warczał... To było dzikie zwierzę! Czułam jego pazury, czułam zęby, które miażdżyły mi ramię.

Brodacz przełamał palcami kromkę chleba, ukroił kawałek kiełbasy.

– Czasem nasz umysł płata nam figle. Są chwile, kiedy nie możemy ufać naszym zmysłom. Nigdy nie słyszała pani szeptów w szeleszczących na wietrze zaroślach? Nigdy nie patrzyła pani późnym wieczorem na drzewa spowite mgłą, nie widziała tajemniczych sylwetek w ich poskręcanych pniach? Nigdy nie obudziła się pani w środku nocy z wrażeniem, że tuż obok jest ktoś obcy, mimo że w pokoju była pani zupełnie sama?

– W takim razie – zimnym głosem odpowiedziała Alina – jakież to figle wyczynia z panem pański własny wzrok, skoro widzi pan na moim ramieniu ślady wilczych zębów? A może wystarczy zamrugać, a rany znikną, jak gdyby nigdy ich nie było?

– Nie twierdzę, że mówi pani nieprawdę – brodacz uniósł brew, poprawił monokl – ale wiem też, że w tak niespodziewanej sytuacji, w jakiej nagle się pani znalazła, pani umysł mógł nie pracować tak, jak powinien.

– Nie wierzy mi pan?

– Wierzę. Widziałem już przedziwne rzeczy, ale w większości miały one swoje naukowe uzasadnienie. Jeżeli szukam wyjaśnienia pewnych zjawisk, choćby z pozoru miały one ponadnaturalny charakter, w pierwszej kolejności skupiam się na logicznych hipotezach.

– Jak więc mogę panu pomóc, skoro powątpiewa pan w moją opowieść?

– Czy w ostatnich dniach spotkało panią coś niezwykłego? – Profesor odpowiedział pytaniem na pytanie. – Spostrzegła pani obce ślady w obejściu? A może wcześniej pies zdradzał oznaki zdenerwowania? Ktoś pani groził? Nachodził? Naraziła się pani komuś?

Alina odsunęła od siebie talerz, przełknęła resztkę chleba. Sięgnęła po blaszany kubek z herbatą nie po to, by ugasić pragnienie, ale sprawdzić, czy jest w stanie opanować drżenie rąk.

– Nie wiem, kim pan jest, ale bliska mi osoba – spojrzała na siedzącego w milczeniu Borysa – zapewniła mnie, że chce mi pan pomóc. Mówi pan tak, jak nikt w naszym miasteczku, przeczytał pan zapewne więcej książek, niż ma nasza czytelnia. Jest pan wykształconym człowiekiem. Nie wiem jednak, czy zdaje pan sobie sprawę, jaki los czeka kobietę, której mąż postanawia zostawić dom i wyruszyć w poszukiwaniu szczęścia gdzieś w szeroki świat. Kobietę żyjącą w miasteczku, którego jeden koniec dostrzec można z drugiego. Kiedy w niedzielę idę do kościoła, zawsze staję z tyłu, pod organami, bo żadna kobieta nie chce usiąść obok mnie w ławce. Sklepikarz, pakując moje zakupy, za każdym razem proponuje mi dużą zniżkę. A zaraz potem dodaje, że wieczorem jego małżonka idzie na zebranie Koła Kobiet i nie będzie jej przez trzy godziny. Zrezygnowałam z zakupów i zaopatrywałam się już gdzie indziej, lecz kiedyś, gdy przechodziłam obok tego sklepu, dostrzegłam, że za ladą stoi żona sklepikarza. Chciałam coś kupić, ale kobieta chwyciła za miotłę i wygoniła mnie na ulicę, wyzywając od ladacznic dybiących na cudzych mężów. W ubiegłym miesiącu niemal co tydzień nachodził mnie jeden z urzędników z magistratu, kontrolował jakoby moją chatę zgodnie z zaleceniem komisji cholerycznej.

Hildenberg odłożył chleb, wsparł dłonie o blat stołu. Opuścił wzrok.

– Myślicie – zimnym, beznamiętnym głosem mówiła dalej Alina – że nie wiem, dlaczego przyszliście tu po zmroku? W porze, kiedy porządni mieszczanie jedzą kolację i kładą się spać. Dobrze wiecie, że gdyby ktoś was przyuważył, na mieście mówiono by, że płacicie mi za moje ciało. Jakich to perwersji w domu samotnej wdowy dopuszczają się młody mężczyzna i siwowłosy starzec?

Alina wstała, chwyciła lampę i wskazała dłonią drzwi.

– Nie potrzebuję waszej pomocy. Do tej pory doskonale radziłam sobie sama, dam sobie radę i teraz.

Światełko tliło się w oddali, ledwie widoczna iskierka nadziei w bezkresnym oceanie mroku. Czasem przygasało, znikało, by zaraz rozbłysnąć na nowo. Wiedział, że Alina chodzi po izbie, zabiera lampę ze stołu, rygluje drzwi, przygotowuje posłanie, wraca do kuchni, siada i rozmyśla o tym, co przyniesie noc. Wpatrywał się w świetlisty punkcik, aż zadrżał, przygasł i rozpłynął się w ciemności.

– Boisz się czegoś.

Oderwał dłonie od zimnej tafli szyby, spojrzał przez ramię. Laura siedziała na łóżku, wsparta o stertę poduszek, pod jej palcami prężył się biało-czarny kocur.

– Czemu tak sądzisz?

– Widzę to po twoim zachowaniu.

Profesor Hildenberg, zamknięty teraz w swoim pokoju, twierdził, że Alinie nic nie grozi, że najprawdopodobniej natknęła się na szaleńca przez przypadek. Wystarczy, że zarygluje i podeprze drzwi, zamknie okiennice, zda się na słuch i węch swojego psa. Obaj wiedzieli, że to nieprawda. Jakuba Stezla nie uchroniły zamki w drzwiach; zęby i pazury bestii dosięgły go w jego własnym łóżku. Nikt nie wiedział, jakimi motywami kierował się morderca, mogli jedynie zgadywać, co robił tamtego wieczoru w zaroślach nad rzeką, nieopodal domu samotnej wdowy. Mógł znaleźć się tam zupełnie przypadkiem, węszył i tropił po opłotkach miasteczka, mógł też pojawić się w tej okolicy z rozmysłem, realizując sobie tylko znany plan.

Nie potrafił pomóc kobiecie, która właśnie układała się samotnie do snu. Nie mógł zejść ze wzgórza, przeciąć zaoranych ściernisk i nie bacząc na złośliwe języki mieszkańców miasteczka, usiąść przy jej łóżku, ująć dłoń i wspólnie przeczekać do świtu. Nie mógł tego zrobić swojemu pracodawcy i gospodarzowi, szanowanemu lekarzowi, nie mógł tego zrobić jej. I bez jego obecności każda plotka, każde oszczerstwo, podejrzenie każdej zazdrosnej małżonki uderzały w młodą wdowę mieszkającą na skraju miasta. Jeżeli chciał jej pomóc, musiał doprowadzić do schwytania tego, kto tamtego wieczora ją zaatakował, znacząc śladem wilczych zębów.

Nie słyszał słów, które wypowiadała siedząca na łóżku dziewczynka. Stał przy oknie, wpatrzony w swoje własne rozmazane odbicie, a przed oczyma przebiegały mu zdarzenia z ostatnich dni. Młoda kobieta o poranionych dłoniach, blada twarz wtulona w blok błękitnego lodu, usta obrzmiałe od długiego przebywania w wodzie. Miejski rajca zagryziony pod murem klasztoru, ślady zębów na całym ciele, sine odciski palców na nadgarstkach. Stary Żyd rozszarpany we własnym łóżku, w sypialni na piętrze, podczas gdy jego małżonka spokojnie spała w sąsiednim pokoju. Plotki o chorym na wściekliznę wilkołaku, który zasmakował w ludzkim mięsie, oskarżenia rzucane przeciwko biedocie z dzielnicy żydowskiej, opowieści powtarzane po karczmach przez Górniaków i Rusinów, wedle których pewni ludzie mają moc przemiany w krwiożerczą bestię. Wreszcie, siwobrody profesor z Wiednia, dla którego każde, nawet najbardziej zagadkowe zjawisko ma swoje naukowe uzasadnienie. Ludzie zaczynali się bać swoich sąsiadów, dokładnie zamykali drzwi, ryglowali okiennice, spuszczali z łańcucha psy, tulili się z dziećmi pod jedną pierzyną. Komisarz w miejskim ratuszu, ksiądz w kościele, batko w cerkwi i rabin w synagodze, wszyscy byli bezradni wobec tajemniczej bestii. Mieszkańcy miasteczka nie wiedzieli, do kogo zwrócić się o pomoc.

Pasternak odetchnął głęboko, przeklinając w myślach własną głupotę. Odskoczył od okna, szybko pożegnał się ze swoją podopieczną, zbiegł ze schodów i stanął pod drzwiami pokoju gościnnego. Zapukał, ale nie usłyszał odpowiedzi. Zapukał jeszcze raz, po czym nacisnął klamkę. Drzwi nie ustąpiły. Sprawdził taras, gdzie spodziewał się zastać profesora, ale tam tylko jesienny wiatr miotał między drewnianymi kolumienkami zeschnięte liście. Najwyraźniej Hildenberg wybrał się na nocną przechadzkę.

Komisarz Witchenbacher dopił kawę, odstawił filiżankę do blaszanej miednicy, usiadł na krześle i zaczął wzuwać buty o wysokich cholewach. Siedząca po drugiej stronie stołu małżonka nie odezwała się ani słowem, ale jej oczy natychmiast wypełniły się łzami. Zdawał sobie sprawę, że są to łzy wściekłości, nie zazdrości.

– Wychodzę – warknął. – Wrócę przed północą.

– Możesz zostać u niej choćby na zawsze – wycedziła przez zęby Eleonora. – Możesz robić, co tylko chcesz, możesz zapaść się pod ziemię, możesz...

– Wychodzę w sprawach służbowych – przerwał ostro. Poprawił kołnierz koszuli, naciągnął na siebie kurtkę, strzelił drzwiami.

Na zewnątrz przystanął, spojrzał w niebo, na zawieszony między chmurami księżyc. Przeczesał palcami włosy. Ruszył drogą w górę, w kierunku miasta. Starał się iść szybko, ale tak, by się nie zasapać i uważać, gdzie stawia stopy. Nie chciał stanąć przed wysłannikiem Ministerstwa Spraw Wewnętrznych zdyszany, spocony, z butami usmarowanymi końskim łajnem.

Zgodnie z instrukcjami dostarczonymi przez chłopca, o wyznaczonej porze dotarł w okolice Ogrodu Miejskiego. Brama była już zamknięta, z trudem wspiął się więc na ogrodzenie. Kiedy przekładał nogę nad ostro zakończonymi prętami, usłyszał, jak szwy jego spodni pękają głośno. Opuścił się na drugą stronę, wpadając wprost w gęsty żywopłot. Wyszedł na alejkę, sięgnął dłonią, poczuł sporych rozmiarów dziurę w kroku. Zaklął cicho. Mógł teraz mieć tylko nadzieję, że wysłannik z Wiednia z powodu ciemności nie dostrzeże tego uszczerbku w jego garderobie.

Szybko odnalazł wskazaną ławkę, ustawioną tuż przy ogrodzeniu, osłoniętą żywopłotem i niskimi choinkami, oddaloną od światła ulicznych latarni. Usiadł, opierając głowę o pręty ogrodzenia.

W pierwszej chwili zdziwiło go, że wysłannik ministerstwa nie pojawił się oficjalnie w magistracie, nie stanął przed burmistrzem, nie zażądał zwołania nadzwyczajnego posiedzenia rady, nie pochwalił jego zapobiegliwości. Kiedy jednak zastanowił się nad tym dłużej, uznał, że ostrożność, która z początku wydała mu się nazbyt przesadna, była w istocie przejawem sprytu i inteligencji. Agent, nie ujawniając swojej obecności, mógł działać znacznie skuteczniej. Nie wiadomo było, ilu mieszkańców miasta zamieszanych jest w spisek, kto do niego należy, jakie przygotowania zostały już poczynione i co jest celem spiskowców. Fakt, że agent w tak dyskretny sposób poprosił go o spotkanie, był dla komisarza jednoznacznym dowodem dobrego wrażenia, jakie jego telegram zrobił na wpływowych personach w Wiedniu, i zaufania, jakim go obdarzono.

Z zamyślenia wyrwało go delikatne ukłucie szpilki, przystawionej do jego szyi tuż pod uchem.

– Jeżeli się ruszysz, zginiesz – usłyszał szept, niewiele głośniejszy od tłumionego oddechu.

Komisarz skinął głową. Czyjaś dłoń chwyciła go za włosy, zmuszając do odchylenia się do tyłu. Po chwili chwyt zelżał, ale Witchenbacher nie był w stanie opuścić podbródka ani podnieść się z miejsca. Coś zaciskało mu się boleśnie na gardle. Powoli, tak by nie narazić się przeciwnikowi, podniósł dłoń i przyłożył ją do szyi. Poczuł pod palcami cienki stalowy drut, który niczym pętla wiązał go do prętów ogrodzenia.

Chwila ciszy, po niej ledwo słyszalny trzask. Tu przed jego oczyma, po lewej stronie, pojawiła się dłoń w skórzanej rękawiczce, między palcami tkwiła płonąca zapałka. Druga dłoń wynurzyła się z ciemności po prawej stronie, wprowadzając w krąg światła otwarty notatnik. Komisarz zmrużył oczy, usiłując odczytać niewyraźne litery pośpiesznie nakreślone ołówkiem:

Masz przy sobie to, o czym pisałeś w telegramie?

Chciał skinąć głową, ale drut wpił się w jego gardło.

– Tak – wycharczał.

Sięgnął do wewnętrznej kieszeni, namacał ciężki obły przedmiot. Wyjął go w chwili, kiedy pędzące po niebie chmury odsłoniły jasną tarczę księżyca. W mglistej poświacie błysnął złoty medalion w kształcie wilczej paszczy.

Ostrze szpilki, a może sztyletu, mocniej ukłuło go w szyję. Syknął z bólu.

Przesunął medalion do tyłu, ale agent nie sięgnął po niego, jakby obawiał się ujawnienia choćby fragmentu swojego stroju.

Kolejna zapałka, kolejne pytanie zapisane ołówkiem:

Kto jeszcze wie o medalionie?

– Nikt. Auuuu! Mówię prawdę. Przestań, zaraz przebijesz mnie na wylot tym żelastwem! Powtarzam, nikt go nie widział. Wyjąłem go z dłoni Skwierzyńskiego. Gdyby ktoś wcześniej się zorientował, że zmarły ma medalion, już by go nie było. Na pierwszy rzut oka widać, że to złoto. Rozpoznałem ten znak.

Wiem, co oznacza. Natychmiast zabezpieczyłem medalion, nikomu o nim nie wspominałem. Zaraz wysłałem telegram do Lwowa.

Chwila ciszy, trzask odpalanej zapałki.

Rozpoznałeś medalion?

– Czytałem artykuł w „Gońcu Lwowskim", widziałem ilustrację. Zamach na lwowskiego fabrykanta, nie pamiętam już nazwiska. Bomba rzucona pod koła powozu. Zdemaskowana siatka terrorystów powiązanych z rosyjskimi socjalistami, ujawnione plany strajków, zamieszek i zamachów. Dobrze zapamiętałem ilustrację, którą opatrzony był artykuł. Głowa złotego wilka, symbol spiskowców.

Skąd ten medalion znalazł się w posiadaniu Skwierzyńskiego?

– Nie wiem, naprawdę nie wiem. Gdyby nie ten wypadek, gdyby nie śmierć radnego, nigdy nie wpadłbym na ślad spisku. Czytałem o robotniczych niepokojach w wielkich miastach, ale Sanok to spokojne miasteczko, jest tu tylko jedna duża fabryka, ale jej właściciel, Lipiński, dobrze traktuje swoich robotników. Uczniowie gimnazjum bawią się w tajne organizacje, wiem, że nocami spotykają się tu, w Ogrodzie Miejskim, deklamują wiersze i śnią na jawie o wielkiej wojnie... auuuu... Mówię prawdę! – Witchenbacher szarpnął się, ale gwałtowny ruch powstrzymała stalowa pętla na szyi. – Znalazłem medalion, rozpoznałem go i natychmiast nadałem telegram.

Śmierć kolejnego rajcy?

– Izaak Stezl, stary Żyd. – Komisarz zamrugał, usiłując strącić z powiek krople potu. – Znaleziono go w łóżku, miał na sobie jedynie nocną koszulę. Dokładnie przeszukałem jego mieszkanie. Nie znalazłem niczego, co mogłoby wskazywać na jego udział w spisku.

Czubek sztyletu powolutku sunął w górę, ostrze otarło się o ucho policjanta. Kolejna zapalona zapałka i pytanie, które podetknięto mu już wcześniej.

Skąd ten medalion znalazł się w posiadaniu Skwierzyńskiego?

– Nie wiem... Boże, wykrwawię się na śmierć! – Witchenbacher spróbował przekręcić się tak, aby spojrzeć w twarz agenta, ale uniemożliwiła mu to druciana pętla. – Jeśli spiskowców w ogóle miałoby interesować nasze miasteczko, to tylko z powodu fabryki wagonów. Zakład na ostatniej wystawie przemysłowej we Lwowie zdobył złoty medal, zamówienia płyną z całego cesarstwa. Po mieście krąży plotka, że kierownictwo fabryki chce zaprosić kogoś z cesarskiej rodziny, a kto wie, może nawet Jego Cesarską Mość.

Ostrze sztyletu odsunęło się od pulsującej przyśpieszonym oddechem szyi. Szelest ołówka na papierze:

Opowiedz wszystko, co zdołałeś ustalić.

Komisarz przełknął głośno ślinę, zaczerpnął powietrza. Nie wiedział, od czego zacząć, ale ostry dotyk stali natychmiast przywrócił mu jasność myśli i swobodę wypowiedzi.

– To wszystko, co wiem. – Odetchnął głęboko w oczekiwaniu na kolejną zapałkę oświetlającą pytanie w notatniku. Czekał, ale ciszę jesiennej nocy zakłócał jedynie wiatr trącający gałęzie drzew. Komisarz spróbował spojrzeć za siebie. Druciana pętla zniknęła. Przeskoczył ławkę, wyjrzał poprzez pręty ogrodzenia, lecz wąskie uliczki miasteczka pogrążone były w ciemnościach.

7

Obudziło go ciche skrobanie, odgłos pazurów trących o drewno. Kaszycki uniósł powieki. Przez niewielkie okno umieszczone wysoko pod samym sufitem do izby wpadało wczesne światło poranka. Wstał, naciągnął koszulę, chyląc głowę pod belkami podtrzymującymi strop poddasza, podszedł do drzwi. Za progiem czekał na niego rudy kocur, wyprężony, z wysoko uniesionym ogonem. Kot miauknął i wślizgnął się do środka, ocierając się wychudzonym bokiem o łydkę dziennikarza.

– Jesteś głodny, co? – Kaszycki patrzył, jak zwierzę okrąża zapuszczoną izdebkę, wskakuje na posłanie, węszy chwilę przy poduszce, zeskakuje pod okno i wspinając się na tylne łapy, próbuje dosięgnąć parapetu. – Wiem, co czujesz.

Ubiegłego wieczora nie dojadł kolacji, zostawiając sobie na rano kromkę chleba, pół jajka ugotowanego na twardo i nieco masła w glinianej misce. Podszedł do parapetu, który traktował jak półkę. Przekroił nożem pajdę chleba na pół, posmarował cienko masłem i podstawił kotu pod nos. Kocur łapczywie zlizał masło, mniej chętnie zabrał się za razowy miąższ. Pozostałą skórkę Kaszycki odłożył na parapet. Mogły przyjść dni, kiedy jego rudy przyjaciel znajdzie się w takiej potrzebie, że nie wzgardzi nawet czerstwą skórką chleba. Sam zjadł jajko, zagryzając je razowcem. Upił łyk wody z dzbanka, naciągnął spodnie, wzuł buty, chwycił leżącą przy łóżku teczkę i wyszedł na miasto.

Pierwsze kroki skierował w stronę ulicy Kościuszki, gdzie na pierwszym piętrze drukarni Karola Pollaka mieściła się redakcja „Gazety Sanockiej". Mimo wczesnej pory na ulicach panował już spory ruch. Obładowane beczkami i skrzyniami wozy dostarczały do sklepów towary, spóźnieni robotnicy śpieszyli w stronę żydowskiego cmentarza, by wijącą się w dół cesarską drogą dotrzeć do fabryki Lipińskiego. Żebracy i włóczędzy rywalizowali o najlepsze miejsca przy murach kamienic bądź udawali się pod drzwi kościoła farnego. Jeden z nich, beznogi kaleka skulony pod ścianą na drewnianej platformie z dokręconymi kółkami, chwycił nogawkę dziennikarza i wymamrotał prośbę o datek, ale Kaszycki wyrwał mu się gwałtownie i ruszył dalej, w stronę ulicy Jagiellońskiej.

Zatrzymał się na chwilę przed fasadą księgarni, obejrzał wystawione w gablotach książki, oddał ukłon Władysławowi Osowskiemu, nowo mianowanemu nadzorcy skarbowemu magazynów tytoniowych. Wbiegł na piętro i zastukał w drzwi redakcji. Jak się tego spodziewał, choć słońce dopiero co wychyliło się zza wzgórz, w księgarni i biurze trwała praca. Redaktor zajęty był rozmową z Jakobem Lauferem, właścicielem sanockiego bazaru. Kupiec, w bogatym płaszczu z lisim kołnierzem, z powagą dyktował treść ogłoszenia, przedstawiając swoją ofertę: buty Karlsbadzkiego, bielizna wełniana profesora Jagera, kalosze rosyjskie, rękawiczki praskie. Kaszycki wślizgnął się do środka i nie przerywając wywodów kupca, skinął głową na powitanie, oddał dwa teksty do niedzielnego wydania: artykuł o kredycie zaciągniętym w Banku Krajowym przez radę miejską w Lisku na urządzenie targowicy dla bydła i materiał o bestialskim ojcu, który w biały dzień, w okolicach Blachówki, wychłostał swoje dziecko do nieprzytomności. Zaczekał, aż odliczono należne mu pieniądze, chuchnął na szczęście w chudy przetarty portfel i wyszedł na ulicę.

Czując, że z głodu aż ssie go w żołądku, wstąpił do pierwszego sklepu. Poprosił o pół bochenka razowego chleba i słoik konfitur. Na ulicy, od otulonej w wełniane chustki Rusinki, kupił kawałek wędzonej przy ognisku kiełbasy, mocno doprawionej czosnkiem. Zwalczył pokusę, by zjeść śniadanie w karczmie. Połowę z tego, co zarobił, musiał odłożyć na zaległe komorne. Kiełbasę i konfitury wsadził do kieszeni, bochenek ukrył pod połą marynarki i miał już pójść do swojej izby na poddaszu, gdy raptem uznał, że nie ma ochoty jeść w brudnym, dusznym pomieszczeniu. Żołądek zresztą coraz gwałtowniej domagał się śniadania. Skręcił z głównej ulicy i wszedł między domki rzemieślników, niskie, kryte gontem, poprzedzielane szerokimi na trzy kroki ogródkami, płotkami z żerdzi i śliską od błota ścieżką. Znalazł ustronne miejsce, zbitą z trzech desek ławeczkę pod dziką jabłonką, usiadł i zatopił zęby w połówce razowca. Czuł, jak zebrana ślina natychmiast wchłania się w pokaźny kęs świeżego chleba. Zagryzł kiełbasą. Przymknął oczy, delektując się smakiem wzbogaconym o ciężki aromat czosnku i słodkawą woń dymu z jałowcowych polan. Raz po raz wypełniał usta razowcem, gdy usłyszał ciche popiskiwanie.

Wstał, zebrał z koszuli kruszyny chleba i wepchnął je do ust. Przełknął, schował resztę razowca i ułomek kiełbasy do kieszeni, rozchylił zarośla, odsłaniając widok na tyły jakiegoś zapuszczonego domostwa, ciasne i brudne podwórko, ledwie trzymającą się kupy szopę i psią budę. Popiskiwania dochodziły właśnie z niej. Kaszycki wcisnął się między gałęzie, wsparł ramię o szczerbaty płotek, drugą rękę wyciągnął przed siebie. Cmoknął cicho. Z budy wychylił się bury psiak o wielkich uszach i równie wielkich ślepiach, zaczerwienionych i zaropiałych. Pies warknął, ale nie widząc w nieznajomym zagrożenia, zaskomlił przeciągle. Wąską głowę i chudy grzbiet znaczyły sine i czerwone pręgi, skórzana obroża wisiała na żylastym karku. Kaszycki nachylił się najniżej jak pozwoliły mu na to żerdzie w płocie, pies wyszedł z budy na długość łańcucha, trącił suchym nosem przyjazną dłoń, wysunął jęzor. Dopiero teraz widać było sterczące pod skórą żebra i chude łapy. Pies powąchał dłoń, łapczywie zlizał z niej woń kiełbasy i zanurzył pysk w kałuży. Chłeptał przez chwilę.

Kaszycki sięgnął do kieszeni, wyjął resztki kiełbasy, spojrzał tęsknym wzrokiem na nadgryziony kawałek, jeszcze raz zatopił zęby w ułomku i rzucił go psu. Zwierzę, przyzwyczajone bardziej do kamieni niż życzliwości, uskoczyło, ale zaraz pochyliło pysk i jednym gwałtownym ruchem szczęk chwyciło kiełbasę. Gryzło łapczywie, odrzucając łeb do tyłu. Dziennikarz spojrzał na psa i przysiągł sobie, że jeszcze do niego wróci.

Zagłuszywszy głód, Kaszycki wyszedł spomiędzy zabudowań i udał się na plac Świętego Michała. Przystanął koło jednej z dorożek, wyjął z kieszeni notatnik, szybko nakreślił kilka słów ołówkiem, wydarł kartkę i skinął na chłopca pomagającego fiakrom oporządzać konie.

– Wiesz, gdzie jest dom pana Skwierzyńskiego?

Smarkacz o umorusanej twarzy i czarnych od brudu dłoniach pociągnął nosem, pokręcił przecząco głową. Kaszycki popchnął chłopca w kierunku rynku, podszedł z nim pod piętrową kamieniczkę.

– Wejdziesz na piętro, zapukasz w drzwi po lewej stronie – polecił, kiedy skryli się już w wąskiej, ciemnej bramie. – Jeżeli otworzy ci tęga elegancka pani, poprosisz o coś do jedzenia. Pani poleci służącej, aby wyniosła ci coś z kuchni. Wtedy dasz jej ten liścik. Jeżeli otworzy służąca lub młoda panienka, od razu wręczysz jej kartkę. Jak dobrze się spiszesz, dostaniesz na cukierki.

Chłopiec potwierdził, że zrozumiał polecenie, chwycił złożoną na czworo kartkę i pomknął schodami. Wrócił po trzech minutach.

– Panienka prosi, aby wszedł pan na górę. – Wyciągnął przed siebie dłoń, domagając się zapłaty.

Dziennikarz sięgnął do kieszeni po drobną monetę. Na obiad do państwa Skwierzyńskich zapraszany był już dwukrotnie, podobnie jak wielu młodych mężczyzn goszczonych w mieszczańskich domach, gdzie znajdowały się panny na wydaniu. W jego wypadku była to jednak czysta kurtuazja; dziennikarza bez grosza przy duszy traktowano jako towarzyską ciekawostkę, w żadnym razie nie nadawał się na męża majętnej panny i zięcia rajcy. Kaszycki wszedł po schodach, układając w myślach plan rozmowy i zastanawiając się nad przyczyną nieoczekiwanego zaproszenia. W liście poprosił Izabelę, córkę świętej pamięci Skwierzyńskiego, o wieczorny spacer i chwilę dyskretnej rozmowy, tymczasem proszą go oficjalnie do środka, w biały dzień, niespodziewanie. Poprawił koszulę, przygładził zmierzwione włosy, stanął przed drzwiami, zastukał. Z korytarza wychyliła się blada twarz Izabeli Skwierzyńskiej.

– Dzień dobry panience. – Kaszycki uśmiechnął się i elegancko ukłonił. – Jak się szanowna panienka dziś miewa?

Szczupła dziewczęca dłoń chwyciła go za kołnierz marynarki.

– Wejdź, idioto – prychnęła panna Izabela, wciągając go do mieszkania. – Szybciej, bo jeszcze cię dozorca przyuważy.

Zdezorientowany dziennikarz wszedł do przedpokoju, za plecami szczęknęła zasuwa, ciężko zazgrzytał zamek. Dziewczyna gestem dała mu znak, aby wszedł dalej. Rozejrzał się po eleganckim wnętrzu, które dobrze pamiętał z dwóch proszonych obiadów: wytworny, choć nieco przetarty dywan, czarna bryła fortepianu, kolbuszowskie meble naśladujące biedermeier, fornirowany dębem szeroki stół, krzesła o szkarłatnych obiciach, jasne tapety na ścianach, górski pejzaż zawieszony na wprost drzwi.

Izabela poprawiła związane w koński ogon włosy, szczelniej okryła się narzuconą na ramiona wełnianą chustą, usiadła przy okrągłym stoliku pod oknem, gdzie podczas jego ostatniej wizyty w domu Skwierzyńskich grano w karty. Na stoliku nie było jednak kart ułożonych w pasjansa ani szachownicy gotowej do rozpoczęcia nowej gry. Zamiast tego, na środku okrągłego blatu stała butelka wiśniowej nalewki i do połowy opróżniona szklanka. Ze stołu nie sprzątnięto resztek z obiadu, na oparciu jednego z krzeseł wisiała jedwabna pończocha.

– Gdzie matka? – zapytał. – Jesteś sama?

Dziewczyna sięgnęła po szklankę, gestem wskazała kredens. Wziął kieliszek dla siebie i usiadł naprzeciwko niej.

– Wyjechały na wieś, zaraz po przesłuchaniu. – Napełniła szkło czerwoną jak krew wiśniówką. – Matka, siostra, służąca i kucharka.

– Zostawiły cię tu samą?!

– Powiedziałam, że nigdzie nie jadę, że wolę wyskoczyć przez okno, niż uciekać na wieś. Co miałabym tam robić? Słuchać lamentów matki i skarg Heli?

Spojrzał na jej bladą, choć miłą twarz, smukłą szyję i wąskie usta, których smak zdążył już poznać. Poza dwoma oficjalnymi obiadami, spędził ze starszą z panien Skwierzyńskich letni wieczór, zakończony długim spacerem po parku i kilkoma pośpiesznymi chwilami na jednej z bardziej ustronnych ławeczek.

– Matka pozwoliła ci zostać w mieście? To zbyt niebezpieczne.

– Nic mi tu nie grozi. Nie opuszczam mieszkania, siedzę zamknięta na cztery spusty, jedzenie przynosi mi żona dozorcy.

– Ten, kto zabił twojego ojca wciąż pozostaje na wolności. Słyszałaś, co się stało ze Stezlem? Nie uchroniły go drzwi ani zamki.

– A jakie to ma teraz znaczenie? – Wzruszyła ramionami i umoczyła usta w nalewce. – Gdyby ten szaleniec mnie zabił, wyświadczyłby mi tylko przysługę. Po tym skandalu nikt odpowiedni już mi się nie oświadczy. W najlepszym razie zostanę żoną szewca lub ambitnego subiekta, który będzie chciał przejąć interesy papy.

– Nie mów tak, proszę. – Kaszycki sięgnął po kieliszek, poczuł na języku cierpko-słodki smak wiśni. – Prędzej czy później morderca twojego ojca zostanie schwytany i osądzony. Z czasem ludzie zapomną, przestaną plotkować, zajmą się swoimi sprawami, a ty znajdziesz godnego siebie mężczyznę.

Bladą twarz dziewczyny ożywił nieśmiały uśmiech.

– Naprawdę tak myślisz?

– Naprawdę. – Dziennikarz osuszył kieliszek, chwycił za butelkę i rozlał nalewkę, napełniając szklankę dziewczyny po brzegi. – Najpierw jednak muszą schwytać szaleńca, który dopuścił się tej zbrodni. To tylko kwestia czasu. Zeznawałaś już na policji, prawda?

Izabela skinęła głową.

– Wszystkie byłyśmy przesłuchiwane przez komisarza. Nieprzyjemny typ. Wstrętny grubas. Najpierw rozmawiał z matką, potem ze mną i Helą. Wypytywał też służbę o różne rzeczy.

– Pamiętasz, co dokładnie chciał wiedzieć? – Kaszycki ujął kieliszek, uniósł go i trącił szklankę dziewczyny. Izabela skinęła głową i spełniła toast.

– Interesowały go sprawy papy – skrzywiła się i otarła usta wierzchem dłoni, odchylając się wygodniej na oparcie krzesła. – Pytał, czy w ostatnich dniach zdarzyło się coś niezwykłego, czy mieliśmy niespodziewane odwiedziny, czy coś lub ktoś zakłócił nasz spokój. Pytał, czy papa wspominał, że ktoś mu się odgrażał, złorzeczył czy straszył. Interesowało go, czy ostatnimi czasy zwolniliśmy kogoś ze służby bądź czy nie przyjęliśmy kogoś nowego. Pytał nawet o kawalerów, którzy starali się o rękę moją lub Heli.

Dziennikarz ponownie uniósł kieliszek, Izabela sięgnęła po szklankę. Skrzywili się oboje. Cierpkość wiśni skutecznie tuszowała moc alkoholu.

– Powiedziałaś wszystko, jak na spowiedzi. – Kaszycki uzupełnił braki w szklance i kieliszku. – Dzięki twojej pamięci i spostrzegawczości policja jest już pewnie na tropie zbrodniarza.

Dziewczyna zrzuciła z ramion wełnianą chustę. Odpięła guzik przy szyi, odetchnęła głęboko, rozpięła jeszcze jeden. Wzrok dziennikarza bezwiednie podążył w kierunku odsłoniętego dekoltu i kształtnej, choć bladej piersi.

– Opowiedziałam wszystko, jak było – mówiła dalej Izabela. – Ale mama skłamała. Sama słyszałam, jak okłamała tego gbura, komisarza.

Dłoń dziennikarza zadrżała, gęste krople nalewki, jak spływająca krew, splamiły błyszczący blat stolika.

– Twoja matka okłamała Witchenbachera?

Izabela przytaknęła skwapliwie.

– Komisarz pytał, skąd papa wracał o tak późnej porze do domu. Matka odpowiedziała, że był u pana Milczanowskiego, gdzie rozmawiali o sprawach miasta i do późna grali w karty.

– Cóż w tym dziwnego?

– Papa nigdy nie grał w karty. Nigdy. Nasz stryj przegrał w karty spory majątek i papa poprzysiągł sobie, że nigdy nie usiądzie do gry.

Kaszyckiemu przypomniało się, że gdy gościł u Skwierzyńskich, po obiedzie usiadł z panią domu i jej córkami do gry, podczas gdy rajca głośno krytykował wszelkie formy hazardu, przedkładając fajkę ponad karty, kości czy ruletkę.

– Jak myślisz, dlaczego mama okłamała policjanta?

– Nie wiem. – Izabela napiła się, z kącika jej ust spłynęła czerwona strużka, oblizała się i spojrzała mglistym wzrokiem na dziennikarza.

Kaszycki gorączkowo zbierał myśli. Jeżeli żona rajcy zeznała, że Skwierzyński był tego wieczora u Milczanowskiego, Witchenbacher z całą pewnością potwierdził ten fakt u źródła. Milczanowski musiał więc potwierdzić wersję Skwierzyńskiej.

– Gdzie twój ojciec spędził ten feralny wieczór?

– Nie wiem. Czytałam, gdy wychodził. Było już późno, słyszałam tylko, jak na dole trzasnęły drzwi. Nie zdążyłam się nawet z nim pożegnać.

– A pamiętasz tamten dzień? Przypominasz sobie coś? Ojciec był czymś zdenerwowany? Przejęty?

– Ostatnio ciągle był zdenerwowany, irytował się o byle drobiazg. Wszystko go złościło. Kłócił się często z mamą.

– O co się kłócili?

Dziewczyna zacisnęła wargi i spojrzała na swoje dłonie. Kaszycki milczał, ale nie doczekał się odpowiedzi.

– Jesteś pewna, że tamtego wieczora twój ojciec nie spędził z Milczanowskim? Może byli razem, tyle że nie grali w karty.

– Nie.

– Skąd ta pewność?

– Papa nie lubił pana Milczanowskiego. Ja też. Dawniej, kiedy przychodził do nas w gości, pił więcej niż inni, a potem opowiadał o swoich łowieckich przygodach. Uważam, że w zabijaniu zwierząt nie ma niczego zabawnego.

– Skąd wiesz, że ojciec nie lubił Milczanowskiego? Słyszałaś, jak papa mówił o nim coś złego? A może byli skłóceni?

– Ubiegłej niedzieli zaraz po mszy poszliśmy razem na spacer: ja, papa i Hela. Mama została w domu, nie najlepiej się czuła. W Ogrodzie Miejskim spotkaliśmy kupca Rotfelda z synami. Chodziliśmy alejkami, papa siedział na ławeczce i czytał gazetę. W pewnym momencie zauważyłam, że przysiadł się do niego pan Milczanowski. Rozmawiali, a po chwili usłyszałam, jak jeden przekrzykuje drugiego. Przeprosiłam starszego Rotfelda i podeszłam do papy. Milczanowski na mój widok wstał i odszedł.

– Słyszałaś, o co się kłócili?

Izabela odwróciła wzrok do okna.

– Kłócili się o to samo, o co ojciec kłócił się z matką, prawda?

– Nie chcę o tym mówić.

– Dlaczego?

– O pewnych rzeczach nie wypada mówić. Przynosi to więcej szkody niż pożytku.

Kaszycki chwycił dłoń dziewczyny, pogłaskał, musnął palcami. Miał okazję się przekonać, że Izabela Skwierzyńska nie jest uległą, cnotliwą i pobożną córką miejskiego rajcy, że ma charakter, własne zdanie i pragnienia. Nie było rzeczy, o których wstydziła się mówić, przekonał się, że dość swobodnie podchodziła do większości spraw, które dziewczęta w jej wieku przyprawiały o rumieniec. Poza jedną.

– Chodzi o małżeństwo, prawda? O małżeństwo twoich rodziców? Ojciec kłócił się z matką o inną kobietę? Tą samą, o którą spierał się z Milczanowskim?

– Nie chcę o tym rozmawiać.

– Czy twój ojciec miał romans?

– Nie wiem.

– Posłuchaj, to bardzo ważne. – Kaszycki czule gładził dłoń dziewczyny, delikatnie pieszcząc jej nadgarstek. – Ta informacja może pomóc w schwytaniu mordercy twojego ojca. Być może kobieta, która była powodem kłótni twoich rodziców, wie coś, co doprowadzi nas do rozwiązania tej zagadki.

– Papa bardzo nas kochał, nigdy by nie pozwolił, aby stało się nam coś złego. Mama czasem zrzędziła, że za dużo pracuje, że zbyt wiele czasu i wysiłku poświęca sprawom miasta, ale rodzice byli przykładnym małżeństwem. Tylko jeden jedyny raz doszło między nimi do awantury.

– Kłócili się o kobietę?

Izabela skinęła głową i głośno pociągnęła nosem. W kącikach jej zaczerwienionych oczu pojawiły się łzy.

– Raz na jakiś czas ojciec wracał do domu późną nocą. Zostawał w magistracie, by z innymi rajcami dyskutować o sprawach miasta. Tamtej nocy wrócił po północy. Otworzyła mu służąca. Rankiem, przy śniadaniu, matka zachowywała się inaczej niż zwykle. Zdarzało jej się biadolić, że znów się nie wyspał, ale tym razem siedziała przy stole naburmuszona, milcząca, ciskając wzrokiem gromy. Ojciec również milczał, jadł ze spokojem śniadanie. I wtedy...

– Co wtedy? – dopytał z naciskiem dziennikarz. – Co się stało?

– Matka chwyciła filiżankę i chlusnęła mu w twarz gorącą kawą. Rzuciła się na papę, zaczęła płakać. Nie wiem, co było dalej, bo papa siłą odprowadził mamę do sypialni, a służąca kazała nam wrócić do naszego pokoju. Słyszałam, jak za ścianą mama wykrzykuje coś o innej kobiecie, o śladach, które zostawiła na jego ciele.

– Czy podczas awantury nie padło imię tej kobiety?

– Nie. Wieczorem zjedliśmy kolację w milczeniu. Matka miała oczy czerwone od płaczu, ale nie odezwała się ani słowem, ani do ojca, ani do nas. Kolejny dzień był taki sam jak wszystkie poprzednie, zjedliśmy śniadanie, rozmawiając jak gdyby nigdy nic, o błahostkach i sprawach codziennych, a potem papa wyszedł do magistratu. Nigdy już żadne z nich nie wróciło w rozmowie do tamtych wydarzeń.

– Nie podejrzewasz, co mogło się stać tamtej nocy?

Izabela zaprzeczyła ruchem głowy, przetarła palcami oczy.

– Może ojciec skorzystał z usług którejś ze sprzedajnych dziewczyn?

– Na pewno nie – zaprzeczyła stanowczo Izabela. – Papa dumny był z tego, że zasiada w miejskiej radzie. Był synem ubogiego szewca, do wszystkiego doszedł sam, dorobił się kamienicy, majątku pod miastem i statusu rajcy. Nie ryzykowałby swojej pozycji, chodząc do... takich kobiet.

Kaszycki pożałował, że trzymając w dłoni rękę dziewczyny, nie może sięgnąć po notes i zanotować, co usłyszał. Nie przestając pieścić jej szczupłych palców, rozlał resztkę nalewki.

– Myślisz, że Milczanowski mógł mieć powód, aby sprawić przykrość twojemu ojcu? Poza ostatnią niedzielą, kłócili się jeszcze kiedyś?

– Nie. Dawnej pan Józef bywał często w naszym domu, podobnie jak kilku innych znajomych papy. Nie wiem, dlaczego później przestał nas odwiedzać, a tamtego dnia, w Ogrodzie, tak się rozgniewał. Nigdy go nie lubiłam, ale to właśnie on pomógł mamie wyjechać z miasta.

– Jak to? – zdziwił się dziennikarz.

– Był u nas wczoraj z samego rana, przyszedł razem z tym aptekarzem, panem Ochmańskim. To oni namówili mamę do wyjazdu, pomogli się spakować, podstawili konie. Przed obiadem pojechali razem z mamą do notariusza, odebrali stosowne pełnomocnictwa, obiecali, że będą doglądać interesów papy i wszystkim się zajmą.

Po bladym, zapadłym policzku dziewczyny spłynęła łza. Kaszycki splótł swe palce z palcami Izabeli, drugą dłonią starł kroplę osiadającą na jej ustach. Chwyciła mocno jego nadgarstek, musnęła bladymi wargami wnętrze dłoni.

– Nie zostawiaj mnie tu teraz samej.

Kaszycki przypomniał sobie chwile spędzone na ustronnej ławeczce w parku. Spojrzał na wąskie rozchylone usta, długą szyję i odkryty dekolt. Podniósł się z miejsca, objął szczupłe ramiona dziewczyny i pozwolił, by osunęła się na miękki dywan.

8

Aptekę Anzelma Ochmańskiego wypełniało przyjemne ciepło rozchodzące się od rozgrzanego do czerwoności pieca, zapach ziół porcjowanych w papierowych torebkach, wszelkiego rodzaju leków, maści i słodkiego syropu na kaszel.

Gromadka wystrojonych w kolorowe chusty chłopek, które do miasta przyjechały wozem z Jurowiec, Trepczy, a może Mrzygłodu, pochłaniała wzrokiem eliksiry wystawione w słoiczkach z grubego szkła. Sprzedawca, z racji niskiego wzrostu ledwie widoczny zza masywnej lady, dwoił się i troił, podpowiadał, doradzał, zręcznymi ruchami odmierzał bandaże.

Ochmański wszedł do apteki, szybko zamykając za sobą drzwi, by ciepło nie uciekło na pogrążoną w jesiennej słocie ulicę. Skinieniem głowy odpowiedział na powitanie pracownika, energicznym krokiem przeszedł przez pomieszczenie i skrył się na zapleczu. W ciasnym, ciemnym kantorku zdjął z siebie przemoczony płaszcz i odłożył na stół zawinięty w szary papier pakunek. Odszukał lampę, a następnie w jej świetle przeczytał pozostawioną przez subiekta notatkę, spis medykamentów, które należało przygotować na jutro. Podwinął rękawy i już miał się zabierać do kruszenia ziół, ucierania maści i mieszania ingrediencji, kiedy nad poczuciem obowiązku wzięło górę łakomstwo. Lekarstwa mógł przygotować wieczorem, po zamknięciu apteki. Odwinął przyniesiony pod płaszczem pakunek, spod szeleszczącego papieru wyjął gładkie gomółki sera, pęto podsuszanej kiełbasy i butelkę węgierskiego wina. Składanym nożem wydłubał korek, napełnił szklankę ciemnoczerwonym trunkiem i wygodnie rozparł się na krześle, delektując słodkim korzennym smakiem. Pokroił ser, oderwał kawałek pachnącej kiełbasy. Wydarzenia ostatnich dni zburzyły spokój jego myśli, odebrały radość życia, utrudniały sen. Ukojenie znajdował w jedzeniu, w sutych obiadach zamawianych w Grand Restauracji, w domowych posiłkach przygotowywanych przez żonę, w winie popijanym ukradkiem na zapleczu apteki.

Posiłek przerwało ciche pukanie. W uchylonych drzwiach zobaczył twarz subiekta.

– Pan wybaczy, panie Anzelmie. Komisarz Witchenbacher prosi o chwilę rozmowy.

Ochmański przełknął niedokładnie pogryzioną kiełbasę, dopił wino, osuszył usta mankietem koszuli.

– Niech wejdzie.

Głowa subiekta zniknęła, a po krótkiej chwili w drzwiach pojawił się policjant. Ochmański wstał, wyciągnął przed siebie rękę.

– Witam, panie komisarzu. Zapraszam. – Uścisnął prawicę Austriaka. – Przepraszam, ale nie mogę zaoferować panu nic lepszego. – Szerokim gestem wskazał ciasne, pozbawione okien pomieszczenie. – Mogliśmy porozmawiać w bardziej sprzyjających warunkach, w magistracie.

– Wolałem spotkać się z panem bez świadków.

Aptekarz wyglądał na zdziwionego.

– W takim razie, proszę, niech pan siada.

Komisarz zdjął płaszcz i usadowił się na krześle, które skrzypnęło pod jego ciężarem. Złożył dłonie przed sobą, grzejąc je nad lampą.

– Panie Ochmański, co łączyło pana z rajcą Skwierzyńskim?

– Nie rozumiem.

– To proste pytanie. Chcę wiedzieć, co łączyło pana ze zmarłym Antonim Skwierzyńskim. Znał go pan dobrze?

– O co panu chodzi? – Ochmański skrzywił się. – Dobrze pan wie, że znałem Skwierzyńskiego. Razem zasiadaliśmy w radzie miasta.

– Chciałbym dowiedzieć się więcej o waszych wzajemnych relacjach. Spotykaliście się poza posiedzeniami rady? Prowadziliście wspólne interesy? A może kłóciliście się o sprawy miasta?

– Panie komisarzu... – Aptekarz pochylił się nad stołem i spojrzał policjantowi prosto w oczy. – Czy to przesłuchanie?

– Tak.

– Proszę nie zapominać, kim jestem. Z woli wyborców pełnię mandat rajcy!

– A pan, panie rajco, pan niech nie zapomina, kim jestem ja – Witchenbacher uniósł palec w ostrzegawczym geście.

– Jest pan komisarzem policji i jako urzędnik podlega pan radzie miasta. Radzie, której jestem członkiem.

– Jako urzędnik odpowiadam za poszanowanie prawa i bezpieczeństwo mieszkańców tego miasta. Popełniono dwa morderstwa, a ja mam powody przypuszczać, że posiada pan pewne informacje na temat jednego z nich.

– Ach, tak? – Ochmański uniósł brew w teatralnym grymasie. – A jakież to powody?

– Wypytywał pan o szczegóły śmierci Skwierzyńskiego, był pan u mnie zaledwie dwie godziny po znalezieniu ciała. Co więcej, chciał pan uczestniczyć w sekcji zwłok, a nawet – komisarz zawiesił głos – zapłacił pan za możliwość przyglądania się pracy doktora Zaleskiego.

– Mnie również leży na sercu bezpieczeństwo mieszkańców miasteczka. Dlatego chciałem być obecny przy sekcji.

– Tak bardzo pan chciał, że nie zawahał się pan za to zapłacić?

– Pan zaś nie zawahał się przed przyjęciem łapówki. Nie po raz pierwszy i zapewne nie ostatni.

Mężczyźni długą chwilę mierzyli się wzrokiem.

– Panie Witchenbacher, zdaję sobie sprawę, jak ciężka jest pana praca – podjął Ochmański. – Zdaję sobie sprawę, że pańskie wynagrodzenie nie jest adekwatne do ponoszonej odpowiedzialności. Dlatego co miesiąc otrzymuje pan premię, na którą, jak pan dobrze wie, składają się dobrowolne datki niektórych rajców. Robimy to dlatego, że doceniamy pańską pracę. Chcemy widzieć w panu przyjaciela, nie wroga.

– Jutro staję przed burmistrzem. Mam zdać raport z postępów w śledztwie.

– Jeżeli burmistrz będzie chciał wyciągnąć konsekwencje wobec pana, zapewniam, że w razie głosowania opowiemy się za panem.

Witchenbacher zagryzł wargę, z całej siły zacisnął dłonie w pięści.

– Panie Ochmański, rozumie pan, że wobec ostatnich wypadków nasze wcześniejsze ustalenia...

– Nasze wcześniejsze ustalenia pozostają bez zmian – przerwał mu ostro aptekarz. – Nic się nie zmieniło. Płacimy panu za lojalność.

– Panie Ochmański, jeżeli jest coś, co może naprowadzić nas na ślad zbrodniarza, proszę mi to wyznać.

– Komisarzu, gdybym wiedział cokolwiek, panu pierwszemu bym o tym opowiedział.

Aptekarz wstał, dając znak, że uważa rozmowę za zakończoną. Policjant powoli podniósł się z krzesła, wbił twarde spojrzenie w oczy rajcy. Z trudem przemilczał to, co cisnęło mu się na usta.

– Rozumiem, panie Ochmański. – Skinął głową. – Mam nadzieję, że nie będzie pan żałował swojej decyzji.

– Żegnam pana, komisarzu. Do zobaczenia jutro, na posiedzeniu rady.

Kiedy drzwi strzeliły za wychodzącym policjantem, aptekarz z westchnieniem opadł na krzesło. Wyjął z kieszeni chustkę i otarł czoło. Stracił apetyt na ser i wędzoną kiełbasę. Chciał się już tylko napić. Napełnił szklankę i opróżnił ją duszkiem. Jeszcze raz sięgnął po butelkę.

Pił, aż zobaczył dno, a słodki korzenny smak pozostał wspomnieniem. Kręciło mu się w głowie. W tym stanie, zdenerwowany i podpity, nie mógł zabrać się do przyrządzania lekarstw. Nie mógł pójść do domu na obiad, bo żona natychmiast wyczułaby alkohol, a ostatnio bez ustanku wypominała mu picie i obżarstwo. Postanowił więc zjeść w restauracji. Podniósł się z miejsca, gdy usłyszał pukanie i w drzwiach jeszcze raz pojawiła się głowa subiekta.

– Ktoś do pana.

Ochmański stłumił cisnące się na usta przekleństwo. Nie miał ochoty na powtórną rozmowę z komisarzem policji.

– Znów Witchenbacher?

– Nie. To ten nauczyciel z domu doktora Zaleskiego.

– Borys! – Aptekarz poderwał się do drzwi. Przesunął zdziwionego subiekta i wyjrzał do apteki. Ruchem ręki przywołał nauczyciela.

– Dziękuję, że przyszedłeś. – Ochmański nerwowo ściskał dłoń Pasternaka i poklepywał go po ramieniu. Posadził gościa przy stole, wychylił się z kantorku i polecił subiektowi, by nie przeszkadzano im w rozmowie. Usiadł na wprost nauczyciela, pochylając się w jego stronę ponad stołem.

– Ty już coś wiesz, prawda? – zapytał gorączkowo. – Przyszedłeś tu, bo już coś wiesz?

– Przyszedłem, bo chcę prosić pana o spotkanie – odpowiedział spokojnie Borys. – Jak najszybciej, choćby zaraz.

– Nie martw się, tu możemy rozmawiać zupełnie swobodnie. Nikt nam nie przeszkodzi, a za chłopaka w aptece ręczę głową, nie będzie podsłuchiwał.

– Chciałbym, abyśmy porozmawiali we trzech.

– We trzech?

– Jest ktoś, kto może nam pomóc.

– Kto to taki?

– Profesor Hildenberg z Wiednia. Przyjaciel doktora Zaleskiego.

– Ten brodaty Austriak? Po co on nam?

– Panie Ochmański, nie wiemy, co się dzieje w naszym mieście. Jeżeli jest ktoś, kto chce nam dopomóc, powinniśmy z tej pomocy skorzystać. Zanim będzie za późno.

– Borys, ty coś wiesz! Ty na pewno już coś wiesz...

Pasternak skrzywił się, czując na twarzy kwaśny oddech aptekarza.

– Gdybym wiedział, już dawno zawiadomiłbym policję. To pan może pomóc w rozwiązaniu zagadki obu morderstw. To pan wie coś na ten temat.

Aptekarz pokręcił głową, chwycił ręce nauczyciela, przykrył jego dłonie swoimi.

– To nie tak Borys, to nie tak. Komisarz szuka człowieka, ale to nie człowiek zadał śmierć Skwierzyńskiemu i Stezlowi. To nie człowiek.

– W takim razie co?

– To bestia, Borys. Bestia.

– Panie Ochmański, jeżeli wie pan coś...

– Nie, Borys, to nie człowiek stoi za tą zbrodnią. Ale ty coś wiesz. Na pewno. Ty już coś widziałeś!

Nauczyciel uwolnił dłonie z kurczowego uścisku aptekarza. Wstał.

– Czekam na pana w domu doktora Zaleskiego. Jeżeli woli pan się spotkać gdzie indziej, proszę przysłać wiadomość, a stawimy się w dowolnym miejscu i czasie. Proszę przemyśleć moje słowa.

Ukłonił się i ruszył do drzwi. Nacisnął klamkę, gdy usłyszał zza pleców wibrujący przerażeniem głos Ochmańskiego:

– To nie człowiek, Borys. Nie szukajcie człowieka. To bestia.

Zanim mogli udać się na miejsce spotkania, musieli zaczekać, aż gęste chmury i zapadający zmierzch okryją ulice miasteczka ciemnością. Przez kilka godzin siedzieli w karczmie przy wyjeździe z miasta w stronę Mrzygłodu, pili gorzałkę, zakąszając kiszonymi ogórkami.

– Nic się nie martw – mówił Antek Pierożyński, furman powszechnie zwany Pierogiem. – Wszystko załatwiłem. Zobaczysz, zabawa będzie pierwsza klasa.

Kaszycki pokiwał głową na znak, że wierzy w zapewnienia przyjaciela, przechylił kieliszek i szybko sięgnął po ogórka.

– Anka to świetna dziewczyna, sam zobaczysz – ciągnął Pieróg, gestem zamawiając u karczmarza jeszcze jedną kolejkę. – Fela i Baśka też są niczego sobie. No i najemy się wreszcie do syta.

Ich znajomość rozpoczęła się pewnego letniego poranka, kiedy przechodzący przez plac Świętego Michała dziennikarz dostrzegł furmana zajmującego się okulałym koniem. Kaszycki, wrażliwy na cierpienia zwierząt, przystanął i zaczął rozmowę z młodym woźnicą. Okazało się, że weterynarz odmówił udzielenia pomocy bez wpłacenia zaliczki, a furman akurat nie śmierdział groszem. Dziennikarz również był bez grosza, postanowił jednak, że nie pozostawi zwierzęcia bez opieki. Popędził do domu weterynarza, poprosił o chwilę rozmowy i złożył mu pewną propozycję. Mógł napisać artykuł o ludzkiej bezduszności i żądzy zysku, ilustrując tekst wymownym przykładem biednego furmana i jego kulawego konia. Mógł też przypomnieć czytelnikom „Gazety Sanockiej", że choć raz do roku powinni się zatroszczyć o zdrowie domowego inwentarza, i polecić im, oczywiście znakomitego, miejskiego weterynarza. Szantaż odniósł zamierzony skutek i koń Antka Pierożyńskiego otrzymał fachową pomoc. Odtąd Pieróg był dla Kaszyckiego nieocenionym przewodnikiem w świecie dorożkarzy i pokojówek, dozorców, tragarzy i pomywaczek, co niejednokrotnie doprowadzało dziennikarza na ślad ciekawych informacji.

Izba karczmy, niezależnie od pory dnia, pogrążona była w półmroku, małe brudne okienka w ołowianych oprawach przepuszczały niewiele światła, a gęsty dym fajek i papierosów snuł się między ławami jak jesienna mgła. Pieróg zjadł ostatni kawałek ogórka i pociągnął Kaszyckiego za rękaw marynarki.

– Możemy iść – powiedział. – Zanim dojdziemy na miejsce, będzie już ciemno.

Kaszycki, kiedy tylko wyszedł na świeże powietrze, odetchnął głęboko i, jak pływak walczący z falami, machnął kilka razy rękoma, chcąc przepędzić wywołane gorzałką odrętwienie. Ruszyli w stronę traktu prowadzącego na Zarszyn i Krosno. Porywisty wiatr szarpał połami lichej marynarki dziennikarza, wciskał się pod pocerowaną kapotę furmana. Chłód ściął już muldy błota zalegającego pod ich stopami. Pochyleni, walcząc z wichrem i zmęczeniem, dobrnęli wreszcie pod elegancki drewniany dom kryty gontem, z gankiem nadającym całości wygląd szlacheckiego dworku.

– Jesteśmy na miejscu – mruknął Pierożyński. – Zaczekaj tu na mnie. Wejdę tylnym wejściem i jeżeli wszystko jest w porządku, gwizdnę za trzy minuty.

Dziennikarz wtulił zmarznięty policzek w postawiony kołnierz marynarki i wsparł się o pień przydrożnego drzewa. Uważnie zlustrował dom. Wydawało się, że w środku nikogo nie ma, okna pozostawały ciemne, najmniejszy choćby promyk światła nie zdradzał obecności gospodarzy.

Gdzieś zza żywopłotu dobiegł cichy gwizd.

Szybko przeszedł przez podwórze, minął studnię, obszedł budynek i stanął przed tylnym wejściem. Drzwi uchyliły się lekko.

– Wchodź szybko.

Wstąpił na schody, drzwi strzeliły za jego plecami. W środku panowały iście grobowe ciemności. Czyjaś dłoń poprowadziła go korytarzem. Potknął się o coś, coś innego dotknęło jego twarzy. Wtem, gdzieś w głębi, dostrzegł na ścianie odblask lampy.

– To mój przyjaciel, Janek Kaszycki, o którym wam opowiadałem.

Pierożyński wciągnął go do małego, ale przytulnego pomieszczenia pozbawionego okien. Wokół stołu, nad którym płonęła lampa, siedziało kilka osób, trzy dziewczyny i młody mężczyzna słusznej postury. Kaszycki ukłonił się grzecznie, po kolei ucałował dłonie kobiet, uścisnął prawicę mężczyzny.

– To Fela, służąca pani Krochmalskiej, z której gościnności dziś korzystamy. – Piերóg z miną światowca dokonywał towarzyskiej prezentacji. – To Ania, służąca doktora Zaleskiego, i Basia, pracująca w kilku miejskich domach. A to mój przyjaciel, Bartek Mielnikiewicz, pomocnik we młynie.

Kaszycki usiadł na wskazanym miejscu. Na stole pojawiły się talerze z równo pokrojonymi plastrami sera, chlebem, szynką i kiełbasą, w salaterkach podano marynowane grzyby i świeże masło, wystawiono paterę z sernikiem i ciastem orzechowym. Brzęknęły kieliszki, Bartek Mielnikiewicz wstał i zamaszystym ruchem odkorkował butelkę gorzałki. Panny zerkały z zaciekawieniem na Kaszyckiego, którego Pieróg wychwalał jako światowca, przybysza z wielkiego miasta, który z niejednego pieca chleb jadł, a swego czasu otarł się nawet o wyższe sfery. Dziennikarz skromnie tonował zapędy przyjaciela i z zainteresowaniem przyglądał się Feli, która pełniąc rolę gospodyni, co rusz wychodziła do spiżarni i donosiła coraz to nowe smakołyki.

Jak to wcześniej wytłumaczył Kaszyckiemu Pieróg, Apolonia Krochmalska, majętna wdowa i chlebodawczyni Feli, co pewien czas wyjeżdżała na kilka dni do syna gospodarującego sporym majątkiem gdzieś za Jurowcami. Stateczna dama wyruszała w podróż w towarzystwie służącej, równej sobie wiekiem i upodobaniami, oraz stangreta, zostawiając młodą pokojówkę na straży domu. Pokojówka natychmiast zapraszała grono znajomych, z którymi raczyła się frykasami z pańskiej spiżarni i nalewkami z suto zaopatrzonej piwniczki. Czasem, jak opowiadał furman, na przyjęcia u panny Feli przychodziło kilkanaście osób, głównie służące korzystające z wolnych wieczorów, młodzi robotnicy, pokojówki, ubodzy subiekci, urzędnicy najniższego stopnia, praczki i pomywaczki. Kiedy indziej przyjęcia miały bardziej kameralny charakter. Za każdym razem organizowano je z daleko idącą ostrożnością, bez głośnych śpiewów i rozmów, zawsze za szczelnie zasłoniętymi kotarami, a goście pojawiali się w domu pani Krochmalskiej pojedynczo, w kilkunastominutowych odstępach, tak aby żaden z sąsiadów czy przypadkowych przechodniów nie nabrał podejrzeń co do prowadzenia się panny Feli pod nieobecność chlebodawczyni.

Biesiadnicy opróżnili szkło, dziewczęta krzywiły się przesadnie, mężczyźni dzielnie przetrzymali palący smak gorzałki. Zakąsili pokrojoną w krótkie kawałki kiełbasą. Mielnikiewicz sięgnął po butelkę, zaproponował bruderszaft. Dziennikarz ujął kieliszek, z galanterią ucałował dłoń panny Feli, delikatnie musnął ustami jej policzek, następnie to samo uczynił z panną Anią i Basią. W końcu przyszła kolej na pomocnika we młynie, uścisnął prawicę Mielnikiewicza, jednym haustem spełnił toast.

– Od razu lepiej. – Bartek rozparł się na krześle, ułamał kromkę chleba, rozsmarował masło. – Widać, Jasiu, że równy z ciebie chłop, chociaż nie znasz uczciwej pracy.

– Głupstwa pleciesz – obruszyła się panna Ania. – To, że ktoś pracuje nie rękoma, ale głową, nie znaczy, że ma łatwiejsze życie. Mój pan od świtu do nocy odwiedza chorych albo pracuje w szpitalu. Wraca taki zmęczony, że nie ma ochoty na kolację, od razu kładzie się spać.

– Ja też pracuję od rana do nocy – wtrącił się Pieróg. – Jeżdżę chabetą od Dąbrówki po Olchowce, ale nie stać mnie na piękny dom i służbę, która co wieczór czekałaby z kolacją.

– Kto wie, może nadejdą takie dni, że wszyscy ludzie będą równi. – Smukłe palce Kaszyckiego bawiły się kieliszkiem. – We Lwowie, gdzie mieszkałem, wśród robotników mówiło się coraz głośniej o potrzebie zmian, o rewolucji, która pewnego dnia nastąpi i zrówna wszystkich, fabrykanta i robotnika, pana i sługę. Robotnicy pracujący od świtu do nocy w wielkich fabrykach organizują się, wydają pisma, drukują odezwy przemycane z Rosji.

Bartek skrzywił się z pogardą, podniósł się z miejsca, sięgając po butelkę, a kiedy siadał, przysunął krzesło nieco bliżej panny Feli.

– Wszyscy ludzie mieliby być równi? – zapytał. – Kiedy? Chyba po śmierci, a i to nie jest takie pewne. Jak dla mnie, bogacze nawet na sądzie ostatecznym znajdą sposób, by kupić sobie korzystny wyrok.

– Mój dziadzio, świeć Panie nad jego duszą – włączyła się do rozmowy Anna – w życiu by nie uwierzył, że kiedyś chłop będzie miał ziemię na własność. Kto wie, co przyniesie przyszłość.

– Dzisiaj chłop ma swój kawałek ziemi, dokładnie taki, że obejdzie go w dziesięć kroków. – Mielnikiewicz odwrócił twarz i już chciał splunąć z pogardą, gdy powstrzymało go spojrzenie panny Feli. – Weźmy mojego ojca. Ma pole, ale gdyby chciał je podzielić między synów, każdy dostałby tyle, że mógłby to przenieść w wiaderku na drugą stronę Sanu.

Milcząca dotąd Basia odsunęła od siebie talerzyk z kawałkiem sernika.

– Każdy jest kowalem swojego losu – powiedziała. – Chodzę po domach, to się napatrzyłam. Wielu jest takich, co majątek dostali po ojcu i matce, są jednak i tacy, co wszystkiego dorobili się sami. Na przykład taki Stezl. Mówią, że w dzieciństwie chodził bosy i głodny, a dorobił się sklepu, kamienicy i stanowiska.

– Na niewiele mu się to zdało – mruknął Bartek, wyciągając z ust kiełbasianą chrząstkę.

Dziewczęta spojrzały po sobie. Alkohol i intrygujący temat rozmowy wywołały na ich twarzach rumieńce.

– Mówią, że to wilk – gorączkowała się Fela, ignorując Mielnikiewicza, którego dłoń ześlizgnęła się ze stołu na jej kolano. – Mówią, że to wściekły wilk rozszarpał starego Żyda. Ale powiedzcie mi, jak wilk mógł wyłamać zamek i solidne drzwi?

– Jaki tam wilk! – Pierożyński udał, że chce sięgnąć po masło i przestawił krzesło bliżej panny Basi. – To złodzieje, którzy najpewniej przyjechali na prowincję z większego miasta. Wiedzieli, że Żyd ma sporo grosza, chcieli go zaskoczyć we śnie, stary się obudził i nie mieli wyjścia, musieli go ukatrupić.

Basia nieomylną kobiecą intuicją natychmiast rozpoznała zapędy furmana, uśmiechnęła się zalotnie i zdjęła ze stołu swoje zaczerwienione dłonie najemnej praczki.

– To nie złodzieje – poważnym tonem odezwała się panna Ania. – To wilkołak.

Stłoczeni przy stole mężczyźni zanieśli się gromkim śmiechem.

– Głupstwa pleciesz, Aniu. – Bartek bacznie pilnował, by kieliszki dziewcząt nigdy nie stały puste. – Wilkołaki nie istnieją.

– Wiem, co mówię. To wilkołak. Człowiek, który zmienia się w wilka.

– Wilkołaki nie istnieją – powtórzył Kaszycki.

– Istnieją – kategorycznie stwierdziła Ania. – Sama słyszałam, jak...

Kaszycki odsunął od siebie talerz. Z zainteresowaniem wpatrywał się w twarz młodej służącej, ale ta najwyraźniej spostrzegła, że powiedziała za dużo, i ugryzła się w język.

– Co takiego słyszałaś? – zapytał.

– Babskie gadanie – mruknął Mielnikiewicz, wprawnie operując butelką ponad kieliszkami.

– Kto wie – powiedział w zamyśleniu dziennikarz – może rzeczywiście Ania ma rację.

Służąca spojrzała nań z wdzięcznością.

– Sama słyszałam, jak gość doktora Zaleskiego wspominał, że ktoś widział nocą mężczyznę zmieniającego się w wilka.

– Gość doktora Zaleskiego?

– Uczony Austriak, przyjaciel doktora, przyjechał zbadać naszą panienkę, ale pewnie i on niewiele zdziała. Wielu już przyjeżdżało i żaden nic nie wskórał.

– Widziałem to indywiduum pod kościołem – zaśmiał się Pieróg. – Wielki jak niedźwiedź, zarośnięty jak borsuk, ze szkiełkiem w oku i laseczką pod pachą. Wygląda, jakby uciekł z cyrku.

Kaszycki pochylił się nad stołem, poluźnił kołnierzyk.

– Mówisz, że ktoś widział tego mężczyznę? Rozpoznano go? Znasz jego imię?

Ania pokręciła głową.

– Wiem tylko, że ktoś go widział.

– Kto taki?

Basia i Fela natychmiast osaczyły przyjaciółkę, rozgorączkowane objęły ją, domagając się odpowiedzi.

– Austriak rozmawiał z nauczycielem naszej panienki, mówili o wdowie po Szczudliku. To ona widziała tego mężczyznę.

– Alina? Ta, co mieszka w domu nad rzeką?

– Widziała wilkołaka? – Dziewczęta przekrzykiwały się jedna przez drugą. – Widziała, jak człowiek zmienia się w wilka?

– Nie wiem nic więcej. – Ania odsunęła się od przyjaciółek. – Słyszałam tylko, że go widziała. Nocą, nad rzeką.

– Babskie gadanie – po raz kolejny wtrącił Bartek, niezadowolony, że Fela zainteresowana jest nie jego osobą, lecz opowieścią przyjaciółki. – Pewnie zmyśla, albo coś się jej przewidziało.

– Chodzę po domach, słyszę różne rzeczy. – Basia z uśmiechem pozwoliła, by Pierożyński, zupełnie jawnie, objął ją ramieniem. – Kupiec Baum powtarza, że to, co spotkało Stezla, to kara boska za ceny, które dyktował w swoim sklepie. Milczanowski też mówi, że to nie wilk, bo gdyby to był wilk, to on by zaraz złapał za fuzję, wziął na smycz swoje ogary i zaraz by bestię wytropił, a potem ustrzelił.

Kaszycki jak w transie podniósł kieliszek, przechylił, przetrzymał płynny ogień spływający do żołądka. Jako rasowy dziennikarz nie mógł zignorować takiej informacji. Planował dyskretnie przepytać znajomych Pierożyńskiego, pociągnąć ich za język, poznać najnowsze plotki, ale w najśmielszych marzeniach nie przyszłoby mu do głowy, że dowie się o naocznym świadku, który najprawdopodobniej widział mężczyznę podejrzanego o dwie zbrodnie. Przeprosił towarzystwo, powiedział, że za dużo wypił i musi zaczerpnąć świeżego powietrza. Obiecał, że dyskretnie uchyli tylne drzwi i pooddycha tylko przez minutę lub dwie. Panna Ania, widząc, że wobec wzajemnego zainteresowania Feli i Mielnikiewicza oraz jednoznacznych planów Pierożyńskiego względem Basi jej w udziale przypadł dziennikarz, wstała i zaproponowała swoje towarzystwo. Kaszycki grzecznie odmówił, prosząc o chwilę samotności, a służąca, z rozczarowaniem wymalowanym na twarzy, usiadła na swoim miejscu.

Kaszycki przeszedł przez ciemny korytarz, uchylił drzwi, odetchnął rześkim powietrzem. Wsłuchał się w odgłosy nocy. Kręciło mu się w głowie, ale to nie tania gorzałka spowodowała gonitwę jego myśli i przyśpieszone bicie serca. Odczekał chwilę, najciszej jak potrafił, zamknął za sobą drzwi i ruszył błotnistą dróżką w stronę miasta.

Bimełe przymknęła oczy, wtuliła twarz w siennik. Ciche westchnienia i gorączkowe oddechy umilkły wraz z tłumionym okrzykiem spełnienia, jednak spracowana dłoń mężczyzny wciąż zaciskała się na jej udzie. Zarost okalający jego twarz był jeszcze miękki i jasny, ale ciało nosiło już ślady pracy w fabryce. Dłonie miał porowate i popękane, lewe przedramię pokrywała od łokcia po chudy nadgarstek podłużna blizna, pozostałość po wypadku przy smołowaniu wagonów. Żydówka przeciągnęła się, wyswobadzając biodro z uścisku kochanka. Dotknęła jego twarzy, musnęła palcami usta, sprawiła, że otworzył oczy. Uśmiechnęła się, poprawiła włosy. Spojrzała w jego młode, choć zmęczone oczy. Zrozumiał.

Z cichym westchnieniem podniósł się z posłania, odrzucił wojskowy koc, prezent po wizycie oficera dragonów, który odwiedził dom na skraju żydowskiej dzielnicy wiele tygodni temu. Stanął nagi przy krześle, na którym przed godziną złożył swoje ubranie, sięgnął do spodni, przebrał palcami garść monet. Dwie z nich położył na posłaniu.

Był jednym z jej ulubionych klientów, dawała mu z siebie więcej niż innym, bo doskonale rozumiał reguły gry, nie narzucał się jej ponad to, po co przychodził, nie prosił o kolację, nie domagał się śniadania. Nie zadawał niepotrzebnych pytań, nie deklarował fałszywych uczuć, nie kłamał. Lubiła go i przyjmowała chętnie, choć wiedziała, że zostawia u niej znaczną część fabrycznego zarobku. Pracował od świtu do nocy, a choćby i przez sto lat stał przy fabrycznej taśmie, nie zdołałby odłożyć na zakup domu. Żadna matka nie pozwoliłaby swojej córce wyjść za niego za mąż, choć jego wiecznie uśmiechnięta twarz przyciągała przychylne spojrzenia sprzątaczek i służących. Po pracy wracał do swojej izby, wynajętej przez fabrykę klitki, którą dzielił z dwoma innymi robotnikami. Mógł grać z nimi w karty lub całą wypłatę przepić w szynku. Wolał jednak przychodzić do niej. Pewnej nocy, którą spędzał u jej boku, kiedy już wypili przyniesioną przez niego gorzałkę, tonem pełnym młodzieńczej brawury i wiary w lepsze jutro, zdradził jej, że pewnego dnia zaciągnie się na statek płynący do Ameryki, znajdzie tam pracę i odłoży okrągłą sumę. Kto wie, może pewnego dnia zbuduje własną fabrykę. Na razie jednak spełnienia swych marzeń szukał w smagłych ramionach ciemnowłosej Żydówki.

Mężczyzna naciągnął spodnie, pozapinał guziki koszuli. Stanął przed nią niepewny, jak powinien się zachować, a ona pocałowała go w policzek i popchnęła w stronę drzwi. Kiedy wyszedł, przekręciła klucz i spojrzała w stronę schodów prowadzących na poddasze.

Kobietę, która u niej zamieszkała, widziała w ciągu dnia tylko raz, przy obiedzie, który obie zjadły w milczeniu. Najprawdopodobniej była teraz u siebie, na małym i ciasnym stryszku. Do drzwi wejściowych prowadziła stamtąd tylko jedna droga, wąskimi schodami w dół, na główną izbę. Mimo to Bimełe nie była pewna, czy kobieta jest na górze, choć nie widziała, aby wychodziła. Rankiem, kiedy Żydówka szła po wodę do studni, na przekopanej późnym latem grządce znalazła głębokie ślady stóp, dokładnie pod oknem izdebki zajmowanej przez nieznajomą. Stara skrzynia, w której latem trzymała narzędzia, zmieniła swoje położenie, teraz wsparta była o mur nieco bliżej rogu budynku, tak jakby ktoś specjalnie ją przesunął, aby dosięgnąć drewnianego okapu pod strychem. Wyglądało na to, że nieznajoma postanowiła ubiegłej nocy wymknąć się z domu niezauważona.

Bimełe ogarnęła swoje posłanie, poprawiła koc, wygładziła poduszkę, która wciąż pachniała męskim potem. Zapadał zmierzch, izba tonęła w dusznym półmroku. Nie zapaliła lampy, ale sięgnęła po drewnianą balię i stojące przy kuchni wiaderko pełne wody. Napełniła balię, przełożyła nogę ponad jej krawędzią, kiedy ktoś zapukał do drzwi.

– Kto tam?

Pukanie powtórzyło się.

Wyjęła stopę z wody, wytarła ją ścierką zawieszoną przy kuchni, sięgnęła po suknię. Narzuciła na plecy koc, kiedy walenie o mały włos nie wyrwało drzwi z zawiasów.

– Kto tam?

– Otwieraj – usłyszała stanowczy męski głos i tłumiony śmiech. – Otwieraj natychmiast.

Mężczyzn było przynajmniej dwóch. Nigdy nie zgadzała się na takie odwiedziny, dla własnej wygody i bezpieczeństwa przyjmowała kochanków pojedynczo.

– Otwieraj, mówię! – Słychać było, że mężczyzna przed przyjściem do domu samotnej Żydówki wspomógł swą odwagę kwartą gorzałki. – Otwieraj. Chcemy się zabawić. Nie pożałujesz. Mamy pieniądze.

– Przyjdź jutro. – Sięgnęła w stronę kuchni i chwyciła nóż o wąskim ostrzu, którego używała do sprawiania ryb kupowanych na targu. – Nie jestem sama. Mam klienta.

– Nikogo u ciebie nie ma!

– Przyjdźcie jutro!

Podeszła do drzwi. Była zmęczona, jej ciało wciąż miało zapach obcego mężczyzny. Marzyła tylko o kąpieli i spokojnej nocy. Wiedziała jednak, że ci, którzy dobijali się właśnie do jej drzwi, łatwo nie ustąpią, a poza tym potrzebowała pieniędzy, bo po dniach obfitych w zarobek następowały chudsze, kiedy nikt jej nie odwiedzał. Odblokowała zasuwę i uchyliła drzwi.

– Nie znam was. Pokażcie pieniądze.

Mężczyzna, który stał za progiem, kopnął drzwi. Impet uderzenia i piekący ból odrzuciły ją w głąb izby.

– Kazałaś nam czekać, diablico! Zaraz cię nauczymy dyscypliny i szacunku.

Zwinęła się jak kotka, prychnęła ze złości. Zerwała się na nogi, odrzuciła koc. Nóż upadł gdzieś z tyłu, poza zasięg jej dłoni.

Nie miało to dla niej znaczenia. Lata samotności i konieczność radzenia sobie w każdej sytuacji nauczyły ją, że nigdy nie może być bierna. Z rozczapierzonymi palcami rzuciła się na mężczyznę. Spróbowała dosięgnąć paznokciami jego oczu. Ten chwycił ją za nadgarstki, ale mimo słusznego wzrostu i siły, nie dał rady jej powstrzymać. Wbiła paznokcie w jego twarz. Mężczyzna zawył, ale nie puścił, okręcił nią wokół siebie, niemal wrzucając w ramiona swojego towarzysza. Uderzenie ścięło ją z nóg, oblało ogniem połowę twarzy. Upadła.

W lewym uchu odezwały się dzwoneczki, jakby ministranci z kościoła księdza Czaszyńskiego wzywali mieszkańców miasteczka na mszę. W ustach poczuła krew. Podniosła wzrok ze starych popękanych butów jednego z mężczyzn na szczupłą sylwetkę drugiego. Obaj wyglądali na robotników; proste samodziałowe spodnie, brudne koszule, nieogolony zarost i smród gorzałki.

– Czemu się ociągasz? – zapytał mężczyzna stojący z przodu, tuż przed nią, w czapce naciągniętej głęboko na oczy. – Chcemy się tylko zabawić. Zapłacimy ci. O ile będziesz tego warta.

Obaj zaśmiali się głośno.

– Idźcie do diabła – syknęła.

Mężczyzna splunął tytoniem, brunatna wilgotna grudka uderzyła o klepisko tuż przed jej kolanami.

– No popatrz, Franek, jak to się dobrze składa. – Robotnik uśmiechnął się i odciągnął czapkę z czoła, jakby chciał lepiej przyjrzeć się temu, na co patrzył. – Mówili, że mieszkasz sama, a tu taka niespodzianka. Jest nas dwóch i was też jest dwie.

Skulona na klepisku Bimełe spojrzała przez ramię.

Nieznajoma spokojnie zeszła ze schodów, wysoko upięte włosy odsłaniały jej smukłą szyję, co przydawało całej sylwetce dziewczęcego powabu. Miała na sobie tę samą prostą sukienkę z szarego płótna, co w dzień przyjazdu do miasteczka.

– Wyjdźcie stąd – powiedziała cicho, lecz bez cienia strachu.

Mężczyźni zarechotali. Ten, który stał z tyłu, przeszedł na środek izby, postawił na stole glinianą butelkę z gorzałką, rozejrzał się w poszukiwaniu szklanek.

– No dalej, dziewczyny, nie mamy czasu. Jeżeli dobrze się spiszecie, zapłacimy wam.

Kobieta, która zeszła schodami z poddasza, nie przestraszyła się spojrzenia robotnika w czapce nasuniętej na oczy. Podeszła bliżej.

– Wyjdźcie stąd.

Mężczyzna oblizał się obleśnie.

– Pobawimy się, skarbie. Ty i ja. Nigdy cię tu nie widziałem, ale wyglądasz mi...

Nieznajoma przystanęła, nie spuszczając wzroku z twarzy robotnika, przyklęknęła i podniosła coś z podłogi. W jej dłoni błysnęło smukłe faliste ostrze noża do sprawiania ryb.

– Hej, zostaw to.

– Wyjdźcie stąd.

– Odłóż to, bo pożałujesz.

Mężczyzna splunął po raz drugi, zaśmiał się i ruszył w jej stronę. Był o głowę wyższy i dwa razy cięższy. Spodziewał się, że stojąca nieruchomo kobieta jest sparaliżowana ze strachu, sądził, że jej spokój jest pozorny, że tak naprawdę trzęsie się ze strachu. Wyciągnął przed siebie rękę i spróbował chwycić jej szczupły nadgarstek, ale jego dłoń trafiła w próżnię. Syknął z bólu, kiedy ostrze noża rozcięło jego przedramię. Rękaw koszuli nasiąknął krwią.

– Pożałujesz tego, nierządnico! Gorzko tego pożałujesz.

Rzucił się do przodu, ale ona, mimo spódnicy krępującej ruchy, zwinnie uskoczyła, zawirowała między skuloną na klepisku Żydówką a stołem, odpowiedziała atakiem na atak. Szerokie na grubość palca ostrze błysnęło mu tuż przed oczami, poczuł pieczenie na policzku i smak własnej krwi w ustach. Zaklął paskudnie. Przystanął i spojrzał na kobietę w płóciennej sukni.

Niejeden raz brał udział w karczemnych burdach i ulicznych bójkach, nierzadko zdarzało mu się walczyć z nożownikiem. Miał wystarczające doświadczenie, aby stwierdzić, że stojąca naprzeciw niego kobieta umie posługiwać się nożem. Nie wystawiła ostrza przed siebie, co byłoby gestem obronnym, zakreślającym przestrzeń wokół broniącego się, ale uniemożliwiało kontratak. Kobieta wysunęła przed siebie lewą rękę, a prawa dłoń, zaciśnięta na rękojeści noża, spoczywała w gotowości nisko w okolicy biodra. Gdyby rzucił się na nią bezmyślnie, spętałaby go lewym ramieniem i nawet gdyby przełamał jej obronę, prawa uzbrojona dłoń znalazłaby drogę pod jego żebra.

Zerknął na swojego towarzysza. Ten, choć miał już tęgo w czubie, wyszedł zza stołu i rozłożył szeroko ręce. Przeszedł na drugą stronę, chcąc zajść kobietę z tyłu, ale ta natychmiast zareagowała, uskoczyła w bok, wykorzystując stół i wciąż klęczącą Żydówkę jako obronę przed okrążeniem.

– Oddaj nóż, diablico.

– Jeżeli chcesz go mieć, musisz mi go zabrać.

Zaatakowali jednocześnie, jeden rzucił się w dół, atakując jej nogi, drugi poszedł do przodu, chcąc schwytać dłoń uzbrojoną w nóż. Pierwszy, pijany i niedoświadczony, źle wymierzył odległość, upadł na ziemię, złapał za rąbek spódnicy, ale kobieta wyrwała się, pozostawiając w jego dłoni strzęp płótna. Drugi zdołał dosięgnąć szczupłego nadgarstka, przycisnął ją do siebie, skracając dystans i uniemożliwiając jej zadanie ciosu. Jedną nogą zablokował jej nogę, w uścisku zmiażdżył przedramię i wyciągnął przed siebie rękę, aby unieruchomić dłoń zaciśniętą na nożu.

Kobieta skręciła się w gwałtownym uniku, przemogła ból pulsujący w wygiętym łokciu, odchyliła ramię, jakby szukając sposobności do wyprowadzenia cięcia, ale zamiast tego rzuciła się mężczyźnie do gardła. Zacisnęła zęby na jego skórze. Przeciwnik zawył i zwolnił uchwyt. W obawie, że wąskie ostrze ugrzęźnie gdzieś między żebrami mężczyzny, cięła przez jego twarz i szyję, kopnięciem wytrąciła mu ziemię spod nóg, doskoczyła od tyłu i przyłożyła ostrze tuż pod ucho, w okolice tętnicy. Docisnęła, a strużka krwi zabarwiła kołnierz koszuli ciemnym szkarłatem.

– Wyjdźcie stąd.

Ten, który leżał obok klęczącej Żydówki, podniósł się, podszedł do drzwi, otworzył je i chwiejnym krokiem wyszedł na zewnątrz. Kobieta pozwoliła, aby robotnik unieruchomiony w jej uścisku wstał, ale nie dała mu się wyprostować, odprowadziła go do progu, przez cały czas wbijając mu w szyję ostrze noża. Kiedy przekroczył próg, popchnęła go do przodu, zatrzasnęła drzwi i szybko zaciągnęła zasuwę. Przesunęła się do okna i spojrzała w noc, na dwie pochylone, niezdarnie biegnące w stronę miasta sylwetki.

9

Szczupły jasnowłosy młodzieniec w sfatygowanej marynarce przebiegł przez drogę, omal nie wpadając pod koła pocztylionu. Szybkim krokiem przeszedł przed witryną sklepu bławatnego, po czym skręcił w bramę, by wyjść wprost na ciasne i ciemne podwórko. Otworzył drzwi prowadzące na klatkę schodową oficyny, wstąpił na schody, gdy coś chwyciło go za ramię i popchnęło wprost na ścianę. Jęknął głucho.

– Witam serdecznie szanownego pana dziennikarza. Ostatnio był pan coś bardzo zajęty.

Kaszycki spróbował się poruszyć, ale korpulentny napastnik całym ciężarem ciała naparł na jego pierś. Boleśnie wykręcone ramię uniemożliwiało jakąkolwiek obronę.

– Mieliśmy się spotkać, panie dziennikarzu. Mieliśmy porozmawiać. Ale nie znalazł pan czasu dla starego przyjaciela.

– Byłem zajęty...

– A czymże to pan dziennikarz był tak zajęty?

– Komisarzu – stęknął Kaszycki. – Udusi mnie pan.

Witchenbacher zwolnił uścisk, cofnął się o krok i pozwolił, by młodzieniec wstał ze schodów.

– No dobrze, gadaj mi tu ptaszku, wszystko, jak na spowiedzi.

Kaszycki wyprostował się, poprawił marynarkę. Odetchnął głęboko.

– Chciałem się z panem spotkać... Miałem zamiar pojawić się w magistracie jeszcze dzisiaj.

Witchenbacher uśmiechnął się złośliwie.

– Sam widzisz, masz kłopot z głowy. Nie znalazłeś czasu, aby mnie odwiedzić, więc ja wybrałem się do ciebie. A teraz mów, czego się dowiedziałeś.

– Od trzech dni nie robię nic innego, jak tylko włóczę się po mieście. Patrzę, pytam, podsłuchuję. Sprawdziłem karczmy, oberże i hotele. Odłożyłem na bok wszystkie inne sprawy, od czasu naszej rozmowy nie napisałem ani słowa. Wypytywałem wśród służby, pokojówek i wozaków. Kręciłem się wśród dorożkarzy...

– Konkrety, panie dziennikarzu, konkrety. Co takiego udało się panu ustalić?

– Ludzie mówią, że to wilk! Mówią, że dzika bestia zeszła z gór i ciemną nocą poluje na ulicach naszego miasteczka...

– Kaszycki, czy ty masz mnie za idiotę? Myślisz, że nie znam tych wszystkich niedorzecznych plotek? Pytam, czy zdołałeś ustalić cokolwiek więcej niż to, co mogę usłyszeć przy każdym straganie?

– Nie, panie komisarzu. Rozmawiałem z wieloma ludźmi, ale nie dowiedziałem się niczego, co mogłoby pomóc w sprawie morderstw. Prędzej czy później trafię jednak na właściwy ślad. Jeśli nie dziś, to jutro lub pojutrze, ale z całą pewnością czegoś się dowiem.

Witchenbacher pokiwał ze zrozumieniem głową.

– Jeśli nie dziś, to jutro lub pojutrze – powtórzył. – Dziś mam się spotkać z burmistrzem Ładyżyńskim i członkami rady miasta. Kiedy zapytają mnie, co zdołałem ustalić, co zrobiłem dla wyjaśnienia zbrodni, odpowiem im twoimi słowami.

– Przykro mi, ale nie potrafię panu pomóc.

Policjant pochylił czoło, jakby się nad czymś zastanawiał, po czym gwałtownie rzucił się do przodu. Dziennikarz przewyższał go wzrostem, ale komisarz górował nad nim siłą i masą ciała. Gwałtowny atak zupełnie zaskoczył Kaszyckiego. Witchenbacher rzucił nim o ścianę, uderzył pięścią w brzuch, kopnięciem powalił na ziemię. Docisnął kolanami klatkę piersiową dziennikarza, a gdy ten próbował się rozpaczliwie bronić, chwycił wyciągniętą ku niemu rękę i wykręcił w łokciu. Kaszycki zawył z bólu.

– Gadaj mi tu wszystko, co wiesz, bo rodzona matka nie rozpozna tego, co z ciebie zostanie!

– Panie komisarzu, wszystko już panu powiedziałem...

– Gadaj, mówię! Gadaj jak na spowiedzi!

– Auuu... Złamie mi pan rękę!

– Możesz być pewien, że na jednej nie poprzestanę!

– Au... Ludzie mówią, że ktoś widział mężczyznę, który zmienił się w wilka!

– Kto taki?

– Wdowa mieszkająca nad rzeką. To ona podobno widziała, jak mężczyzna w jednej chwili zmienił się w dzikie zwierzę.

Witchenbacher zwolnił uścisk, pozwolił, by dziennikarz wyswobodził wygiętą boleśnie rękę.

– I jakoś zapomniałeś podzielić się ze mną tą nowiną?

– Sam pan powiedział, ludzie na mieście gadają różne rzeczy. Plotka, jak każda inna. Pomyślałem, że najpierw sprawdzę, co się za nią kryje.

Komisarz chwycił poły marynarki młodzieńca, pochylił ku niemu czerwoną ze złości twarz.

– I co? – zapytał. – Sprawdziłeś?

Kaszycki gorliwie skinął głową.

– Byłem u niej z samego rana. Widać, że się czegoś boi. Drzwi do izby zaparte od wewnątrz czymś ciężkim, okiennice szczelnie zamknięte.

– Zaparte drzwi, zabite okiennice. – Policjant skrzywił się. – Wszyscy w miasteczku pilnują teraz swojego nosa, co dopiero samotna kobieta mieszkająca na uboczu. Rozmawiałeś z nią?

– Nie wpuściła mnie do środka. Rozmawiałem przez zamknięte drzwi. Powiedziałem, że jestem z gazety, że chcę się czegoś dowiedzieć. Powiedziałem, że mogę jej pomóc. Kazała mi się wynosić.

Witchenbacher zaśmiał się cicho.

– Nie tobie pierwszemu.

– Panie komisarzu, nie wiem, czy ta kobieta rzeczywiście widziała bestię. Wiem jednak, że coś budzi w niej strach, i to tak wielki, że w biały dzień siedzi w zaryglowanej izbie.

Policjant puścił marynarkę dziennikarza, wyprostował się, poprawił mankiety koszuli. Sięgnął do kieszeni, otarł chusteczką spocone czoło i kark.

– Następnym razem, jeżeli czegoś się dowiesz, masz w ciągu godziny pojawić się w moim gabinecie. Jeżeli spóźnisz się choćby o minutę, dziennikarskie śledztwo będziesz kontynuował z miejskiej ciemnicy.

Kobiety, które się widzi, nie są zwykle tak niebezpieczne jak te, o których się rozmyśla.

Borys drgnął, odwrócił się od okna.

– Słucham?

– Nic nie mówiłam.

– Przecież słyszałem. – Uśmiechnął się. – Znowu Ania przemyciła ci jakiś romans dla kucharek? Tylko tam można wyczytać podobne brednie.

Laura, wsparta na poduszkach, wyciągnęła rękę do kota przyczajonego w ciemnym kącie pod ścianą. Kocur podniósł ogon, zastrzygł uszami, leniwym krokiem przeszedł przez pokój, by miękkim, pełnym gracji ruchem wskoczyć na brzeg łóżka. Ostrożnie stąpając po pościeli, zbliżył się do swej małej pani, przeciągnął się i nadstawił grzbiet pod jej dziecięcą jeszcze dłoń.

– Zdaje się, że znalazłam to w jednej z książek, które mi poleciłeś. Jeżeli mnie pamięć nie myli, jej autorem jest ksiądz.

– Księża też mogą się mylić. Szczególnie, jeżeli chodzi o kobiety.

– Księża może tak, ale nie ja. Szczególnie, jeżeli chodzi o kobiety. W końcu jestem kobietą.

Roześmiał się.

– Na razie wciąż jesteś dziewczynką.

– Ale kiedyś będę kobietą. – Dziewczynka pozwoliła, by kot wydostał się spomiędzy jej kruchych dłoni, patrzyła z uśmiechem, jak układa się przy jej nogach. – A może masz rację. Może nigdy się nie dowiem, jak to jest być kobietą.

– Lauro, proszę cię.

– Nic nie trwa. Wszystko płynie. Pamiętam, jak opowiadałeś mi o tym. – Uśmiechnęła się do swojego nauczyciela. – To Heraklit, prawda? Wszystko płynie. Obawiamy się śmierci, choć już wielu śmierciom ulegliśmy. Dla duszy jest śmiercią stać się wodą, dla wody jest śmiercią stać się ziemią. Według niego, nawet dusza nie jest nieśmiertelna.

Nauczyciel odwzajemnił uśmiech, wsparł ramię o parapet, przy którym siedział. Wyjrzał przez okno na karpacki krajobraz z wolna zapadający w ciemność, przeniósł wzrok na swoją podopieczną.

– Heraklit mówił o śmierci w nieco innym znaczeniu. Interesował go ruch, odwieczna dynamika świata. O duszy pisał natomiast Platon i dla niego nie było żadnych wątpliwości, że jest wieczna i nieśmiertelna.

Laura zmrużyła oko i pogroziła palcem.

– Nie tylko Platon, ale i Arystoteles – powiedziała. – Nie myśl, że o nim zapomniałam. Miał zupełnie inne zdanie na ten temat. Pamiętam lekcję o jego nauczaniu. Zdaniem Arystotelesa, dusza jest ściśle związana z ciałem, ciało nie może pełnić swej roli bez duszy i odwrotnie, dusza nie istnieje bez ciała. Zatem kres życia kładzie kres duszy.

– To tylko jedna z teorii. Niekoniecznie prawdziwa. Przypomnij sobie, co o duszy mówi katechizm.

– Pamiętam bardzo dobrze. – Dziewczynka przybrała znudzoną minę. – Ksiądz Czaszyński przypominał mi to już wielokrotnie. Za każdym razem, kiedy tu przychodzi, wydaje mi się, że śmierć przeraża go bardziej niż mnie.

– Czy musimy rozmawiać teraz o takich tematach? Obiecuję, jutro przygotuję zajęcia, na których omówimy koncepcję duszy w twierdzeniach myślicieli nowożytnych. Zgoda? A teraz czas już spać. Poproszę ojca, aby ucałował cię na dobranoc.

– Jest jeszcze wcześnie – oburzyła się Laura. – Możesz jeszcze ze mną posiedzieć.

– Dobrze. – Borys sięgnął do kieszeni po zegarek. – Jeszcze piętnaście minut, pod warunkiem, że nie będziemy rozmawiać o smutnych sprawach.

Laura klasnęła w dłonie.

– O czym zatem będziemy rozmawiać?

– O czym tylko zechcesz.

– Na przykład o kobiecie, o której wciąż myślisz?

Uśmiechnął się i pogroził jej palcem.

Rozmowę przerwało im pukanie. Drzwi uchyliły się i do pokoju wszedł doktor Zaleski. Borys wstał.

– Nie chcę jeszcze iść spać. – Laura błagalnie spojrzała na ojca.

– Kochanie, jest już późno. – Zaleski położył obok łóżka skórzany neseser, w którym trzymał swoje narzędzia. Otworzył mosiężne zamknięcie, wyjął termometr i stetoskop. – Chciałbym cię jeszcze zbadać przed snem.

– Dobrze, papo, ale pozwolisz mi jeszcze posiedzieć z Borysem.

– Powinnaś się wysypiać. Możesz przecież poczekać do jutra, do kolejnej lekcji?

– Papo, nie jestem senna, a czuję się dziś bardzo dobrze.

– A nie pomyślałaś, że może Borys czuje się już zmęczony?

– A jeżeli Borys się zgodzi? Pozwolisz mu jeszcze przyjść do mnie?

Mężczyźni wymienili uśmiechy.

– Jeżeli twój nauczyciel nie jest jeszcze zbyt zmęczony, przyjdzie do ciebie na piętnaście minut, skoro na dobranoc nie wystarczy ci rozmowa z ojcem. – Zaleski z czułością dotknął policzka córki. – Teraz jednak grzecznie pozwolisz zmierzyć sobie temperaturę.

Borys wyszedł na korytarz. Obiecał Laurze, że wróci do niej przed snem. Nie poszedł do siebie, ale zszedł schodami i zapukał do pokoju gościnnego. Odczekał chwilę i zapukał jeszcze raz. Spojrzał na zegarek. Nie sądził, by profesor kładł się do łóżka o tej porze. Chyba że to nie sen był powodem jego milczenia. Położył dłoń na klamce. Drzwi ustąpiły z cichym skrzypnięciem zawiasów.

– Panie profesorze, jest pan tam?

Pokój pogrążony był w półmroku, tylko jesienny księżyc rozpraszał ciemność pod oknem, rzucając bladą plamę światła na biurko i fragment podłogi. Borys wszedł dalej i spojrzał w kierunku łóżka. Posłanie pozostawione zostało w wielkim nieporządku, pierzyna i poduszki leżały w nieładzie, zmięty koc osunął się na dywan. Nauczyciel chciał już się wycofać, gdy jego wzrok spoczął na stojącym pod oknem biurku. Kontur, który dostrzegł w półmroku, sprawił, że w jednej chwili zrobiło mu się sucho w ustach. Wiedział, że powinien wyjść, że źle zrobił, wchodząc do pokoju gościnnego bez wiedzy gospodarza, ale nie mógł teraz się wycofać. Podszedł do biurka i sięgnął po leżący tam przedmiot.

W pierwszej chwili nie wiedział, z czym ma do czynienia. Dopiero później zorientował się, że trzyma w ręku sekator do przycinania żywopłotów. Zacisnął palce na masywnych drewnianych uchwytach. Stalowe szczęki rozchyliły się ze zgrzytem. Coś było nie tak. Ktoś doczepił do obu ostrzy dodatkowe stalowe krawędzie, przewiercone u nasady. Borys przysunął narzędzie bliżej okna. Poluzował uchwyt, a szczęki zacisnęły się z trzaskiem. Rozchylił je jeszcze raz, przesunął palcami po stalowych krawędziach. Ktoś drutem przymocował do ostrzy stalowe zęby wykonane z ostrej, cienkiej blachy. Zęby były nierówne i chropowate, jakby ktoś wyciął je z puszek po wojskowych konserwach. Miały różny kształt, te z przodu były nieco dłuższe, miały smuklejszy profil, te bliżej uchwytu były krótsze, masywniejsze, przycięte tak, by całość mogła zamknąć się wraz ze złożeniem sekatora. Nauczyciel rozsunął ostrza i ponownie je zamknął. Gdyby przystawić narzędzie do ciała i zacisnąć szczęki, powstałaby seria stosunkowo płytkich ran szarpanych, przycięte blaszane ostrza rozerwałyby skórę i zmiażdżyły tkankę. Zupełnie jak zęby dzikiej bestii.

Borys odłożył narzędzie na biurko. W pierwszej chwili chciał wybiec na korytarz i krzykiem zaalarmować swojego gospodarza. Wtem zdało mu się, że za plecami słyszy czyjeś kroki. Obrócił się, ale wciąż był sam w pokoju. Wybiegł na korytarz. Oparł się o ścianę, spróbował zebrać myśli. Odetchnął głęboko. Gdzieś na górze trzasnęły drzwi. Wiedział, że to Zaleski skończył badać córkę, ucałował ją na pożegnanie i wraca do siebie. Mógł teraz zaalarmować doktora i polecić wezwać policję lub udawać, że nic się nie stało. Wstąpił na schody. Z Zaleskim spotkał się na półpiętrze.

– Źle się czujesz? – Doktor przystanął z dłonią wspartą na poręczy. – Jesteś dziwnie blady. Jeżeli jesteś zmęczony, może położysz się spać? Laura to zrozumie.

Borys pokręcił przecząco głową.

– Nie – wybąkał. – Czuję się dobrze. Posiedzę z nią jeszcze, nie dłużej niż piętnaście minut.

Wyminął Zaleskiego i wszedł na piętro. Zanim zapukał do pokoju dziewczynki, odetchnął głęboko i zamknął oczy. Nacisnął klamkę.

– Dziękuję, że przyszedłeś – ucieszyła się. – Nie chcę jeszcze iść spać.

Usiadł na krześle pod oknem. Dyskretnie otarł pot z czoła wierzchem dłoni. Spostrzegł, że drżą mu palce.

– Powinniśmy już się położyć. Nie wiem jak ty, ale ja padam z nóg.

– Nie chcę jeszcze iść spać – powtórzyła. – Za każdym razem, kiedy zasypiam, mam wrażenie, że już się nie obudzę.

– Nie opowiadaj głupstw. Obiecałaś, że nie będziemy rozmawiać o smutnych rzeczach.

– Porozmawiajmy więc o odkryciach naukowych.

– O odkryciach? – Borys silił się na beztroski ton. – Nie za dużo nauki jak na jeden dzień? Nie będziemy rozmawiali o kotach? O miejskich plotkach, kobietach, które pracują w domu pani Adlerowej nad Sanem ani o żołnierzach ćwiczących musztrę przed koszarami?

– W jednym z ilustrowanych pism, które przychodzą wraz z pocztą do papy, przeczytałam artykuł o hipnozie. Podobno w ten sposób można wpływać na drugą osobę, można zmusić ją do uległości, wmówić coś lub uodpornić na ból lub zmęczenie.

– Mieliśmy rozmawiać o odkryciach, nie o bajkach.

– Kiedy tam pisali, że to prawda! Widziałam nawet ilustrację, Hindus w turbanie czarował wahadełkiem indyjską księżniczkę.

– I co, chcesz spróbować tego samego ze mną?

– Tak! – Laura klasnęła w dłonie, ale zaraz posmutniała. – Tylko skąd weźmiemy wahadełko?

Borys zmarszczył brwi.

– Myślę, że potrafię ci pomóc – powiedział konspiracyjnym szeptem i sięgnął do kieszeni. Teatralnym gestem wyjął zegarek na łańcuszku i zakołysał nim przed oczami dziewczynki.

Laura poprosiła, by usiadł obok niej, na krześle przysuniętym do ściany. Uklęknęła na łóżku, rozłożyła między palcami łańcuszek. Tarcza zegarka zatańczyła tuż przed jego oczami, srebrna koperta odbijała światło stojącej na stole lampy.

– Patrz uważnie – szeptała dziewczynka – nie spuszczaj wzroku z wahadełka.

– Jeżeli zasnę, nie zapomnij mnie obudzić.

– Obserwuj wahadełko. Nic innego teraz się nie liczy.

Połyskujący srebrnymi refleksami krąg kołysał się powoli raz w jedną, raz w drugą stronę. Borys uśmiechnął się pod nosem i spod wpółprzymkniętych powiek obserwował wahadłowy ruch własnego zegarka. Odetchnął głęboko.

– Obserwuj wahadełko – powtórzyła Laura. Odrzuciła kołdrę, bosa zeszła z łóżka i stanęła tuż przed nim. Teraz srebrny kształt poruszał się na białym tle jej nocnej koszuli. Chciał ją upomnieć i kazać wracać pod pierzynę, ale narastające odprężenie sprawiło, że postanowił jeszcze przez chwilę podawać. Zamknął oczy i poczuł, że zasypia. Zacisnął pięść i gwałtownie uniósł powieki, ale stojąca przed nim postać nie była tą, którą spodziewał się ujrzeć.

Płomień stojącej na stole lampy zgasł, ściany pokoju rozpłynęły się w gęstniejącej ciemności. Cała otaczająca go przestrzeń skupiała się w jednym punkcie, w kobiecej postaci przyodzianej w białą nocną koszulę. Zacisnął palce na oparciu krzesła i uniósł wzrok. Kobieta patrzyła wprost na niego, stała tuż przed nim, z szeroko otwartymi oczyma i rozchylonymi ustami. Wyciągała przed siebie prawą dłoń, jakby chciała coś uchwycić lub przeciwnie, obronić się przed czymś. Stała nieruchomo, ale w jej oczach pulsowało nieme przerażenie. Nie mógł się poruszyć, nie mógł oddychać. Otworzył usta i spróbował nabrać powietrza, ale strach i rosnący ucisk w piersi nie pozwoliły na złapanie oddechu. Znał tę sylwetkę, pamiętał tę twarz, w jednej chwili rozpoznał kasztanowe włosy układające się w niesforne loki, ale nie mógł zrobić niczego poza wpatrywaniem się w jej rozszerzone strachem oczy. Nie mógł uwolnić się od tego widoku, nie mógł nawet opuścić powiek. Słyszał tylko głośne bicie swojego serca i szum własnej krwi.

Wszystko to skończyło się w jednej chwili.

Kasztanowłosa kobieta rozpłynęła się wraz z ciemnością. Tuż przed nim, na wyciągnięcie ręki, stała Laura z łańcuszkiem w ręku. Zaczerpnął powietrza i krzyknął najgłośniej jak tylko potrafił.

Nisko zawieszone ponad miastem chmury przysłoniły księżyc i biegnąca w dół stromego zbocza ścieżka rozpłynęła się w ciemnościach. Jan Kaszycki zwolnił, ostrożnie stawiał stopy na grząskich nierównościach. Kierował się kilkoma jaśniejącymi w oddali punktami, światłem z nadrzecznych zabudowań. Zszedł z zamkowego wzgórza, przystanął, zgrabiałymi palcami zapiął marynarkę, podniósł kołnierz, wcisnął dłonie w kieszenie spodni. Za kilka tygodni spadnie pierwszy śnieg i do tego czasu musiał odłożyć pieniądze na solidny płaszcz lub ciepłą kurtkę. Jesienny wiatr niósł echo dalekich śpiewów w domu uciech pani Adlerowej, rzucał mu w twarz pierwsze krople deszczu.

Szybko przeszedł przez pas zmrożonych ściernisk, wszedł na ścieżkę wzdłuż sadów. Minął murowany dom nad potokiem wpadającym do Sanu, obszedł niskie drewniane zabudowania i ruszył dalej. Ciemny zarys ostatniego budynku dostrzegł dopiero wtedy, gdy zostawił za sobą ostatni pas jabłoni.

Przystanął, po czym zgięty w pół powoli ruszył do przodu. Wdowa najprawdopodobniej już spała, spomiędzy zamkniętych okiennic nie wydobywał się nawet najmniejszy odblask palącej się lampy. Spała, a może przyjmowała kogoś, kto do realizacji celu swej wizyty nie potrzebował światła. Wiedział, że kobieta ma psa, ale najprawdopodobniej trzymała go w środku lub uwiązała na tyłach domu. Przykucnął, wsparł dłonie na kępie ściętej przymrozkiem trawy. Wtulił wilgotne od siąpiącego deszczu policzki w kołnierz marynarki. Drżał z zimna. Nie wiedział, ile czasu przyjdzie mu tu spędzić. Wstąpił na ścieżkę biegnącą na nadrzeczne błonia po zmroku, na tyle późno, by narastająca ciemność zapewniała bezpieczeństwo wszystkim, którzy chcieli uniknąć przypadkowych spojrzeń, a na tyle wcześnie, by móc przyłapać dyskretnego gościa pod drzwiami wdowy. Rankiem, kiedy chciał otwarcie pomówić z kobietą, ta nie chciała z nim rozmawiać. Jeżeli miał się dowiedzieć czegoś więcej o tajemnicach domu nad rzeką i jego rudowłosej właścicielki, musiał posunąć się do podstępu.

Uważnie obserwował ledwie widoczną w ciemnościach bryłę budynku. Chciał podejść bliżej, ale obawiał się, że jeżeli ktoś z lampą w dłoni nagle otworzy drzwi, może dostrzec jego sylwetkę. Po chwili namysłu postanowił skryć się pod osłoną karłowatego drzewka oddalonego o kilkadziesiąt kroków na lewo od domu. Podniósł się i gdy ruszył w tamtym kierunku, wydało mu się, że dostrzegł coś w ciemności. Opadł kolanami na mokrą ziemię, wytężył wzrok. Rzeczywiście, coś ruszało się po drugiej stronie łąki.

Kaszycki przywarł do ziemi, rozejrzał się dookoła w poszukiwaniu schronienia. Coś zbliżało się od strony rzeki. W pierwszej chwili wydało mu się, że widzi wysoką męską postać, między kołysanymi wiatrem łozami dostrzegł zarys kapelusza. Dziennikarz podniósł się z ziemi i ruszył pochylony, chcąc obejść gościa zbliżającego się do domu wdowy. Co jakiś czas przystawał, usiłując przebić wzrokiem ciemność.

Huk wystrzału sprawił, że Kaszycki upadł na kolana, a ptaki z okolicznych drzew zerwały się z krzykiem w nocne niebo.

Opuścił głowę i zacisnął palce na kępie trawy, przymknął oczy w oczekiwaniu na kolejny wystrzał, ale ten nie nastąpił. Podniósł się i zmrużył oczy, ale niczego nie dostrzegł. Strach wziął górę nad rosnącą ciekawością. Powoli wycofywał się w stronę zabudowań i ścieżki, kiedy zauważył ruch przy jednej ze ścian domu wdowy. Zamarł w jednej chwili. Dostrzegł coś, ale nie mógł określić kształtu ani rozmiaru. Coś ruszało się wzdłuż budynku, okrążyło go, zawróciło, na moment zniknęło z oczu dziennikarza, po czym ruszyło prosto w jego kierunku.

Kaszycki zerwał się do biegu. Do otoczonych sadami zabudowań pozostawało kilkadziesiąt metrów. Przebierał nogami najszybciej jak tylko mógł. Ślizgał się na mokrej trawie, potykał o nierówności, gorączkowo łapał oddech. Widział już wyraźnie zarys dachów krytych gontem, kształt wozu stojącego przy szopie i parkan, który oddzielał dwie sąsiadujące posesje.

Sfatygowany but, który kupił od handlującego starociami Żyda, nie wytrzymał szaleńczego tempa. Kaszycki potknął się, rozpaczliwym wymachem ramion spróbował odzyskać równowagę, a odklejona podeszwa została gdzieś w trawie. Obejrzał się przez ramię.

Ciemny, pochylony ku ziemi kształt zbliżał się do niego szybciej, niż mógłby to zrobić jakikolwiek człowiek. Dziennikarz krzyknął i ruszył dalej, nie bacząc na zniszczony but. Strach dodał mu nowych sił, słyszał już za sobą ciężkie posapywanie i groźny, urywany oddech. Parkan był tuż przed nim. Jeszcze dziesięć, jeszcze pięć kroków. Wyciągnął przed siebie ręce, całym ciężarem ciała uderzył w ogrodzenie, chwycił się górnej krawędzi i ze zwielokrotnioną strachem siłą podciągnął się do góry. Przerzucił nogi na drugą stronę i upadł na ziemię.

Coś było tuż po drugiej stronie parkanu. Dyszało, uderzało o zmurszałe deski, biegło raz w jedną, raz w drugą stronę, aż w końcu ucichło. Kaszycki podniósł się z ziemi, rozcierając stłuczony łokieć.

Zauważył, że bramka prowadząca na ogrodzone parkanem podwórko jest otwarta, dzieliło go od niej kilkanaście kroków. Obejrzał się przez ramię. Do drzwi domu, którego gospodarz jeszcze nie położył się spać, bo między deskami okiennic migało światło lampy, pozostawała mniej więcej ta sama odległość. Zawahał się, ale znów usłyszał to, co nadbiegło od domu wdowy. Rzucił się do ucieczki. Rozbryzgując kałuże, pomknął w kierunku drzwi i wtedy kątem oka dostrzegł po prawej ręce komórkę na narzędzia. Zmienił kierunek biegu, modląc się w duchu, by komórka nie była zamknięta. Nie była. Wskoczył do środka.

Coś uderzyło o drzwi, szarpnęło, ciężarem ciała naparło na zmurszałe deski. Kaszycki, skulony w ciemnym wnętrzu, wpił palce w druciany skobel, ze wszystkich sił przytrzymując drzwi.

Komórka była ciasna i wąska, czuł na plecach drewniane zęby grabi, zapierał się nogą obok ustawionej w kącie kosy.

Spojrzał przez szparę i zamarł, omal nie puszczając skobla. Coś wiło się tuż przed nim, z wściekłością waliło o deski, warczało i dyszało. Widział płonące w ciemności ślepia, czuł na swojej twarzy zatęchły śmierdzący oddech. Czuł, że jego serce bije coraz mocniej, jakby zaraz miało wyskoczyć z klatki piersiowej gardłem. Zaciskał palce aż do krwi, modląc się, aby to, co miał przed sobą, okazało się tylko złym snem. Ze strachu nie mógł oddychać. Patrzył w ziejące zwierzęcą nienawiścią oczy, lśniące tuż przed jego twarzą.

Borys zbiegł ze schodów, wywrócił stojący w holu flakon z suszonymi kwiatami, staranował drzwi wejściowe i wypadł na podwórko. Zostawił za sobą wystraszoną i zapłakaną Laurę, wywrócone krzesło i rozbite szkiełko zegarka. Dobiegł do bramki, potknął się na schodach, zeskoczył w dół i wpadł wprost na stojącą przy kamiennym ogrodzeniu postać. Odbił się od rosłej sylwetki, upadł na trawę.

– Co robisz, młodzieńcze?

Borys zerwał się na nogi, ruszył dalej, ku ścieżce biegnącej w dół wzgórza, w stronę nadrzecznych błoni, ale mężczyzna przytrzymał go, chwytając za ramię. Nauczyciel skrzywił się ze wstrętem, spojrzał w brodatą twarz profesora Hildenberga, wciągnął powietrze przez nos, usiłując odnaleźć w wilgotnym zapachu jesiennej nocy korzenny posmak opium.

– Co się stało?

– Proszę mnie zostawić. – Borys zbił ramię profesora, ale ten nie ustąpił, zachodząc mu drogę. – Niech mnie pan przepuści, do diabła – warknął. – Nie mam chwili do stracenia!

– Stało się coś?

– Alina jest w niebezpieczeństwie. – Borys wyswobodził się z uścisku Austriaka i pobiegł stromą ścieżką w dół wzgórza. W ciemnościach nie widział, gdzie stawia stopy, ześlizgiwał się, rozpaczliwie przytrzymując nagich gałęzi zwieszających się nad ścieżką. Za plecami słyszał ciężki oddech profesora i rzucane co jakiś czas niemieckie przekleństwa. W końcu dotarł do łąki i wzdłuż sadów pobiegł w kierunku rzeki.

– Zaczekaj – usłyszał zdyszany głos, ale nie zwolnił kroku. Biegł, ile sił w nogach, najszybciej jak pozwalała na to ciemność. Dopiero teraz poczuł na plecach chłód. Wybiegł tak jak stał, w lekkich butach i samej koszuli. Nie miał przy sobie niczego, co mógłby użyć do obrony. Mimo to biegł dalej, słysząc własny świszczący oddech i klekot zapadających się w błoto butów.

Kiedy huk wystrzału spłoszył nadrzeczne ptactwo, nauczyciel przystanął zdezorientowany. Zatrzymał się. Strzał dobiegł od strony domu, do którego zmierzał.

– Zaczekaj na mnie, do diabła! – Poczuł na ramieniu ciężką dłoń profesora. Austriak zatrzymał się obok niego, zgiął się w pół, z bólem wciągając powietrze. Miał na sobie już tylko koszulę, marynarkę najwyraźniej zrzucił gdzieś po drodze. Borys spiął się do dalszego biegu, ale Hildenberg go przytrzymał.

– Spokojnie – profesor mówił powoli, próbując wyrównać oddech. – Chcesz obronić tę kobietę gołymi rękami? Tam ktoś strzelał.

– Musimy jej pomóc! Jest w niebezpieczeństwie!

– Pójdę przodem, trzymaj się blisko mnie. – Austriak sięgnął ręką za plecy, wysunął coś zza paska i pochylony ruszył przed siebie. Borys spostrzegł, że Hildenberg ma w dłoni rewolwer. Chciał coś powiedzieć, ale profesor kluczył już między drzewami i nie pozostało mu nic innego, jak podążyć za nim.

Wychodzili już prawie spomiędzy sadów, kiedy Austriak przystanął i podniósł dłoń, gestem nakazując milczenie.

– Tam ktoś jest – syknął. – Biegnie w stronę zabudowań.

– Nieważne – warknął Borys. – Ważne, co z Aliną.

Przebiegli przez pas odsłoniętego terenu, z ciemności wyłoniła się bryła ostatniego budynku nad rzeką. Hildenberg zwolnił, uniósł rewolwer, w ciszy rozległ się trzask odciąganego zamka.

– Skąd wiedziałeś, że coś jej grozi? – mruknął Austriak, powoli zbliżając się do ściany domu.

– Widziałem to. – Borys wpatrywał się w zamknięte okiennice, jakby chciał przeniknąć je wzrokiem.

Powoli okrążyli budynek, weszli na ganek, zmurszałe deski jęknęły pod ciężarem Austriaka. Zbliżali się do drzwi, kiedy huknął kolejny strzał, tym razem bliżej. W powietrzu poczuli zapach prochu. Natychmiast rzucili się na ziemię.

– Nie strzelaj! – wrzasnął Borys. – Nic ci już nie grozi!

Jedyną odpowiedzią była cisza. Leżeli płasko na ganku, wpatrując się w zamknięte drzwi.

– To ja, Borys. Nie strzelaj, proszę. Wszystko jest w porządku. Słyszysz mnie, prawda?

Nasłuchiwał chwilę.

– Posłuchaj. Jesteśmy tutaj, aby ci pomóc. – Uniósł się na łokciach. – Powiem ci, co zrobię. Podejdę do drzwi, otworzę je i wejdę do ciebie.

Borys wstał, powoli podszedł do drzwi, nacisnął klamkę. Ostrożnie przestąpił próg.

– Alina?

Znalazł ją półnagą, skuloną w kącie przy łóżku. Jedną ręką tuliła do siebie wystraszonego psa, drugą mierzyła z rewolweru w stronę drzwi. Gestem dał znak, by Hildenberg pozostał na werandzie, a sam wszedł do izby.

– Już dobrze, malutka, wszystko jest już dobrze.

Powoli zbliżył się do Aliny, uklęknął tuż przed nią, delikatnie ujął drżącą dłoń. Spróbował wyjąć broń spomiędzy jej kurczowo zaciśniętych palców. Nie pozwoliła mu na to. Trzęsła się z zimna i strachu, wielkie łzy spływały po jej policzkach. Mówił do niej szeptem, cierpliwie odginając jeden palec po drugim, aż oddała rewolwer. Opuściła głowę i wtuliła się w jego ramię. Objął ją i poczuł spazmy targające jej ciałem.

– Ktoś idzie – usłyszał z ganku głos profesora.

Delikatnie odsunął od siebie płaczącą Alinę, podszedł do Austriaka, który skrył się za framugą drzwi. Wyjrzał ponad jego ramieniem, ale niczego nie dostrzegł w ciągnącej się od rzeki mgle.

Hildenberg prędko wyszedł na ganek, uniósł rewolwer.

– Stój, bo strzelam! – zagrzmiał. – Widzę cię. Nie próbuj uciekać.

– Rzuć broń! – odkrzyknął ktoś z ciemności. – Rzuć broń, mówię.

Profesor przesunął się między drewnianymi słupkami ganku, ostrożnie przesuwając lufę rewolweru w ślad za swoim wzrokiem.

– Podejdź bliżej. Powoli.

– Powtarzam, rzuć broń. Mierzysz do komisarza policji.

Z ciemności powoli wyłoniła się niska masywna sylwetka. Witchenbacher obszedł ganek szerokim łukiem, wciąż mierząc z rewolweru. Przez chwilę obaj mężczyźni patrzyli na siebie zza uniesionej broni. Profesor pierwszy opuścił ramię.

Witchenbacher ostrożnie wszedł na ganek. Wodził lufą między Austriakiem a blokującym drzwi Borysem.

– Co tu robicie? – Spojrzał gniewnie na nauczyciela. – Masz talent do pakowania się w nie swoje sprawy, chłopcze.

– Byliśmy w pobliżu, kiedy usłyszeliśmy strzały – odezwał się Hildenberg. – Przybiegliśmy najszybciej jak się dało.

– Byliście w pobliżu? To zabawne. Zbieg okoliczności, prawda? – Witchenbacher skrzywił się ironicznie. – Co z wdową?

– Na szczęście nic się jej nie stało.

Komisarz podszedł do Borysa, stanął tak blisko, że lufa jego rewolweru dotknęła koszuli nauczyciela, ale ten nie ustąpił.

– Zejdź mi z drogi, chłopcze.

Borys odetchnął głęboko, wsparł się o framugę drzwi, ale nie zszedł z progu. Ustąpił dopiero, gdy poczuł na swym ramieniu dłoń profesora.

Komisarz wszedł do środka, spojrzał na skuloną przy łóżku kobietę. Zatrzymał wzrok na nagich ramionach i osłoniętych kocem piersiach. Uśmiechnął się lekko i oblizał usta. Podszedł do kredensu, zapalił stojącą tam lampę, rozejrzał się po izbie.

– Weź najpotrzebniejsze rzeczy – rzucił przez ramię w stronę Aliny. – Bieliznę, coś do ubrania, koc.

Borys chwycił policjanta za ramię. Ten spojrzał na niego zimno.

– Ta kobieta widziała osobę podejrzaną o popełnienie dwóch morderstw – powiedział twardo Witchenbacher. – Zatrzymuję ją do wyjaśnienia sprawy.

10

Komisarz Ludwik Witchenbacher przysunął płonącą zapałkę do swej ulubionej fajki i miarowo wciągał powietrze, usiłując rozpalić starannie ubity tytoń. Można było odnieść wrażenie, że całkowicie poświęcił się swemu zajęciu; ze skupieniem obserwował smużkę siwego dymu unoszącego się ku brudnemu sufitowi policyjnego gabinetu, ignorując mężczyzn siedzących po drugiej stronie biurka.

– Panie komisarzu, nie może pan więzić tej kobiety.

Doktor Zaleski, dla podkreślenia wagi swych słów, stuknął laską o podłogę. Kiedy wczesnym rankiem zrelacjonowano mu wydarzenia ostatniej nocy, uznał, że nie może pozwolić, by rozmowa z komisarzem odbyła się bez jego obecności.

– Ta kobieta jest jedyną osobą, która widziała podejrzanego o popełnienie dwóch brutalnych morderstw na terenie tego miasta. Proszę o tym nie zapominać.

– Proszę ją zatem przesłuchać, zeznania zaprotokołować, a świadka zwolnić.

– Panie doktorze, proszę mi wyjaśnić, dlaczego tak bardzo interesuje pana los tej kobiety?

Siedzący tuż obok doktora Borys zacisnął palce na krawędzi krzesła. Był wdzięczny swemu chlebodawcy za wstawiennictwo, ale wiedział, jak wiele ryzykuje Zaleski, decydując się na taki krok. Szanowany obywatel, społecznik, ceniony lekarz, interesujący się losem młodej samotnej wdowy, o której plotkowało całe miasto... Przetarł podrażnione oczy. W nocy nawet nie próbował kłaść się spać. Usiadł przy oknie i rozmyślając o losie przebywającej w miejskim areszcie Aliny, czekał, aż ponad karpackimi wzgórzami rozpalą się pierwsze łuny brzasku.

– To moja pacjentka – odpowiedział Zaleski bez chwili wahania. – Obawiam się, że długotrwały areszt może odbić się na stanie jej zdrowia.

– Pacjentka, powiada pan. – Policjant wypuścił z ust kłąb wonnego dymu. – Proszę mi zatem wyjaśnić, jakie to choroby uniemożliwiają tej kobiecie pobyt w areszcie?

– Proszę wybaczyć, ale w tym względzie wiąże mnie tajemnica lekarska.

– Mnie zaś wiąże troska o bezpieczeństwo mieszkańców tego miasta.

Milczący dotąd profesor Hildenberg poprawił się na krześle, wyprostował szerokie ramiona, przeciągnął się i spojrzał na zajętego fajką komisarza.

– Pańska troska o bezpieczeństwo publiczne jest ze wszech miar zrozumiała – powiedział bez cienia ironii. – Rozumiemy, że zatrzymana kobieta może posiadać informacje o kluczowym znaczeniu dla przebiegu śledztwa. Nie przyszło nam nawet do głowy ograniczać panu dostęp do tak ważnego świadka. Uważam jednak, że możemy panu pomóc.

Witchenbacher przygryzł kościany cybuch. Udając, że w zamyśleniu przegląda piętrzący się na biurku stos notatek, kątem oka obserwował profesora, usiłując dosłyszeć w jego tubalnym głosie tony zbliżone barwą do szeptu, który usłyszał przed dwoma dniami, na ławeczce w Ogrodzie Miejskim. Nie miał wątpliwości, że to właśnie z tajemniczym brodaczem rozmawiał pamiętnego wieczora o ostatnich wydarzeniach. Podobieństw było wiele. Austriak rodem z Wiednia, zainteresowany sprawą morderstw, przybyły do miasteczka dzień po wysłaniu telegramu. Skoro jednak Hildenberg nie ujawnił swojej tożsamości i usiłował dalej prowadzić swoją grę, komisarzowi nie pozostało nic innego, jak tylko w niej uczestniczyć.

– Co pan chce przez to powiedzieć?

– Zakładam, że bezpośrednio po spotkaniu z nami przystąpi pan do przesłuchania świadka – ciągnął profesor. – Zajmie to panu dwie, może trzy godziny. Potem będzie pan coś musiał zrobić z tą nieszczęsną kobietą. Wydaje się, że ma pan dwie możliwości. Może ją pan zwolnić, co skutkować będzie dwojakim zagrożeniem. Po pierwsze, wystraszona kobieta może uciec z miasta i ukryć się, co wykluczy możliwość przesłuchania, gdy zajdzie taka potrzeba, na przykład przy rozpoznaniu podejrzanego, gdy zostanie on już ujęty. Po drugie, morderca może wrócić pod jej dom i wtedy możemy nie mieć tyle szczęścia, co ostatniej nocy.

– Mogę też trzymać ją pod kluczem tak długo, jak zachcę. To znaczy – poprawił się komisarz – tak długo, jak będzie to konieczne dla sprawy.

– Owszem, ale to rozwiązanie również nie jest pozbawione wad. Wie pan, jaką opinią cieszy się ta kobieta wśród mieszkańców miasteczka. Założę się, że zaraz pojawi się podejrzenie, czy to aby nie przypadek, że właśnie ona widziała mordercę. A może to misternie knuta intryga, zapyta ktoś. Może to jego wspólniczka? Może to ona sprowadziła na nas nieszczęście?

Witchenbacher skrzywił się, aromatyzowany wanilią tytoń z cesarskich składów nagle przestał mu smakować. Wyglądało na to, że tajny wysłannik Dyrekcji c.k. Policji najwyraźniej chce, aby zwolnił tę kobietę.

– Co pan proponuje, profesorze?

– Myślę, że cały dzień wystarczy panu na przeprowadzenie przesłuchania. Wieczorem przyjdziemy po tę kobietę i ją ukryjemy. Wybierzemy miejsce tak, aby była bezpieczna, a jednocześnie, w razie zaistnienia takiej konieczności, mogła niezwłocznie stawić się przed panem.

Komisarz z trudem ukrył rozczarowanie. Cesarski wysłannik nie pozostawiał żadnych złudzeń co do swych zamiarów. Czy mu się to podobało, czy nie, musiał dostosować się do jego poleceń. Pocieszał się myślą, że w dłuższej perspektywie wyjdzie mu to na korzyść.

– Przemyślę pańską propozycję, profesorze – odpowiedział. – Proszę przyjść wieczorem, powiedzmy o dziewiętnastej. Wtedy dam panu ostateczną odpowiedź.

Policjant wstał, ukłonił się i otworzył drzwi swojego gabinetu.

Mężczyźni wyszli na korytarz, w milczeniu zeszli schodami do głównego wyjścia. Dopiero gdy znaleźli się na rynku przed ratuszem, Borys gorączkowo chwycił ramię Hildenberga.

– Profesorze, mamy czekać do wieczora? – zapytał zdenerwowany. – Przecież ten stupajka nie będzie jej przesłuchiwał przez cały dzień?

– Spokojnie, chłopcze. – Austriak zgromił go wzrokiem. – Za godzinę całe miasto nie będzie mówiło o niczym innym. Chcesz ją wyprowadzić z aresztu w biały dzień, na oczach gapiów? Wieczorem sprowadzimy dorożkę i dyskretnie wywieziemy gdzieś w bezpieczne miejsce. Mamy czas, by się zastanowić i wybrać najrozsądniejszą kryjówkę.

– Mam nadzieję, że wiecie, co robicie – mruknął idący z tyłu Zaleski, ale nie doczekał się odpowiedzi.

Funkcję aresztu miejskiego w Sanoku pełniły dwie piwniczne izby pod ratuszem, pozbawione okien, z klepiskiem zamiast podłogi, oddzielone od siebie parą solidnych drzwi i wąskim korytarzem. W jednej z nich Witchenbacher nakazał umieścić Alinę, uprzednio zwolniwszy kilku awanturników, których prewencyjnie umieścił tam przed kilkoma dniami. Zwolnił ich bez żalu i nadziei, że protokół z przesłuchania któregokolwiek z porywczych furmanów, skorych do bitki tragarzy czy przesiadujących pod miejskimi szynkami obiboków otworzy drogę do rozwiązania zagadki śmierci miejskich rajców.

Witchenbacher zszedł schodami do piwnicy, odebrał lampę z rąk idącego przed nim posterunkowego i nakazał mu wrócić do patrolowania uliczek. Zwykle przesłuchiwał w towarzystwie któregoś z bardziej rozgarniętych podwładnych, który pełnił rolę protokolanta, teraz jednak wolał być sam na sam ze świadkiem. Sięgnął po klucze i otworzył celę. Zaczekał, aż woźny wniesie do ciemnej, ciasnej izby niewielki stolik i krzesło, po czym wszedł do środka, usiadł i ustawił na blacie lampę.

Kobieta siedziała na pryczy, otulona przyniesionym z domu kocem. Wolał ją taką, jak ubiegłej nocy, półnagą, z odsłoniętymi ramionami i burzą zmierzwionych rudych włosów. Teraz, milcząca i wystraszona, w koszuli zapiętej pod samą szyję, okryta kocem, wyglądała mniej pociągająco, ale na jej widok odczuł znowu mrowienie w lędźwiach. Zastanawiał się, czy gdyby zdecydował się wziąć ją siłą, tu i teraz, na wąskiej twardej pryczy, urzędujący przy drzwiach na parterze woźny usłyszałby jej krzyki. Uznał jednak, że takie postępowanie mogłoby się nie spodobać wysłannikowi Dyrekcji c.k. Policji, który najwyraźniej miał wobec rudowłosej wdowy swoje własne plany.

Wygładził dłonią arkusz papieru, odnotował datę i miejsce przesłuchania. Rozpoczął od standardowego zestawu pytań. Imię i nazwisko, miejsce zamieszkania, źródło zarobkowania. Odpowiadała spokojnie, zawahała się na moment, gdy zapytał o stan cywilny.

– Wdowa.

– Kiedy zmarł twój mąż?

Znów chwila niepewności.

– Mój mąż zaginął. Nie znam daty jego śmierci.

Przesunął lampę tak, aby lepiej oświetlała arkusz papieru. Zanotował odpowiedź.

– Co się stało ubiegłej nocy?

– Obudził mnie pies, który sypia pod moim łóżkiem. Wstałam i podeszłam do okna, wyjrzałam przez szparę w okiennicy, ale niczego nie zauważyłam. Uspokoiłam psa i chciałam wrócić do łóżka, gdy usłyszałam coś pod drzwiami.

– Co to było?

– Najpierw kroki. Ciche. Ktoś obszedł dom, przystając co chwilę, jakby chciał się upewnić, czy nikt nie zauważył jego obecności. Ktoś przeszedł wzdłuż ściany, wstąpił na ganek, wyraźnie słyszałam, jak skrzypnęły deski, a potem zatrzymał się przy drzwiach.

– Co było dalej?

– Usłyszałam szelest, jakby ktoś manipulował przy zamku. Wystraszyłam się. Wszyscy w miasteczku wiedzą, że mieszkam sama.

Witchenbacher uśmiechnął się, wsunął końcówkę pióra między zęby.

– Zdarzało się wcześniej, że ktoś nachodził cię nocą?

Skinęła głową.

– Opowiedz mi o tym.

– Mężczyźni goszczący w domu pani Adlerowej, przy przystani, często nie wracają nocą w stronę miasta, ale idą w górę rzeki. Nieraz słyszałam ich pijackie śpiewy i przechwałki, szczególnie latem. Zdarzało się, że dobijali się do moich drzwi.

– Nigdy jednak do nich nie strzelałaś.

Opuściła wzrok, schowała dłonie pod koc.

– Wróćmy co wczorajszej nocy. Usłyszałaś, jak ktoś manipuluje przy zamku. Co było dalej?

– Wystraszyłam się. Wszyscy słyszeli o tych morderstwach, o tym, że rajca Stezl został zagryziony we własnej sypialni. Podkradłam się do komody, wyjęłam rewolwer. Naboje były w bębenku, nigdy nie strzelałam, nie wiedziałam nawet, czy wypali. Wycelowałam w drzwi i strzeliłam.

– Skąd miałaś broń?

– To pistolet mojego męża. Kiedy mąż zaginął, chciałam go wyrzucić, ale zawsze brakowało mi odwagi.

– Strzeliłaś więc przez drzwi w stronę napastnika. Trafiłaś go? Usłyszałaś coś?

– Tak. Coś przebiegło wzdłuż ściany. Szybciej, niż może biec człowiek.

– Skoro miał siłę biec, nie mógł być ranny. Chyba, że rana była lekka. Mogłaś postrzelić go w rękę, a może tylko solidnie wystraszyłaś. Co było dalej?

– Siedziałam przy łóżku, mierząc prosto w drzwi i modląc się, aby już świtało. Po jakimś czasie znów usłyszałam kroki na ganku. Strzeliłam przez drzwi, ale okazało się, że to Borys.

Komisarz notował z uwagą, powoli wodził stalówką po karcie papieru.

– Skąd Pasternak wziął się w środku nocy pod twoimi drzwiami?

– Nie wiem. Nie zdążyłam z nim porozmawiać.

– Ile czasu minęło między jednym a drugim wystrzałem?

– Sama nie wiem. Tak bardzo się bałam... Ale nie sądzę, by dłużej niż dziesięć, może piętnaście minut.

Policjant zapisał tę informację. Odgłos wystrzału na pewno dotarł do domu doktora Zaleskiego, ale w dziesięć minut nie dałoby się, żeby nie wiem co, zejść z miejskiego wzgórza i dobiec do domu nad rzeką.

– Jak myślisz, kto mógł cię najść tej nocy?

– Nie wiem.

– Nie wiesz... – Witchenbacher pokiwał głową. – A ja wiem, że widziałaś coś dziwnego. Przed dwoma dniami, późnym wieczorem. Nad rzeką.

Zauważył, że się wystraszyła, dostrzegł w półmroku, jak podnosi wzrok, patrzy na niego, a potem znów opuszcza powieki i kuli się pod kocem.

– Wiem, że coś widziałaś – powtórzył twardo. – Jeżeli mi nie opowiesz, co się wydarzyło tamtej nocy, przesiedzisz w tej celi choćby do wiosny.

Zdmuchnął z papieru drobinki kurzu, sięgnął po pióro i zaczął notować. Starał się pisać starannie, z uwagą kreślił litery, nie chciał się wstydzić przed wysłannikiem Dyrekcji, kiedy ten ujawni już swoją obecność, przejmie śledztwo i oficjalnie zapozna się z aktami sprawy. W pewnym momencie ręka komisarza zadrgała, a ciemnoniebieski kleks naznaczył arkusz protokołu. Policjant podniósł wzrok znad stolika.

– Chcesz, żebym w to uwierzył? Widziałaś, jak człowiek zmienia się w wilka?

Kobieta pociągnęła nosem. Płakała, ale starała się, aby przesłuchujący ją policjant tego nie zauważył. Ukradkiem starła z policzka łzę.

– Opowiedziałam wszystko tak, jak było.

Witchenbacher odsunął od siebie stolik, wstał, powoli zbliżył się do skulonej na pryczy wdowy. Wyciągnął rękę, dotknął jej włosów, musnął palcami policzek. Widział, że się boi, próbowała się odsunąć, wcisnęła się w kąt, byle dalej od jego rąk i lubieżnego spojrzenia.

– Spokojnie – powiedział, siląc się na delikatny ton. – Tu jesteś bezpieczna. Jeżeli zechcesz, zaopiekuję się tobą. Przy mnie nic ci nie grozi.

Wsunął palce pod krawędź koca na jej ramionach, spróbował zsunąć go niżej, ale rudowłosa odskoczyła jak oparzona, zbiła jego rękę i przywarła plecami do wilgotnej ściany. Komisarz zagryzł zęby, powstrzymał cisnące się na usta przekleństwo. Gdyby nie wysłannik Dyrekcji, gdyby nie tajny agent, który najwyraźniej miał swoje plany wobec tej kobiety, nauczyłby ją szacunku i posłuszeństwa dla cesarskiego funkcjonariusza.

Wrócił na swoje miejsce, zanurzył stalówkę w kałamarzu z grubego szkła, odczekał, aż spłynie nadmiar atramentu.

– Od początku – rzucił oschle. – Co wydarzyło się przed dwoma dniami nad rzeką?

Po trzech godzinach komisarz Ludwik Witchenbacher wyszedł ciężko na piętro, nakazał dyżurującemu posterunkowemu zabrać z celi stolik i krzesło, wyciągnął się wygodnie za swoim biurkiem, wyłożył nogi na blat i odetchnął. Sięgnął po swoją ulubioną fajkę, usiłując oczyścić aromatem waniliowego dymu płuca przesiąknięte zapachem stęchlizny. Z niechęcią spojrzał na równo ułożone kartki protokołu. Mimo gróźb, wrzasków, podstępów i obietnic, wdowa za każdym razem zeznawała dokładnie to samo.

Kaszycki wrócił do swojej klitki na poddaszu przemoczony i roztrzęsiony. Na samo wspomnienie jarzących się w ciemnościach oczu drapieżnika serce zabiło mu jak szalone. Rozwiesił wilgotną marynarkę na oparciu krzesła, zdjął spodnie, położył się na łóżku, ale nawet nie próbował zamykać oczu. Mimo zmęczenia wiedział, że nie zaśnie. Pozostało mu tylko czekać świtu.

Wracając myślami do zajść mijającej nocy, jak i wcześniejszych wydarzeń, leżał wpatrzony w okno, aż widoczny w wąskim prostokącie kawałek nieba rozjaśnił się bladą poświatą.

Zaczekał, aż zrobi się wystarczająco widno, aby móc czytać i pisać. Wstał, sięgnął po leżącą w kącie torbę podróżną i wysypał jej zawartość na łóżko. Sięgnął po sfatygowany zeszyt oprawiony w skórę, wyjął luźne kartki. Rozłożył notatki przed sobą. W skupieniu przeglądał zapiski z ostatnich tygodni, a zwłaszcza dni. Tych było najwięcej, kilka spiętych ze sobą kartek gęsto zapisanych ołówkiem.

Skończył czytać, wyjął czystą kartkę, położył ją przed sobą na łóżku, wynotował w słupku kilka nazwisk. Podrapał się ołówkiem za uchem. Skreślił jedno nazwisko, potem drugie i trzecie. Zamyślił się, wodząc wzrokiem po zapisanych linijkach. Ubiegłej nocy wpadł na trop, którego tak wytrwale szukał, teraz musiał być bardzo ostrożny, aby go nie zgubić i rozsądnie wybrać drogę. Ołówek znów poszedł w ruch i na kartce zostały już tylko trzy nazwiska. Po chwili zastanowienia zakreślił pierwsze z nich. Zamierzał sprawdzić wszystkie osoby z listy, ale od kogoś musiał zacząć.

Zza okna dobiegł go uliczny gwar, pokrzykiwania przekupniów, rżenie koni i chlupotanie błota rozbryzgiwanego kołami powozów.

Sięgnął po marynarkę, spojrzał na stojące pod łóżkiem buty, z których prawy pozbawiony był podeszwy, ubrał się i wyszedł z mieszkania. Stawiał niewielkie, powolne kroki, aby nie zranić stopy na brukowanym podwórku, a chwilę później na nieheblowanych deskach, z których ułożone były chodniki. Na szczęście najbliższy warsztat szewski znajdował się w bramie jednej z kamienic przy sąsiedniej ulicy. Kaszycki zszedł do pozbawionej okien sutereny, usiadł pod ścianą i patrzył, jak rzemieślnik naprawia but, przyświecając sobie łojowymi świecami.

Po wyjściu od szewca dziennikarz udał się w stronę ulicy Kościuszki. Z rękami w kieszeniach, w marynarce zapiętej na ostatni guzik, przyglądał się twarzom mijanych ludzi i sklepowym witrynom. Wstąpił do redakcji, usiadł przy biurku pod oknem, sięgnął do szuflady po papier, z kieszeni wyjął notes i korzystając z zapisków z ostatnich kilku dni, zabrał się do pracy nad materiałem do kolejnego numeru „Gazety Sanockiej". Szybko zredagował notkę o pracach nad pogłębieniem studni w rynku, która już o dziesięć metrów sięgnęła pod podstawę zamkowego wzgórza. Opisał szczegóły dzierżawy propinacji na Posadzie przez propinatora miejskiego, spółkę Schiffer & Tunk, powstrzymując się od zawiadomienia czytelników, że w przeciągu kilku najbliższych tygodni należy się spodziewać wzrostu cen z powodu braku konkurencji na lokalnym rynku.

Praca zajęła mu czas do obiadu. Wyszedł na ulicę i w pierwszej chwili skierował się ku kamienicy Weinera, gdzie mieściła się żydowska restauracja Gasthaus und Restauration Rosenberg, w porę przypomniał sobie jednak, że przed kilkoma tygodniami opublikował tekst krytykujący właścicieli lokalu, którzy wbrew obowiązującym przepisom nie umieścili polskiego tłumaczenia swojego eleganckiego szyldu. Przeszedł więc na drugą stronę ulicy i wstąpił do taniej jadłodajni, gdzie zaspokoił głód misą kaszy ze skwarkami i kuflem piwa z miejskiego browaru. Wrócił jeszcze do redakcji, gdzie dokończył pracę, a kiedy słońce opuściło się już za dachy żydowskich kamieniczek, nałożył marynarkę i wyszedł.

Szybkim krokiem, przeskakując kałuże, wyszedł poza obręb murowanych kamienic, kluczył między drewnianymi domkami rzemieślników i fabrycznych robotników, aż znalazł się na przedmieściach, pełnych sadów i pryzm gnijących liści. Bez trudu odnalazł właściwy dom.

Postawił kołnierz marynarki i przeszedł się wzdłuż ogrodzenia, ukradkiem zerkając na okna budynku. W jednym z nich dostrzegł światło lampy. Miał szczęście, gospodarz był na miejscu. Obszedł zapuszczony, zgaszony przymrozkami ogród, zatoczył koło i rozejrzał się za miejscem, z którego mógłby dyskretnie obserwować ganek. Wybrał jedno z drzew w nieogrodzonym sadzie po drugiej stronie błotnistej uliczki. Oparł plecy o pochyły pień, dłonie wcisnął jeszcze głębiej do kieszeni. Czekał cierpliwie, aż granatowe niebo zasnuła czerń nocy, a ponad układającym się do snu miasteczkiem zapłonęły pierwsze gwiazdy. Wijąca się między ogrodami uliczka tonęła w ciemnościach, tylko gdzieniegdzie między pozbawionymi liści drzewami błyskały ogniki lamp, przy których mieszkańcy przedmieścia siadali do kolacji. Kaszycki przymknął oczy, wsłuchując się w szum wiatru i rozmyślając nad tym, co wydarzyło się w ostatnich dniach.

Do rzeczywistości przywróciło go skrzypnięcie deski. Uniósł powieki i przeraził się. Otaczała go nieprzenikniona ciemność. Nie wiedział, jak długo spał wsparty o drzewo. Wyprostował się i rozejrzał dookoła, kiedy usłyszał ten dźwięk po raz kolejny: jęk deski, na którą ktoś naparł całym ciężarem ciała. Kaszycki wytężył wzrok. Bardziej usłyszał niż dostrzegł ruch na ganku domu, który obserwował. Pochylił się, przywarł do ziemi i patrzył, jak cień sunie ścieżką, mija ogrodzenie i kieruje się drogą w stronę miasta. Ruszył w ślad za ledwie widoczną w ciemności sylwetką z nadzieją, że jego przypuszczenia sprawdzą się jeszcze tej nocy.

Na granatowym niebie ponad miastem zamrugały pierwsze gwiazdy, kiedy woźny, siwobrody staruszek w podniszczonym kitlu, uchylił drzwi ratusza i pomógł posterunkowemu wynieść drabinę niezbędną przy rozpalaniu ulicznych latarni. Woźny sięgnął do kieszeni po klucze, kiedy na schodach zobaczył komisarza policji miejskiej Ludwika Witchenbachera. Wsparł się na miotle i udając, że w pobrzękującym pęku kluczy szuka tego właściwego, patrzył ukradkiem, jak policjant schodzi do piwnicy, by po chwili wrócić w towarzystwie opatulonej brudnym kocem rudowłosej kobiety. Woźny, jak każdy mieszkaniec Sanoka, znał wdowę z domu nad rzeką. Siląc się na uprzejmość, otworzył przed komisarzem drzwi i dostrzegł czekającą przed ratuszem dorożkę z podniesioną budą. Zamknął i natychmiast przytknął oko do pozostawionej szpary, szerokiej na grubość palca.

Witchenbacher podprowadził kobietę do powozu, otworzył drzwiczki, wspiął się na stopień i krótką chwilę rozmawiał z kimś, kto krył się w pojeździe. Zeskoczył na ziemię, pomógł pasażerce zająć miejsce pod skórzaną budą, zatrzasnął za nią drzwi i patrzył, jak woźnica zacina konie i kieruje się w stronę placu Świętego Michała.

Staruszek domknął drzwi, pokiwał z niedowierzaniem głową i poszedł do służbówki, gdzie czekał na niego parujący na palenisku imbryk i schowana w szafce butelka wiśniowej nalewki.

Wrzaskliwy śpiew urwał się jak ucięty nożem, gwar rozmów umilkł, ale cisza nie trwała długo, przerwał ją trzask łamanego drewna i brzęk tłuczonego szkła. Ktoś coś krzyknął, a potem izbę wypełnił gromki śmiech, od którego zadrżały ściany karczmy. Minęła chwila, a urwana w pół słowa pijacka pieśń na powrót zagłuszyła wszystkie inne odgłosy.

– Nie zostanę tu sama. Chcę wrócić do swojego domu.

– To niemożliwe. – Profesor Hildenberg przesunął się między łóżkiem a krzesłem, zbliżył do niewielkiego okienka i wyjrzał na zewnątrz, gdzie na oświetlonym dziedzińcu przed karczmą chwiejący się na nogach chłop usiłował uspokoić zaprzęgnięte do wozu konie. Ciasna i wąska izba na poddaszu nie pozwalała rosłemu Austriakowi wyprostować się w pełni.

– Nie zostanę tu ani chwili – powtórzyła Alina. Siedziała na brzegu łóżka, otulona wełnianą peleryną.

– Profesor ma rację – wtrącił się do rozmowy Borys. – Tutaj jesteś bezpieczna. Zapłaciliśmy za dwa dni. Mam nadzieję, że przez ten czas schwytamy mordercę lub przynajmniej znajdziemy ci przyjemniejsze schronienie.

– Dwa dni? Mam spędzić w tej cuchnącej gorzałką klitce dwa dni?

Na pomysł ukrycia Aliny w karczmie poza granicami miasta wpadł Hildenberg. Rozważyli wszelkie ewentualności i uznali ten pomysł za najlepszy. Ze zrozumiałych względów nie mogli narażać Zaleskiego na nieprzyjemności związane z przyjęciem pod swój dach kobiety cieszącej się nie najlepszą reputacją. Zrezygnowali też z miejskich hotelików. Wybrali przydrożną karczmę. Stała na uboczu, na tyle jednak blisko miasta, że można było dojechać do niej dorożką w kilkanaście minut.

Borys porozmawiał z karczmarzem, zapłacił za dwa dni, bez targowania godząc się na wygórowaną stawkę, i poprosił go o dyskrecję. Wąsaty karczmarz uśmiechnął się szelmowsko i przekonany, że młody nauczyciel zamierza spędzić dwa najbliższe wieczory w towarzystwie żony któregoś z miejskich kupców, umożliwił im wejście tylnymi drzwiami, prowadzącymi przez spiżarnie wprost na schody wiodące na piętro.

– Masz tu wszystko, co potrzeba. – Borys wskazał dłonią kosz z jedzeniem, ustawioną na stoliku przy oknie lampę, dzban z wodą i miednicę. – Jutro po zmroku przyjedziemy do ciebie.

– Odebrałem od komisarza broń, której użyłaś wczoraj wieczorem. – Hildenberg sięgnął pod marynarkę, wyjął rewolwer o długiej lufie, sprawnie otworzył bębenek, zakręcił, zamknął, sprawdził ustawienie kurka. – Oddaję ci ją, proszę. Nie jestem przekonany, czy powinnaś to mieć przy sobie, uważam jednak, że masz prawo się bronić. Jestem pewien, że nie będziesz musiała czynić z tego użytku, ale może tak poczujesz się bezpieczniej.

Alina wzięła rewolwer, przez chwilę ważyła go w dłoni, a potem schowała pod pelerynę.

Profesor podszedł do drzwi, położył dłoń na klamce.

– Na nas już czas.

Borys podniósł się z krzesła.

– Może mógłbym tu zostać? – zapytał profesora, patrząc na milczącą, znieruchomiałą Alinę. Sąsiednia izba jest wolna. Mógłbym ją wynająć na jedną noc, a rankiem wróciłbym do domu.

– To nie jest dobry pomysł. – Alina uprzedziła odpowiedź Hildenberga. – Dam sobie radę.

– Nie chcę, żebyś została tu sama.

– Nie martw się. Noc szybko minie. Nie zamierzam spędzić dwóch dni w tej śmierdzącej norze, ale do rana wytrzymam.

– Nie chcę...

– Dam sobie radę. – Alina wstała z łóżka, ujęła dłoń Borysa i spojrzała mu w oczy. – Zawsze musiałam radzić sobie sama. Tak będzie i teraz.

Borys opuścił wzrok, odwzajemnił uścisk i bez słowa wyszedł na korytarz.

– Wrócimy jutro, po zmroku. – Hildenberg sięgnął po wspartą o ścianę laseczkę. – Nie opuszczaj izby.

Zeszli trzeszczącymi schodami na tył karczmy. Wąski korytarz wyprowadził ich na dziedziniec, tuż przy stajniach.

Ruszyli w stronę traktu, gdzie w bezpiecznej odległości od karczmy czekała na nich dorożka.

– Nie powinniśmy jej zostawiać samej – odezwał się Pasternak, kiedy skórzane resory powozu trzeszczały już na nierównościach cesarskiej drogi. – Powinienem był zostać przy niej.

– Nie martw się – odpowiedział Hildenberg, targając w zamyśleniu swoją siwą brodę. – W karczmie, wśród ludzi, jest bezpieczna.

Dorożka wolno toczyła się w stronę miasta, a jasno świecący ponad górami księżyc oświetlał krętą błotnistą drogę.

Alina zasunęła skobel przy drzwiach, sprawdziła zamknięcie okna, usiadła na łóżku. Wsparła łokcie o kolana, twarz zanurzyła w dłoniach. Rozpłakała się. Łzy spływały między jej palcami, a wraz z nimi opadało z niej napięcie. Wciąż czuła strach, wciąż słyszała szybkie, zbyt szybkie jak na człowieka, kroki w trawie pod swoim oknem, przerażające skrzypienie desek na werandzie i szalone bicie własnego serca. Wciąż czuła na sobie lepki wzrok policjanta, wciąż czuła wilgotny zapach celi, w której siedziała do zmroku.

Płomień lampy skręcony był tak bardzo, że dawał ledwie widoczną błękitną poświatę. Bała się ciemności, ale jeszcze bardziej obawiała się, że późną nocą, kiedy goście karczmy padną pod stoły, a obsługa położy się spać, drżący ognik w oknie na poddaszu wzbudzi czyjeś zainteresowanie.

Odetchnęła głęboko i zgasiła lampę. Położyła się na łóżku, nie ściągając z siebie peleryny. Brzydziła się swego posłania. Wiedziała, w jakim celu wynajmowano takie izby i co się działo na łóżku, na którym teraz leżała. Po dłuższej chwili zdecydowała się zamknąć oczy, najpierw jednak przycisnęła do boku rewolwer i położyła wskazujący palec na spuście.

Na dole, w głównej izbie, zabawa trwała w najlepsze. Ktoś krzykiem domagał się gorzałki, ktoś inny podniesionym głosem zarzucał swym kompanom oszustwo w kartach. Przez jakiś czas panował względny spokój, gdy między jednym a drugim toastem odezwał się rzewnie akordeon.

Madziar, Madziar, ne budź błazen
Ne prepijaj wszećko razem,
Bo jak prepjesz, ne budzesz mieć,
Pryjdesz do dom, bedziesz sie bić.

Madziar pije, Madziar skacze,
Madziarowa w domu płacze,
Płacze żona, dzieci płaczą,
Że Madziar w karczmie skacze.

Mijały minuty, ale sen nie nadchodził. Leżała czujna i spięta, wsłuchana w trzeszczenie starych desek i odgłosy pijackiej zabawy. Otworzyła oczy. Nie chciała spędzić w tym miejscu ani chwili dłużej. Podniosła się z łóżka, naciągnęła kaptur peleryny na głowę i najciszej jak umiała podeszła do drzwi.

Miarowy dźwięk wiszącego na ścianie zegara odmierzał kolejne minuty, ale sen nie nadchodził. Borys uniósł powieki. Stracił już nadzieję, że zaśnie tej nocy. Wstał i podszedł do okna. Na zewnątrz panowały nieprzeniknione ciemności, chmury przesłaniały gwiazdy. Tylko nagie gałęzie drzewa kołysały się miarowo na wietrze, drapiąc o szybę. Otworzył okno i wpuścił chłodne, przesiąknięte zapachem deszczu powietrze. Jego myśli wybiegały poza pokój, który zajmował, mknęły przez rynek, przemierzały grząskie uliczki śpiącego miasta, gnały do ciasnej izby na poddaszu podmiejskiej karczmy. Wyobrażał sobie, co czuje Alina, opuszczona przez wszystkich, pozbawiona pomocy. Nie powinien był jej opuszczać. Wpił palce w drewnianą framugę. Powinien był tam zostać, wbrew słowom profesora, wbrew niej samej.

Krew coraz mocniej szumiała mu w uszach, westchnął ciężko, poluzował kołnierzyk koszuli. Zacisnął pięści. Tak bardzo chciał coś zrobić. Cokolwiek. Chciał stanąć twarzą w twarz z zagrożeniem, chciał walczyć, chciał uderzać pięścią prosto w twarz, tak jak tamtej nocy, kiedy dwóch pijanych robotników zaszło mu drogę. Chciał wyrzucić z siebie całą swoją wściekłość, całą złość. Chciał się pozbyć narastającej w nim z każdą chwilą ślepej furii.

Odetchnął głęboko. Ostatnim wysiłkiem woli uspokoił rozbiegane myśli. Powoli odliczył do dziesięciu, koncentrując się na kolejnych wdechach i wydechach. Jego uczucia nie były teraz ważne, liczyła się tylko Alina. Po kwadransie odzyskał kontrolę nad swoimi reakcjami, ale nie zaznał ukojenia.

Bezradność burzyła spokój jego myśli, nie pozwalała się skupić, tłoczyła się wraz z krwią do każdej komórki jego ciała. Czuł, że tego dłużej nie wytrzyma, że musi coś zrobić. Otworzył drzwi i powoli, najciszej jak tylko potrafił, ruszył pogrążonym w ciemności korytarzem.

Alina prześlizgnęła się tylnym wejściem obok stajni, unosząc skraj peleryny przebiegła przez dziedziniec i ruszyła gościńcem w kierunku miasta. Kiedy zostawiła za sobą światło latarni zawieszonej przy wejściu do karczmy, zwolniła kroku, wpatrując się uważnie w gęstniejącą ciemność i zaciskając dłoń na kolbie rewolweru ukrytego w kieszeni. Każdy ruch, każdy szmer, nawet odgłos jej własnych kroków, sprawiał, że zaciskała zęby, tłumiąc przerażenie. Zsunęła z głowy kaptur, który ograniczał pole widzenia. Wolała czuć zimny wiatr na policzkach i we włosach, niż nie zareagować w porę na niebezpieczeństwo.

Trakt powoli wspinał się w stronę miasta, widziała już światła pierwszych latarni. Chcąc powrócić do domu, mogła nadłożyć drogi i okrążyć zamkowe wzgórze, mogła też wybrać krótszą trasę, pójść prosto, przez rynek, a potem zejść ze wzgórza wprost na nadrzeczne błonia. Wybrała to drugie rozwiązanie, uznając, że do świtu pozostało około trzech godzin i o tej porze powinna przejść uliczkami niezauważona.

Powoli szła traktem biegnącym przez miasteczko i dalej, w kierunku Zagórza i Liska, mijała parterowe drewniane domki, weszła między pierwsze kamienice. Obok oświetlonej latarniami Czytelni Mieszczańskiej skręciła w lewo, w stronę rynku. Ruszyła wzdłuż kamieniczek, bojąc się przejść przez otwartą przestrzeń placu. Minęła uśpioną synagogę, na tle nocnego nieba dostrzegła cebulastą kopułę cerkwi, skręciła w stronę wilii doktora Zaleskiego, chcąc zejść ścieżką w kierunku Podgórza.

Kiedy w mroku spowijającym plac Świętego Jana dostrzegła ruch, przystanęła, szukając schronienia. Mogła rzucić się w zarośla lub uciec w kierunku kamieniczek, ale strach spętał jej nogi. Wsparła drżący palec na spuście i wyciągnęła rewolwer. Wymierzyła w ciemność.

Cichy odgłos zamykanych drzwi wyrwał Laurę z płytkiego snu. Otworzyła oczy. Ktoś szedł korytarzem w kierunku schodów, powoli, tak by nie wywoływać zbędnego hałasu. Wstała, a skulony na poduszce kot spojrzał na nią z wyrzutem. Podeszła do drzwi i delikatnie nacisnęła klamkę. Korytarz był pusty. Boso pobiegła do schodów, spojrzała w dół, ale ten, kto nimi schodził, nie korzystał z lampy. Słyszała jednak wyraźnie ciche kroki na pokrytych wykładziną stopniach. Ciekawość wzięła górę nad strachem. Zeszła na dół. Kiedy usłyszała trzask zamykanych drzwi wejściowych, zawróciła na półpiętro i przywarła twarzą do okna. W świetle ulicznej latarni dostrzegła swojego nauczyciela, idącego w stronę rynku. Nie odważyła się pójść za nim, ale bezszelestnie przebiegła do gabinetu ojca, którego okna wychodziły na plac Świętego Jana i dalej na ratusz. Drzwi były otwarte. Wślizgnęła się za biurko, między aksamitne zasłony, wsparła dłonie o parapet. To, co zobaczyła, sprawiło, że westchnęła.

Nauczyciel nie był sam. Stał przed kimś nieco niższym w długiej pelerynie z kapturem. Laura natychmiast rozpoznała mieszkającą nad rzeką wdowę, o której służące plotkowały, że sprzedaje swoje ciało mężczyznom i nawet wilkołak przychodzi pod jej okno. Postacie stały pośrodku uliczki wychodzącej wprost na rynek. Długą chwilę tkwiły nieruchomo, a potem wyższa z nich zbliżyła się do tej w kapturze. Kobieta cofnęła się, ale nauczyciel postąpił za nią. W końcu obie sylwetki zlały się w jedno. Po chwili nauczyciel ruszył w kierunku domu, ciągnąc za sobą kobietę w pelerynie. Laura patrzyła na to z otwartymi ustami, aż para zniknęła za rogiem budynku. Dziewczyna wybiegła z gabinetu, jak cień przemknęła korytarzem, dobiegła do schodów, przyklękła przy balustradzie. Drzwi na dole nie wydały najcichszego dźwięku, podłoga nie skrzypnęła pod ciężarem ostrożnych kroków. Dziewczynka wstrzymała oddech. Nauczyciel przyprowadził wdowę pod dom, ale nie wszedł do środka. Nie zamierzał chyba czekać świtu przed drzwiami? W końcu zrozumiała zamysł swego opiekuna.

Zbiegła na dół, minęła kuchnię, wstrzymując oddech, prześlizgnęła się obok pomieszczeń dla służby i wyszła na zewnątrz.

Zimny wiatr natychmiast wdarł się pod jej nocną koszulę, chłód podmurówki przeszywał bose stopy. Okrążyła budynek i podeszła pod okno służbówki, niewielkiego pomieszczenia z osobnym wejściem, w którym Józef trzymał swoje narzędzia i gdzie sypiał latem. Ostrożnie podeszła do okna, ale w środku nie paliła się lampa. Przyłożyła ucho do drzwi i dostrzegła, że są niedomknięte. Usłyszała ciche westchnienie. Delikatnie uchyliła szerzej drzwi i zajrzała do środka.

Ciasne wnętrze pogrążone było w ciemności, mogła się jedynie domyślać rozkładu sprzętów. Pamiętała, że pod ścianą, na wprost wejścia, stał stół, przy którym Józef wieczorami palił fajkę. Bardziej usłyszała niż dostrzegła ruch, coś powoli przesunęło się z miejsca na miejsce. Dziewczynka przymknęła oczy, wytężyła słuch. Wyłowiła szept, na tyle cichy, że nie zrozumiała słów, usłyszała przyśpieszony oddech, na tyle głośny, by rozpoznać kto tak oddycha. Ktoś przesunął krzesło, głuchy łoskot mebla zagłuszył inny dźwięk, echo biegnącego od karpackich wzgórz grzmotu. Zbierało się na burzę. Silny powiew wiatru zatrząsł konarami drzew. Laura wzdrygnęła się i weszła za próg. Przytuliła się plecami do ściany.

Coś trzasnęło metalicznie, coś upadło na podłogę, coś innego zaszeleściło delikatnie. Ktoś oddychał ciężko, jak posłaniec po przebyciu długiej drogi. Usłyszała wilgotne mlaśnięcie, potem jeszcze jedno, jakby ktoś rozgniatał dłonią dojrzałe pomidory. Znów coś upadło na ziemię, tym razem miękko i cicho, jak zerwana przez wiatr zasłona.

Na zewnątrz ponad miastem znów przetoczył się grzmot. Laura próbowała przebić wzrokiem ciemność. Mogła tylko słuchać szmerów, westchnień i oddechów.

Nagle wnętrze komórki rozświetliło białe światło błyskawicy. Dziewczynka rozwarła szeroko usta. W ułamku sekundy dostrzegła nagie, lśniące od potu plecy swojego nauczyciela między udami siedzącej na stole kobiety, wysoko sznurowane trzewiki, których obcasy wspierały się na jego łydkach, i wzór na pończochach, tuż przy jego poruszających się łokciach. Błysk światła zgasł i Laurę na powrót otoczyła ciemność wypełniona szelestem.

Stała nieruchomo, jak zahipnotyzowana, nasłuchując dobiegających spod ściany szmerów, czekając na kolejną błyskawicę. Teraz słyszała wyraźnie przyśpieszony oddech. Stół skrzypnął cicho, zbyt mocno dociśnięty do ściany.

Laura opuściła głowę. Nie rozumiała tego, co działo się tuż przed nią, ale czuła, że ta chwila kończy coś w jej życiu, że odtąd nic już nie będzie jak dawniej. Chciała zostać, wsłuchiwać się w ciepłe tłumione odgłosy, a jednocześnie targała nią złość i zazdrość. Nie o mężczyznę, ale o chwile, które jak podejrzewała, nigdy nie staną się jej udziałem. Zacisnęła powieki, poczuła na ustach słoną łzę. Przesunęła się w stronę drzwi, wyciągnęła rękę, chcąc odnaleźć drogę do wyjścia, a jej dłoń zacisnęła się na czymś miękkim. Przecisnęła się między uchylonymi drzwiami, ciągnąc za sobą to, co wymacała w ciemnościach.

W rozproszonym świetle odległej latarni dostrzegła, że to coś to wełniana peleryna z kapturem, w której zwykła chodzić rudowłosa wdowa znad rzeki. Laura kurczowo wczepiła palce w mokry materiał, wtuliła w niego twarz, wciągając zapach deszczu i czegoś, za czym tęskniła, ale czego nie spodziewała się zaznać w swoim życiu. Ciepły, ulotny zapach kobiecego ciała.

Otarła rękawem oczy, pobiegła w stronę drzwi. Kiedy dotarła pod latarnię, przystanęła, narzuciła na plecy pelerynę, skryła głowę pod szerokim kapturem. Peleryna osłoniła jej bose stopy, dotykając chodnika. Laura ruszyła przed siebie, ale nie skręciła w stronę wejścia do willi, wybrała inną drogę, wprost na rynek. Przecięła cichy, oświetlony latarniami plac, upajając się zapachem wełnianej materii weszła między kamieniczki, sklepy z uśpionymi witrynami i drewniane domki rzemieślników. Szła powoli, brodząc bosymi stopami w koleinach pełnych marznącej deszczówki. Przystanęła przed wystawą zegarmistrza, przyjrzała się swemu odbiciu, ruszyła dalej, jak cień przemierzając wąskie uliczki.

Między jednym a drugim krokiem, między kolejnymi plaśnięciami stóp grzęznących w błocie, usłyszała coś, co sprawiło, że się zatrzymała. Wstrzymała oddech i wytężyła słuch. W szumie wiatru usłyszała, że coś zbliża się do niej z tyłu. Stała nieruchomo, wsłuchana w odgłosy nocy.

Dopiero stłumione, gardłowe warczenie sprawiło, że powoli się odwróciła.

11

Borys, nie otwierając oczu, wyciągnął przed siebie dłoń, chcąc dotknąć ramienia śpiącej obok kobiety. Oddychał przez sen zapachem jej włosów, całym sobą czuł ciepło jej ciała. Uśmiechnął się do swoich myśli, wysunął ramię jeszcze dalej, ale palce trafiły tylko na zmiętą pościel. Gdzieś daleko strzeliły drzwi.

Obudził się z twarzą wtuloną w poduszkę. Sam, w swoim własnym łóżku. Otworzył oczy. Energiczne pukanie przegnało resztki snu i pozwoliło mu wrócić do rzeczywistości.

– Panienka gdzieś nam przepadła – usłyszał z korytarza głos służącej. – Nie ma jej u pana?

– Nie. – Podniósł głowę z poduszki i przetarł palcami powieki. – A co, u diabła, miałaby tu robić o tej porze?

Wstał, nalał wody z dzbanka, przemył twarz w miednicy. Naciągnął spodnie, pośpiesznie zapiął guziki koszuli. Wyszedł na korytarz, kiedy usłyszał z dołu głośny krzyk służącej. Zbiegł schodami na parter, gdzie zatrzymał go Hildenberg.

– Zaczekaj tutaj – polecił profesor, zmierzając do wyjścia. – Nie wychodź z domu, dopóki nie wrócę.

– Co się stało? – zapytał Borys, ale odpowiedziało mu jedynie trzaśnięcie drzwi. Spojrzał na płaczącą w głębi korytarza służącą. – Gdzie panienka?

Pokojówka pociągnęła nosem.

– Jak co rano, chciałam ją obudzić. – Otarła rąbkiem fartucha kąciki oczu. – Przyniosłam z kuchni ciepłą wodę do mycia, ale nie było jej w sypialni. Zeszłam na dół, doktor był już w swoim gabinecie. Kazał mi sprawdzić pokoje na piętrze i pańską sypialnię, ale dziewczynki nigdzie nie było. Zeszłam do kuchni, a wtedy do domu wpadł Józef... – Dziewczyna chlipnęła, a z jej oczu popłynęły łzy. Nie była w stanie mówić.

– Co się stało? – Borys chwycił służącą za ramiona, potrząsnął nią mocno. – Mów, na Boga, co się stało?

– Znaleźli naszą panienkę na ulicy. – Pokojówka zaczerpnęła powietrza, pociągnęła nosem, otarła policzki wierzchem dłoni. – Leżała przed witryną zegarmistrza... Boże, po cóż ona ciemną nocą wychodziła z domu!

Borys rzucił się biegiem przez korytarz, wypadł na dwór, wprost w ramiona wstępującego na schody Józefa. Przed domem stała dorożka, w jej otwartych drzwiach zauważył Hildenberga.

– Panie profesorze, co się stało?! – Borys dobiegł do powozu, uczepił się drzwi, wstąpił nogą na stopień.

– Woziwoda znalazł ciało dwie ulice stąd. – Austriak opuścił wzrok. – Wciąż nie jesteśmy pewni, czy to Laura.

– Jak to, nie jesteście pewni?

– Karol zabrał... Karol zabrał ciało do szpitala. My z Józefem też tam jedziemy, zabierzemy tylko stosowne narzędzia.

– Jadę z wami!

– Nie – uciął profesor. – Zaczekasz w domu. W szpitalu do niczego się nam nie przydasz, będziesz tylko przeszkadzał.

– Mam czekać bezczynnie, gdy wy...

– Zostaniesz w domu – powtórzył twardo Hildenberg. – Tam się nam nie przydasz, a w razie potrzeby chcę wiedzieć, gdzie cię szukać. Pamiętaj, wciąż nie mamy pewności, czy to... Czy to na pewno Laura.

Borys odwrócił się, pozwalając wsiąść do powozu Józefowi taszczącemu skórzaną torbę doktora Zaleskiego. Woźnica strzelił z bata i powóz powoli potoczył się przez rynek. Nauczyciel odprowadził go wzrokiem i wrócił do domu.

Usiadł w salonie, zajął miejsce w fotelu, spojrzał na tarczę stojącego w rogu zegara. Przez chwilę obserwował, jak wskazówka sekundnika powoli przemierza obwód cyferblatu. Wstał, podszedł do okna, znów wrócił na swoje wygodne miejsce. Zamknął oczy. Jego usta bezgłośnie mełły słowa dawno nieodmawianej modlitwy.

Stukot końskich kopyt ucichł pod bramą kamienicy. Borys zerwał się z fotela, jak szalony zbiegł schodami i wypadł na zewnątrz.

– Co się stało? – Podał rękę wysiadającemu z powozu Hildenbergowi. – Gdzie doktor Zaleski?

Austriak zlekceważył pomoc nauczyciela i ruszył prędko w stronę drzwi. Brodę i włosy, zwykle starannie ułożone i napomadowane, miał w nieładzie, rozpięty kołnierz i rozchełstany fular odsłaniały poruszającą się nerwowo grdykę.

– Panie profesorze...

– To ona – rzucił za siebie Hildenberg. – Karol został w szpitalu. Jest z nim ksiądz.

Borys otworzył usta, ale nie był w stanie niczego z siebie wydusić. Chwycił się za głowę, zacisnął powieki, powstrzymując łzy. Do końca wierzył, że znalezione nad ranem ciało nie należy do jego podopiecznej, że zniknięcie Laury to przypadek, że dziewczynka zaraz się znajdzie. Łudził się, że Laura wyszła nad ranem na spacer, że może wykradła się z domu w poszukiwaniu zbłąkanego kota, który nie wrócił na noc. Karmił się nadzieją, która nie mogła się spełnić.

– Profesorze, proszę zaczekać.

– Zostaw mnie!

– Panie profesorze...

Hildenberg obrócił się na pięcie, wbił spojrzenie prosto w oczy nauczyciela.

– Obok ciała znaleziono wełnianą pelerynę – warknął. – Nie tylko ja rozpoznałem, kto jest jej właścicielką. Przy oględzinach ciała asystował Witchenbacher, nie miał czasu zadawać pytań, ale prędzej czy później zechce wyjaśnić, gdzie jego jedyny świadek spędził noc.

Borys opuścił wzrok.

– Czy ta kobieta wciąż jest tam, gdzie ją zostawiliśmy? – zapytał Austriak.

– Nie. Jest w swoim domu.

– Dlaczego?

– Jakie to ma teraz znaczenie?

Hildenberg podszedł do nauczyciela, chwycił go za poły rozpiętej marynarki, niemal uniósł w powietrze.

– Zdajesz sobie sprawę, że na miejscu zbrodni znaleziono jej pelerynę? Wiesz, co to oznacza?

– Alina nie ma nic wspólnego ze śmiercią Laury. Wie pan o tym równie dobrze jak ja.

Hildenberg skrzywił się z niesmakiem, odepchnął Borysa od siebie i szybkim krokiem wstąpił na schody.

Borys został sam. Na przemian zaciskał powieki i je otwierał, usiłując obudzić się ze złego snu, ale w głowie wciąż słyszał słowa profesora. Ruszył na zasypany liśćmi plac Świętego Jana, szybkimi oddechami wciągał w płuca chłodne jesienne powietrze. Czuł, że zaraz przestanie nad sobą panować i wybuchnie płaczem. Biegiem rzucił się w kierunku drzwi, wbiegł na piętro i zamknął się w pokoju. Wtulił twarz w poduszkę. Jeszcze wczoraj rozmawiał z Laurą, czytał jej, odpowiadał na pytania. Teraz leżała sama, w szpitalu, na stelażu wypełnionym bryłami lodu.

Nauczyciel poderwał się z łóżka, otworzył szafę, rozstawił lunetę, przytknął oko do okularu. W dole, u stóp zamkowego wzgórza, nie dostrzegł niczego niezwykłego. Okiennice krytego strzechą domu były zamknięte, z komina nie unosiła się smużka dymu. Sięgnął po stojącą na biurku karafkę i opróżnił ją kilkoma haustami. Zbiegł na parter, załomotał w drzwi pokoju gościnnego.

– Panie profesorze, proszę otworzyć.

Uderzył otwartą dłonią, najmocniej jak umiał. Odpowiedzią była cisza.

– Panie profesorze, wiem, że pan tam jest. Jeżeli mi pan nie otworzy, wyważę drzwi.

Załomotał jeszcze raz, a gdy znów nie uzyskał odpowiedzi, cofnął się, wziął rozbieg i całym ciałem uderzył w drzwi. Wpadł do środka, potknął się o leżącą na dywanie marynarkę i usiłując odzyskać równowagę, wsparł się o stolik, przy którym siedział Hildenberg.

Austriak podniósł się z krzesła. W rozpiętej, odsłaniającej włochatą pierś koszuli, bez cylindra i eleganckiej laseczki, bez uprzejmego uśmiechu na ustach i monokla pod krzaczastą brwią wyglądał bardziej na rozgniewanego bosmana niż członka Cesarskiej Akademii Nauk.

Zanim wielkie dłonie chwyciły go za marynarkę, a nasycony korzennym aromatem oddech uderzył prosto w twarz, Borys zdołał dostrzec na blacie stołu kilka fotografii i płaską stalową buteleczkę.

– Wynoś się stąd! Wynoś się, ale już.

Pchnięty nauczyciel poleciał w stronę drzwi. Odzyskał równowagę, uskoczył, okrążył stół, chwytając buteleczkę. Podsunął ją sobie pod nos, wyczuł aromat cynamonu, goździków i czegoś jeszcze, czegoś słodkiego i kuszącego.

– Laudanum – skrzywił się. – Według pana to odpowiednie lekarstwo na nasze kłopoty?

– Wynoś się stąd – zagrzmiał Austriak. – Zostaw mnie w spokoju!

– Nic nie przywróci życia Laurze. Niewiele osób było mi tak bliskich jak ona i oddałbym wszystko, by odwrócić bieg wydarzeń. Ale to niemożliwe. Na opłakiwanie jej śmierci przyjdzie czas. Teraz musimy zatroszczyć się o to, by uchronić przed mordercą tych, którzy jeszcze żyją.

Profesor oddychał ciężko, na jego czerwonej ze wzburzenia twarzy błyszczały grube kropelki potu.

– Zostaw mnie w spokoju. Chcę być sam.

Borys zacisnął palce. Poczuł, jak bijące gdzieś z głębi brzucha fale gorąca wlewają się w jego mięśnie, dodając sił i energii. Odetchnął, ale szum tętniącej w uszach krwi nie przycichł, lecz przeciwnie, przybrał na sile. Z największą ochotą pięściami zmazałby z twarzy Austriaka ten doprowadzający go do furii wyraz tępej bezradności.

– Tak jest łatwiej, prawda? – warknął, odsłaniając zęby. – Łatwiej jest uciec, nie myśleć, zagłuszyć strach oparami opium i laudanum. A może to nie strach? Może to wyrzuty sumienia? Tak bardzo wierzył pan w potęgę swojego rozumu, swojej inteligencji, był pan pewien, że uda mu się schwytać mordercę. A teraz Laura nie żyje. Również i z pana winy, profesorze...

Borys poczuł, jakby opuszczony z wielką siłą stalowy młot zmiażdżył jego szczękę. Rozłożył ramiona, zamglonym wzrokiem spojrzał prosto w sufit i osunął się w ciemność.

Nie wiedział, ile czasu minęło, kiedy poczuł coś zimnego na skroniach i wodę cieknącą po policzkach. Poruszył językiem, miał w ustach smak krwi. Otworzył oczy i spojrzał prosto w brodatą twarz nachylającego się nad nim Austriaka.

– Przepraszam.

Hildenberg zdjął z czoła nauczyciela zimny kompres, przepłukał go w stojącej obok miednicy, wykręcił i na powrót przyłożył do głowy.

– Przepraszam – powtórzył cicho. – Masz rację.

Borys chciał coś powiedzieć, ale profesor powstrzymał go gestem.

– Zaprowadzę cię na górę. Daj mi godzinę. Potem porozmawiamy.

Hildenberg pomógł nauczycielowi podnieść się z podłogi, wziął go pod ramię, wprowadził na piętro, ułożył na łóżku. Sam zszedł do swojego pokoju, zajrzał pod stół i podniósł leżącą tam piersiówkę. Sprawdził, czy w środku nie została choćby kropelka korzennego syropu doprawionego wyciągiem z makowych główek. Niestety. Cisnął buteleczkę w kąt i sięgnął do swojego podróżnego kuferka, skąd wyjął podłużny pakunek niewielkich rozmiarów i fajkę o długim smukłym ustniku. Jednym szybkim ruchem przełamał fajkę na dwie części. Wyszedł na taras, otworzył pakunek, pokruszył brązowe grudki sprasowanych liści i pozwolił, by porywisty wiatr zabrał je ze sobą w stronę okalających miasteczko wzgórz.

Wrócił do pokoju, napełnił wodą stojącą na stoliku miednicę, przemył twarz, przeczesał włosy i brodę. Nałożył świeżą koszulę, przejrzał się w lustrze i wyszedł na piętro. Zapukał do drzwi pokoju nauczyciela.

– Proszę wejść.

Borys siedział przy biurku. Odwinął palcami górną wargę i przyglądał się swemu odbiciu w małym lusterku. Hildenberg zauważył, że woda w stojącej tuż obok miednicy zabarwiona jest krwią. Delikatnie ujął twarz nauczyciela, rozchylił powieki, sprawdził, czy źrenice reagują na zmianę natężenia światła.

– Jak się czujesz?
– Całkiem dobrze. Ma pan świetne uderzenie, profesorze. Zdaje się, że złamał mi pan ząb.
– Przepraszam.
– To ja jestem winny panu przeprosiny. Nie powinienem był tego wszystkiego mówić.
Austriak usiadł na łóżku, westchnął.
– Miałeś rację, chłopcze. Powiedziałeś szczerą prawdę. Jestem tchórzem. Tam, w szpitalu, kiedy staliśmy nad stołem w kostnicy, również stchórzyłem. Nie potrafiłem spojrzeć Karolowi w oczy, nie wiedziałem, co powiedzieć. Nie umiałem mu pomóc. Po prostu uciekłem.
– Nic już nie cofnie czasu i nie zmieni tego, co się stało – odpowiedział Borys. – Musimy myśleć o tych, którzy potrzebują naszej pomocy i sprawić, aby nikt więcej nie zginął.
– Przemyślałem to, co powiedziałeś. Potrzebna nam będzie pomoc. Zaraz wyjdę do urzędu pocztowego i nadam stosowny telegram. Zawiadomię...
– Nie mamy na to czasu.
Hildenberg uniósł brew.
– O czym myślisz, chłopcze?
Pasternak sięgnął po krzesło, postawił je przed Austriakiem, usiadł i zaczął mówić.

Anzelm Ochmański sięgnął po jeden z ustawionych w ciasnym szeregu słoiczków, odsypał sproszkowaną zawartość do mosiężnego moździerza, w którym znajdowała się już mieszanka suszonych ziół. Rzucił okiem na kartkę z wypisanymi składnikami maści, chwycił tłuczek i rozpoczął ucieranie, kiedy w drzwiach pojawił się subiekt.
– Panie Anzelmie, ktoś do pana.

– Nie mam czasu, pani Skoczypcowa za godzinę przyjdzie po maść dla swojego męża.

Subiekt skinął głową.

– Powiem, że jest pan zajęty.

– Kto to?

– Nauczyciel z domu doktora Zaleskiego.

Aptekarz odstawił moździerz, wytarł dłonie w lnianą ściereczkę.

– Niech wejdzie.

Wpuszczony na zaplecze apteki Pasternak uścisnął dłoń Ochmańskiego, ale zanim zdążył cokolwiek powiedzieć, aptekarz niemal siłą posadził go przy stole i zasypał gradem pytań.

– Jak to się stało, Borys, jak to się stało? – Ochmański uwijał się między stolikiem ustawionym pod ścianą a szafkami po drugiej stronie ciasnego, ciemnego zaplecza, skąd wyjął butelkę węgrzyna i dwie szklanki. – Skąd to biedne dziecko znalazło się zupełnie samo, ciemną nocą, na ulicy? Ty coś wiesz, prawda? Ty już coś wiesz?

Aptekarz rozlał trunek, wcisnął szklankę w dłoń nauczyciela, drugą przycisnął do ust i wypił całą duszkiem.

– Borys, czemu ty nic nie mówisz? Cóżeś taki markotny?

Nauczyciel odstawił szklankę, spojrzał w gorejące oczy Ochmańskiego, spuścił wzrok.

– Borys, ty coś wiesz. – Aptekarz chwycił Pasternaka za ramiona. – Jeżeli tak, powiedz!

– Od pewnego czasu mam dziwne sny, panie Anzelmie. Śnił mi się pan Skwierzyński, śnił mi się rajca Stezl, śniła mi się Laura. Śniłem o ich śmierci. Jeszcze wcześniej widziałem we śnie nieznaną mi kobietę, młodą dziewczynę... Zdawało mi się, że pływa pod powierzchnią wody jak jakaś rusałka.

Ochmański pobladł, szklanka wysunęła się z jego drżącej dłoni.

– Jak wyglądała ta dziewczyna?

– Miała jasne włosy sięgające ramion, bliznę w kąciku ust. We śnie wyciągała do mnie ręce, a kiedy podpłynęła bliżej, zobaczyłem, że całe poznaczone są śladami zębów.

Ochmański skrzywił się, załkał, podniósł szklankę i szybko napełnił ją winem. Pił, aż zobaczył dno.

– Naprawdę ją widziałeś?

Borys skinął głową.

– Nie tylko ją.

– Co chcesz mi powiedzieć?

– Wczoraj znów śniłem swój sen. Sen o kolejnej śmierci. Widziałem w nim pana, panie Anzelmie.

Ochmański spojrzał na Borysa wzrokiem szaleńca, odwrócił się do drzwi, jakby zaraz miał rzucić się biegiem, ale tylko westchnął ciężko i opadł na krzesło, kryjąc twarz w dłoniach.

– A więc jednak, stanie się to, co ma się stać. Może to i lepiej... Tak będzie sprawiedliwie, nie zasługuję na nic innego... Tak będzie lepiej... Tylko moja żona, ona niczemu niewinna, nic złego nie zrobiła, będzie jej ciężko beze mnie...

Borys pochylił się nad stolikiem, położył dłoń na ramieniu łkającego aptekarza.

– Panie Anzelmie, jeszcze się nic nie stało. Nic nie jest przesądzone.

Ochmański skrzywił się, pokręcił głową.

– Nie zasługuję na nic lepszego niż to, co widziałeś w swoim śnie. Ty się nie możesz mylić. Wszystko już przesądzone.

Borys przygryzł wargę, zebrał myśli, gorączkowo szukając odpowiednich słów.

– Sen to jeszcze nie rzeczywistość – odpowiedział. – Sen to ostrzeżenie. Nic nie jest jeszcze przesądzone. Proszę pozwolić sobie pomóc.

– Chłopcze, możesz mi wierzyć, nie zasługuję na nic lepszego niż śmierć, którą widziałeś w swoim śnie.

– Każde zło można naprawić. Ma pan dla kogo żyć, panie Anzelmie, proszę pomyśleć o żonie. Jak poradzi sobie z tym wszystkim, z domem, z apteką, kiedy pana zabraknie?

– Dla mnie nie ma ratunku. To nie jest człowiek, Borys, to bestia. Demon w ciele wilka.

– Proszę mi o tym opowiedzieć. Mogę panu pomóc, ale musi mi pan powiedzieć całą prawdę.

Ochmański przetarł mankietem załzawione oczy, sięgnął po butelkę; nie bawił się już w rozlewanie do szklanek, lecz przytknął ją wprost do ust.

– Dobrze, powiem ci wszystko, jak na spowiedzi.

– Jedną chwilę, panie Anzelmie. – Borys uniósł dłoń. – Nie jestem tu sam. Jest ze mną mój przyjaciel. Czeka przed apteką. Proszę zaczekać, poproszę go, aby do nas dołączył.

Aptekarz z rezygnacją skinął głową i po chwili między rzędem szafek a blatem zastawionym rozmaitymi ingrediencjami przeciskał się brodaty Austriak.

– To nie człowiek, to bestia – powtórzył Ochmański, co rusz pociągając z butelki.

– Skwierzyński, Stezl i pan. Co was łączy? – Profesor Hildenberg nie zmieścił się przy stoliku, wsparł się na blacie, przy którym pracował aptekarz.

– Nie mieliśmy nic, zupełnie nic. Wyobrażasz sobie – Ochmański czknął i zwrócił się do Borysa – mój ojciec sprzedał ostatnią krowę, aby wysłać mnie do szkoły, ale nie dożył chwili, kiedy dostałem pierwszą posadę. Gdybym mu powiedział, że kiedyś będę miał własną aptekę, sprałby mi tyłek paskiem za to, że wygaduję głupstwa. Stezl w dzieciństwie był ostatnim pomocnikiem w magazynie handlowym, nikomu nie przyszłoby do głowy postawić go za ladą. Skwierzyński oporządzał konie w zajeździe, jego matka była praczką, a ojciec woziwodą.

– Skwierzyński został rajcą, Stezl miał sklep, skład handlowy, piękną kamienicę, również zasiadał w radzie. Podobnie jak pan. Powiodło się wam.

– Było nas kilku, nie mieliśmy nic prócz odwagi i chęci zdobycia majątku. Żaden z nas nie chciał powtórzyć losu naszych ojców, nie chcieliśmy zginać karku, kłaniać się nisko wielkim panom mieszkającym w pięknych kamienicach, nie chcieliśmy jadać ziemniaków z cebulą. Zebraliśmy wszystko, co zdołaliśmy, Stezl zaciągnął pożyczkę na lichwiarski procent, ja zastawiłem nędzną chatę po ojcu, Skwierzyński poświęcił wszystko, co przez długie lata odkładali ojciec woziwoda i matka praczka. Do spółki kupiliśmy stado bydła, popędziliśmy je w stronę Nowego Sącza, gdzie, jak mówiono, można było dostać za nie dobrą cenę. Żaden z nas nie znał się na hodowli bydła, ale postanowiliśmy zaryzykować. Interes powiódł się wyśmienicie, sprzedaliśmy stado węgierskiemu handlarzowi, zakupiliśmy transport wina i wróciliśmy do miasta, gdzie sprzedaliśmy trunek hotelarzom, restauratorom i właścicielom składów handlowych. Połączyły nas interesy, odtąd wspieraliśmy się wzajemnie. Różniliśmy się wyznaniem, wiekiem, marzeniami i planami, ale wiedzieliśmy, że we wszystkim, co robimy, możemy na siebie wzajemnie liczyć. Mijały lata, zdobywaliśmy wpływy, bogaciliśmy się. Wydawało się, że dożyjemy końca swoich dni w szczęściu i dostatku. Stało się inaczej.

– Pokłóciliście się?

Ochmański skinął głową.

– O co? – zapytał Hildenberg. – Poróżniły was pieniądze? Liczba głosów w radzie? Prawa do intratnej nieruchomości?

– Poszło o kobietę.

– Młoda dziewczyna o włosach koloru popiołu, z podłużną blizną w kąciku ust? – wyrwało się Borysowi.

Aptekarz skrzywił się, otarł rękawem usta. Spojrzał w stronę drzwi. Widać było, że najchętniej wyszedłby na świeże powietrze, byle dalej od dusznej atmosfery ciasnego składziku i niewygodnych rozmów.

– Łączyło nas wiele, wspólne interesy, sprawy miasta – ciągnął dalej. – Nasza przyjaźń pozostawała tajemnicą, unikaliśmy oficjalnych kontaktów towarzyskich, na posiedzeniach rady często się kłóciliśmy, udawaliśmy konflikt interesów, by w końcu tak poprowadzić sprawy, aby wszystkim nam wyszły na dobre. Nie o wszystkim mogliśmy rozmawiać w ratuszu czy na zebraniach w Czytelni Mieszczańskiej. Stezl zlicytował kiedyś za długi jednego chłopa spod Sanoka, została mu po nim całkiem wygodna chata i zapuszczony sad. Aby tam trafić, należało z głównego traktu na Kraków, zaraz poza granicami miasta, skręcić za kapliczką w polną ścieżkę ciągnącą się między wzgórzami. Tam się spotykaliśmy, zawsze wieczorem, po zmroku, ustalaliśmy kolejne posunięcia, decydowaliśmy o sprawach miasta i wspólnych interesach. Tam mogliśmy napić się we trzech gorzałki, pograć w karty, rzucić kości.

Hildenberg odwiązał fular, odpiął guzik koszuli. Atmosfera w ciasnym, przesiąkniętym zapachem lekarstw i ziół pomieszczeniu stawała się coraz cięższa.

– Kim była ta dziewczyna? – zapytał, nie spuszczając wzroku z Ochmańskiego.

Aptekarz wzruszył tylko ramionami.

– Pojawiła się nie wiadomo skąd. Przyszła do miasta za pracą, z gór, jak wiele innych. Nie pamiętam już, do czyich drzwi zapukała, szukając posady służącej lub praczki, ale ktoś wpadł na pomysł, by dać jej pracę w starym domu Stezla. Dostała tam swój pokój, dbała o czystość, opiekowała się domem, przygotowywała nasze spotkania. Nikt nie wiedział o jej istnieniu, parobek Skwierzyńskiego raz na kilka dni dowoził tam sprawunki.

– Była świadkiem waszych rozmów? Znała tajemnice waszych interesów? Dlatego postanowiliście się jej pozbyć?

Ochmański pokręcił przecząco głową.

– To była prosta dziewczyna z gór, nie umiała czytać ani pisać, nawet jeżeli słyszała nasze rozmowy o ustawianiu głosów w radzie, nic z nich nie rozumiała.

– Dlaczego więc zginęła? – Hildenberg pochylił się nad aptekarzem, położył swoje ciężkie dłonie na jego ramionach. – Dlaczego, na Boga, postanowiliście ją zamordować?

Anzelm Ochmański zadrżał, zmrużył oczy, jakby zaraz miał się rozpłakać.

– Dziewczyna była w ciąży – powiedział cicho.

– Z kim? Z jednym z was? A może uwiódł ją służący Skwierzyńskiego, który dowoził jej jedzenie?

Ochmański skulił się jeszcze bardziej.

– Była w ciąży... z nami wszystkimi.

Hildenberg wyprostował się gwałtownie, zacisnął pięści.

– Co? O czym ty mówisz, człowieku?

– Była młoda i ładna – odpowiedział cicho aptekarz. – Każdy z nas założył rodzinę, poślubiliśmy kobiety, których nie mogliśmy mieć wcześniej, zanim nie zdobyliśmy majątku i pozycji. Ale najwygodniejsza stabilizacja z czasem zmienia się w złotą klatkę. Dziewczyna była młoda, a przy tym...

– A przy tym całkowicie od was zależna – wtrącił drżącym ze wściekłości głosem Borys. – Mogliście robić z nią wszystko, czego zapragnęliście, nawet to, na co nigdy nie zgodziłyby się wasze szanowne małżonki!

Ochmański spojrzał na nauczyciela gniewnym wzrokiem, ale nie odpowiedział.

– Nie mogliście po prostu pójść do domu pani Adlerowej albo do jakiegokolwiek innego burdelu? – cedził przez zęby Borys. – Nie stać was było na sprzedajne dziewczyny, które spełniłyby wszystkie wasze zachcianki? Żal wam było tych kilku złotych?

– Jak by to wyglądało, gdyby miejscy radni włóczyli się po burdelach? – odwarknął aptekarz. – Wszyscy nas tu znają, nawet w Krośnie czy Lisku można spotkać kogoś znajomego. A tłuc się wozem dalej, to strata czasu i wielka niewygoda.

Borys chciał coś odpowiedzieć, ale Hildenberg powstrzymał go gestem dłoni.

– Kiedy odkryliście, że służąca jest w ciąży, postanowiliście się jej pozbyć – powiedział. – Uznaliście, że skandal może zagrozić waszej pozycji. Dlatego zabiliście tę kobietę, czy tak?

Ochmański poderwał się z miejsca, wyminął zwalistego Austriaka, nerwowymi ruchami przetrząsał zawartość szafek.

– To nie tak – odpowiedział podniesionym głosem. – Drżącymi dłońmi odrzucał na bok blaszane pudełka, papierowe torebki, kolby z grubego szkła i drewniane kasetki, aż znalazł to, czego szukał: pękatą butelkę bez etykiety. – Od początku uważałem, że wystarczy dać dziewczynie parę groszy i przegnać z miasta, może pomóc w spędzeniu płodu, ale nie zabijać. Pokłóciliśmy się o to okrutnie. Szczególnie Skwierzyński bronił dziewczyny, pewnie dlatego, że sam miał córki w jej wieku. Długo się spieraliśmy... – Aptekarz odkorkował butelkę, napełnił szklankę mętnym płynem, przystawił do ust.

– Ale w końcu uznaliście, że bezpieczniej będzie się jej pozbyć raz na zawsze, czy tak? Widziałem ciało tej dziewczyny. – Hildenberg stanął przed Ochmańskim, pochylił głowę i spojrzał w rozszerzone strachem oczy aptekarza. – To, co robiliście jej przez długie miesiące, nie było normalne. Żadna prostytutka nie zgodziłaby się na takie traktowanie. Urządziliście jej piekło na ziemi, a w końcu zabiliście. Który z was to zrobił? A może znowu wszyscy razem?

– Żaden z nas. Żaden z nas. Dziewczynę zabił demon.

– Sami jesteście demonami. Widziałem ślady na skórze tej dziewczyny i nie chcę się nawet domyślać, co z nią robiliście. Pytam jeszcze raz, który z was to zrobił?

Ochmański odstawił szklankę, otarł wierzchem dłoni spocone czoło. Już nie tylko dłonie, ale całe jego ciało drżało jak w febrze.

– To demon. Najprawdziwszy demon – mówił szybko, połykając końcówki słów. – Długo się zastanawialiśmy, jak zakończyć tę sprawę, planowaliśmy opłacić parobka, który dyskretnie sprzątnąłby dziewczynę, ale ktoś zasugerował inne rozwiązanie. Zaproponował, że sam załatwi tę sprawę.

– Kto taki?

Ochmański zignorował pytanie.

– Powiedział, że pozbędzie się dziewczyny bez kalania sobie rąk zbrodnią. Mówił, że zna sposób na przyzwanie demona, dzikiej bestii bez cienia litości w sercu, która będzie mu posłuszna. Śmialiśmy się z tego wszyscy, choć człowiek, który to zaproponował, niejednokrotnie budził nasz strach. Śmialiśmy się, ale kiedy następnego wieczora przyszliśmy do domu, w którym mieszkała dziewczyna, znaleźliśmy ją martwą. Leżała w drzwiach, z rozszarpanym gardłem, w kałuży krwi.

– Kto to zrobił?

– Demon. – Ochmański wzruszył ramionami. – Człowiek nie jest zdolny do takiego okrucieństwa. Znaleźliśmy martwą dziewczynę, leżącą na progu w kałuży krwi, a potem rozpętała się kłótnia. Skwierzyński miotał przekleństwa, mówił, że wszyscy jesteśmy winni jej śmierci. Chciał nawet odszukać rodzinę zamordowanej.

– Dlatego musiał zginąć. – Hildenberg skrzyżował ramiona na piersi i kiwał głową w zamyśleniu. – Jego skrupuły zagrażały interesom grupy.

Aptekarz skinął głową.

– Zgaduję, że winą za śmierć Skwierzyńskiego znów obarczyliście demona? Potem zginął Stezl, zamordowany we własnym łóżku.

– Żyd nie sprzeciwił się zamordowaniu dziewczyny, ale kiedy demon dopadł Skwierzyńskiego, Stezl uznał, że to przesada. Złamano zasady, którym zawdzięczamy swoją pozycję i majątek. Znów wybuchła wielka kłótnia. Stezl groził, że wycofa się ze wspólnych działań i nie będzie forsował interesów grupy w środowisku bogatych żydowskich kupców. Groził, że zawiadomi policję i obciąży zeznaniami...

– Kogo? – zagrzmiał Hildenberg. – Kogo Stezl chciał wydać policji? Kto zamordował Skwierzyńskiego?

– Bestia z lasu. To ona go zabiła.

Austriak chwycił aptekarza za ramiona.

– Naprawdę sądzisz, że za tymi morderstwami stoi demon? Że to sprawka wilkołaka?

Ochmański skrzywił się, wskazał wzrokiem Borysa.

– Spytaj Pasternaka, on wie najlepiej – wykrzyczał. – On to czuje w powietrzu!

– Który z was powiedział, że przyzwie demona?

– A jakie to ma teraz znaczenie? Jest już za późno na ratunek...

– Kto przyzwał demona? – zagrzmiał Hildenberg. – Mów, na Boga, kto to taki!

Ochmański ukrył twarz w dłoniach.

– Milczanowski – wyszeptał. – To on wezwał demona.

Prędzej chłopcze, prędzej. Nie mamy czasu do stracenia!

Borys, prowadzony pod ramię przez Austriaka, wypadł z apteki wprost w wielką, cuchnącą końskim moczem kałużę.

– Panie profesorze, co pan chce zrobić?

– Nie mamy czasu do stracenia – powtórzył Hildenberg. – Wiesz, gdzie mieszka człowiek, o którym mówił Ochmański?

– Józef Milczanowski. – Pasternak skinął głową. – Jego dom znajduje się przy wyjeździe z miasta, niedaleko nowego cmentarza.

– Doskonale. Musimy się więc śpieszyć. Chodź, wezwiemy dorożkę. – Hildenberg poprawił cylinder, obciągnął poły marynarki i dziarskim krokiem ruszył w stronę placu Świętego Michała, gdzie pod kasztanami fiakrzy kryli się przed deszczem.

– Nie chce pan chyba... Profesorze, proszę zaczekać!

Hildenberg nie słuchał. Przytrzymując dłonią cylinder, rozbryzgiwał butami stojącą w koleinach wodę.

– Powinniśmy zawiadomić policję. – Borys podbiegł, zrównując się z Austriakiem. – Nie możemy pojechać tam sami.

– Chłopcze, czy ty naprawdę myślisz, że funkcjonariusz municypalnej policji aresztuje członka rady miasta, przed którą odpowiada? – Profesor wskoczył do pierwszej z dorożek ustawionych wzdłuż kamiennego budynku mansjonarzy. – Jeżeli chcemy ująć sprawcę, musimy zrobić to sami.

Borys poinstruował woźnicę i po chwili chybocząca się na nierównościach rozmytej deszczem drogi dorożka okrążyła kościół farny, po czym skręciła w ulicę Kościuszki.

– Co pan zamierza, profesorze? – zapytał cichym głosem nauczyciel. Mówił po niemiecku, ale nie mógł mieć pewności, że woźnica nie zna tego języka na tyle, by zrozumieć sens jego wypowiedzi. – Przecież nie możemy aresztować Milczanowskiego. Nie jesteśmy policjantami, do diabła! A nawet gdyby, nie mamy żadnych dowodów!

– Słyszałeś, co powiedział aptekarz – Austriak odpowiedział w swoim ojczystym języku. – To on chciał się pozbyć pierwszej z ofiar, groził drugiej, sprzeczał się z trzecią. To on zapowiedział, że wezwie demona, który zabije wskazane przez niego osoby.

– Co z dowodami? Nie jestem pewien, czy Ochmański powtórzy swoje zeznanie przed sądem.

– Zamierzam zdobyć stosowne dowody i dopiero wtedy zawiadomimy policję. Inaczej Milczanowski się wyłga, a komisarz nie zechce nawet rozpocząć śledztwa.

Woźnica wstrzymał konia, Borys sięgnął do kieszeni po monetę o stosownym nominale. Wyskoczyli z dorożki i ruszyli ścieżką biegnącą ku ogrodzonemu niskim płotem drewnianemu domowi. Borys otworzył furtkę i rozejrzał się po ogrodzie, ale Hildenberg nie miał żadnych skrupułów, wyminął go i skierował się bezpośrednio ku drzwiom. Wstąpił na ganek, przystanął i sięgnął do wewnętrznej kieszeni marynarki. Pasternak spojrzał mu przez ramię i zobaczył, że Austriak wyjmuje rewolwer o długiej lufie, otwiera bębenek, sprawdzając, czy naboje tkwią jak należy w komorach, po czym przekłada go do kieszeni.

– Profesorze!

Hildenberg odwrócił się, spojrzał mu w oczy, ale nie odezwał się ani słowem, tylko mocno zapukał w drzwi. Zanim Borys zdołał ochłonąć po tym, jak zobaczył broń w rękach profesora, Austriak zapukał jeszcze raz, a kiedy znów nie usłyszał odpowiedzi, podszedł do okna i zastukał w nie kostkami palców.

– Która godzina?

Borys sięgnął do kieszeni po swój zegarek na srebrnym łańcuszku.

– Minęła szesnasta.

– Może Milczanowski jest jeszcze w magistracie. – Hildenberg odszedł od drzwi, zadarł głowę, spojrzał w stronę dachu. – Czy on jest żonaty?

– Nie, wydaje mi się, że jest kawalerem.

– W piecu się nie pali – mruknął profesor. – Może w drodze do domu wstąpił gdzieś na obiad. – Sięgnął do kieszeni i wyjął coś, czego Pasternak nie dostrzegł, ale co brzęknęło metalicznie, kiedy Austriak pochylił się nad klamką.

– Profesorze, co pan robi?

– Przystępuję do zebrania dowodów. – Hildenberg manipulował przez chwilę przy zamku, po czym pchnął lekko drzwi, a te ustąpiły bez najmniejszego skrzypienia. Przekroczył próg i wstąpił do sieni, ostrożnie stawiając kroki na drewnianej podłodze. Borys nie miał wyboru, ruszył w ślad za nim, zamykając za sobą drzwi. W korytarzu Hildenberg przystanął, wskazał lufą rewolweru lustro, przy którym zawieszony był sfatygowany cylinder i długa peleryna skrojona na angielską modłę. Pasternak skinął głową na znak, że przypomina sobie opowieść Aliny. Wszystko wskazywało na to, że byli na właściwym tropie.

Przekradli się przez sień, sunąc plecami tuż przy ścianie sprawdzili pokój dzienny, zajrzeli do kuchni. To, co odkryli w kolejnym pomieszczeniu, sprawiło, że Borys poczuł się, jakby wypił jednym haustem szklankę samogonu. Oparł się o ramię profesora, otworzył usta i z cichym westchnieniem wypuścił powietrze z płuc.

Milczanowski leżał pośrodku pokoju, rozciągnięty na wełnianym dywanie, którego wzór zalała krew. Rozłożone szeroko ramiona sięgały nadgarstkami stojącego pod ścianą łóżka, odwróconą w stronę okna twarz wykrzywiał grymas bólu. Jedna noga mężczyzny, z postrzępioną krwawą miazgą w miejscu stopy, była wyprostowana, drugą ofiara podgięła pod siebie, nieomal dotykając palcami pośladków. Ubranie Milczanowskiego było w strzępach, kawałki porwanych spodni i czegoś, co mogło być jego marynarką, znaczyły drogę od progu, rozerwana koszula odsłaniała krwawiący bok.

– Chryste...

Hildenberg pierwszy otrząsnął się z wrażenia. Podszedł bliżej, pochylił się, przyłożył dłoń do szyi ofiary.

– Czy on... – stęknął Borys.

– Nie żyje – skwitował krótko profesor. – Całe ciało jest lepkie od ciepłej jeszcze krwi, to musiało się stać niedawno, leży tu nie dłużej niż godzinę. Nie mogę ustalić, co jest przyczyną... Na Boga, co to takiego?

Borys nachylił się ponad plecami klęczącego nad ciałem Austriaka. Zwinięte w śmiertelnym skurczu palce rajcy zaciskały się na sznurze okalającym nadgarstki.

– Przywiązali go do nóg łóżka.

Hildenberg wstał i rozejrzał się po pokoju: stół, który ktoś najwyraźniej niedawno przestawił, wywrócone krzesło, pusta zielona butelka leżąca na podłodze tuż pod ścianą. Otworzył usta i chciał wydać Borysowi jakieś polecenie, lecz zamiast się odezwać, zamarł w bezruchu. Tym, co zmroziło jego członki i odjęło mowę, było ciche, ledwie słyszalne skrzypnięcie, jak gdyby ktoś stojący na drewnianej podłodze przeniósł ciężar ciała z jednej nogi na drugą.

Austriak spojrzał ostro w oczy nauczyciela, przyłożył palec do ust, powolnym ruchem wyjął z kieszeni rewolwer i z kocią gracją, zupełnie nieprzystającą do zwalistej postury, zakradł się pod drzwi na przeciwległym krańcu pokoju. Borys wstrzymał oddech. Hildenberg przystanął, nasłuchując, po czym całym ciałem naparł na drzwi. Drewno pękło z suchym trzaskiem.

Borys przeskoczył nad zwłokami Milczanowskiego i ruszył w ślad za Austriakiem.

– Nawet nie próbuj drgnąć.

Nauczyciel wyjrzał przez wyłamane drzwi. Pomieszczenie, do którego wpadł profesor, było najwyraźniej umywalnią i garderobą gospodarza, ale szerokie plecy Austriaka przesłaniały osobę, do której skierowane były jego słowa. Dopiero kiedy Borys wspiął się na palce, dostrzegł stojącą pośrodku umywalni postać.

Postać delikatną i wiotką, odzianą w sięgającą stóp szarą suknię zapinaną wysoko pod szyją na dwa rzędy guzików.

Hildenberg, jedną ręką mierząc w stronę kobiety, drugą wypchnął nauczyciela z ciasnego pomieszczenia, sam cofnął się o krok i gestem nakazał nieznajomej wyjść.

Kobieta przestąpiła próg pokoju. Była mniej więcej w wieku Borysa, nie miała jeszcze trzydziestu lat, wysoko spięte włosy połyskiwały miedzią. Okaleczone ciało znalazło się o krok od jej wysoko sznurowanych trzewików, ale kobieta zdawała się tego nie dostrzegać, spokojnym wzrokiem wpatrując się w Austriaka.

– Kim pani jest? – zapytał Hildenberg. – Co pani tutaj robi?

– To nie pańska sprawa. Jeżeli mógłby być pan tak miły – uśmiechnęła się lekko, choć jej oczy nie zmieniły wyrazu, wciąż czujnie wpatrując się w siwobrodego profesora – proszę opuścić broń. Nie lubię, kiedy mierzy się do mnie z nabitego rewolweru. Bo ten jest nabity, prawda?

Hildenberg opuścił nieco lufę rewolweru, ale natychmiast się zreflektował i powtórzył, tym razem bardziej stanowczym głosem:

– Kim pani jest i co tutaj robi?

– Powtarzam, to nie pańska sprawa.

– Borys... – profesor odwrócił się tak, aby nie tracić kontaktu wzrokowego z nieznajomą. – Pędź do miasta, sprowadź tu komisarza.

– Nie zostawię pana samego!

– Słuchaj, co do ciebie mówię, do diabła! Leć po komisarza.

Borys jeszcze raz spojrzał na nieznajomą, ruszył ku drzwiom, uważając, by nie dotknąć leżącego ciała i nie wdepnąć we wciąż powiększającą się kałużę krwi. Usłyszeli jeszcze jego szybkie kroki za oknem.

– Co pan zamierza, profesorze?

Lufa rewolweru wymierzona między zielone oczy zadrżała. Hildenberg chrząknął, maskując zaskoczenie. Był od kobiety wyższy o dwie głowy, ważył dwukrotnie więcej, ale było w niej coś, co sprawiało, że dziękował Bogu za rewolwer, który ściskał w dłoni.

– Skąd pani wie, kim jestem?

Uśmiechnęła się. Znów samymi ustami.

– Pytałam, co pan zamierza.

– Ten człowiek – profesor wskazał wzrokiem na ciało Milczanowskiego – nie żyje. Wszystko wskazuje na to, że śmierć nastąpiła nie później niż przed godziną. Tymczasem znajduję panią na miejscu zbrodni. To chyba uzasadnia kroki, jakie podjąłem, aby oddać panią w ręce sprawiedliwości.

– Sprawiedliwością nazywa pan tego gburowatego typa, który sprawuje funkcję komisarza w tym miasteczku? – Z pogardą wydęła wargi. – Pytałam, co pan zamierza zrobić, jeżeli nie będę miała ochoty czekać na przybycie naszego dzielnego stróża porządku. Nie sądzę, aby był pan zdolny mnie zastrzelić. A niezmiernie rzadko mylę się w takich sprawach.

Jej oczy pozostały czujne i skupione, ale usta znów wygięły się w sztucznym uśmiechu. Zrobiła krok do przodu. Profesor mocniej wsparł palec na spuście.

– Przecież mnie pan nie zastrzeli.

Profesor przełknął ślinę. Cofnął się o pół kroku. Kątem oka zerknął na przywiązane do nóg łóżka ciało, na poszarpane ubranie trupa, na powiększającą się ciemnobrunatną plamę krwi. Przeniósł wzrok na połyskujące trzewiki kobiety, na kraj jej sukni i opuszczone wzdłuż ciała dłonie. Były czyste.

– Ma pani rację. – Opuścił lufę rewolweru. – Ale mogę zatrzymać panią w inny sposób, nie pozbawiając życia. Wystarczy jedna kula, a do końca swych dni będzie pani utykać na jedną nogę.

Imitujący uśmiech grymas zniknął z ust nieznajomej.

Zza okna dobiegł odgłos szybkich kroków, trzasnęły drzwi, ktoś zadudnił o drewnianą podłogę na ganku.

– Borys, kazałem ci sprowadzić komisarza!

– Nie mogłem zostawić tu pana samego. – Nauczyciel z trudem łapał oddech. – Wysłałem dorożkarza, pojechał bezpośrednio do domu Witchenbachera.

Nieznajoma westchnęła, teatralnie spojrzała w górę, pokręciła głową.

– Czy mogę usiąść?

– Nie – twardo odpowiedział Austriak. – To nie potrwa długo.

– Nie jest pan zbyt uprzejmy. Spodziewałam się czegoś więcej po członku Cesarskiej Akademii Nauk.

– Skąd pani wie, kim jestem?

Nie odpowiedziała, oplotła się rękoma i z udawaną niecierpliwością spoglądała na tarczę wiszącego na ścianie zegara. Kres oczekiwaniom położył po niespełna kwadransie chlupot końskich kopyt roztrząsających błoto na drodze, potem trzaśnięcie bramki i ciężki łomot kroków na werandzie.

– Co się tu dzieje? – Witchenbacher wpadł z impetem do pokoju, nieomal potykając się o rozciągnięte przed łóżkiem zwłoki. Zaklął szpetnie, cofnął się o krok, ze wstrętem patrząc na półnagie ciało. Podniósł wzrok i dostrzegł broń w dłoni profesora.

– Co się tu dzieje? – powtórzył, spoglądając raz na Austriaka, raz na stojącą z założonymi rękami kobietę.

– Zastałem tę panią w umywalni – odezwał się Hildenberg. – Nie wiem, kim jest. Nie wiem, co tutaj robi, ale jej obecność na miejscu zbrodni jest co najmniej zagadkowa.

Komisarz zmrużył oczy i uśmiechnął się nieprzyjemnie.

– Znam cię, ptaszynko – powiedział, podchodząc do kobiety. – Mieliśmy przyjemność się poznać. – Sięgnął pod marynarkę i wyciągnął stalowe kajdanki. – Teraz będziemy mieli okazję zacieśnić naszą znajomość.

Kobieta nie straciła zimnej krwi, ale w jej oczach pojawił się błysk irytacji.

– Komisarzu, proszę o chwilę rozmowy na osobności.

– Nic się nie martw – policjant zaśmiał się złośliwie – spędzimy sporo czasu sam na sam. – Odwrócił się i spojrzał z uznaniem na Hildenberga. – Dobra robota, panie profesorze.

– Proszę o chwilę rozmowy bez świadków – powtórzyła ostrym tonem kobieta. – To bardzo ważne.

Uśmiech komisarza poszerzył się.

– Możesz być pewna, gołąbeczko, że już niebawem porozmawiamy sobie na osobności, a teraz... – Witchenbacher otworzył kajdanki i sięgnął po dłoń kobiety, ale ta gwałtownym ruchem zbiła jego rękę.

Zanim policjant zdążył zareagować, rozpięła dwa guziki pod szyją, rozchylając materiał sukni.

Pomiędzy szarą materią błysnęła złotem rozwarta wilcza paszcza.

– Poznajesz to, prawda – warknęła. Teraz to ona uśmiechnęła się w bardzo nieprzyjemny sposób. – Wiesz, co to znaczy?

Witchenbacher stanął jak wryty. Otworzył usta, spojrzał na medalion, który przed kilkoma dniami wręczył w ciemnym parku wysłannikowi Dyrekcji c.k. Policji we Lwowie.

– Skąd... – stęknął. – Skąd to masz?

– Komisarz Ludwik Witchenbacher, urodzony w Wiedniu, w roku tysiąc osiemset pięćdziesiątym trzecim – recytowała twardo kobieta, patrząc prosto w oczy osłupiałego policjanta. – Dwukrotnie oskarżony o nadużycia wobec aresztantów, w tym o pobicie i bezprawny zabór mienia. Wydalony ze służby w strukturach wiedeńskiej policji miejskiej za romans z żoną podwładnego i wykorzystanie stanowiska do celów prywatnych. Sprawa została oficjalnie umorzona dzięki wstawiennictwu przyjaciół pańskiego zmarłego ojca, sędziego kryminalnego Karola Witchenbachera. Czy mam mówić dalej?

Komisarz pokręcił głową, bezradnym wzrokiem spojrzał na Austriaka, który wciąż stał z rewolwerem w dłoni, szukając w jego twarzy wyjaśnienia zaistniałej sytuacji. Westchnął ciężko.

– Jesteś tu sam? – zapytała ostro kobieta.

– Dwóch posterunkowych czeka przed domem.

– Doskonale. Wyślij jednego do domu Żydówki, niech odbierze od niej moje rzeczy, drugi ma odprowadzić naszego profesora i jego młodego towarzysza do ratusza. Jeszcze nie zdecydowałam, co z nimi zrobię.

Hildenberg opuścił broń, spojrzał zaskoczony na Witchenbachera.

– Panie komisarzu, co pan wyrabia?

– Obawiam się, profesorze – odpowiedział zimnym głosem policjant – że jesteśmy zmuszeni dostosować się do poleceń tej pani.

12

Chyba pani nie sądzi, że któryś z nas ma coś wspólnego ze śmiercią rajcy Milczanowskiego? – wypalił Borys, nie zwracając uwagi na ostrzegawczy gest Hildenberga.

Siedząca za biurkiem kobieta popatrzyła na niego tak, że w jednej chwili zapragnął zapaść się pod ziemię.

– Nie sądzę – odparła lodowatym tonem. – Gdybym tak sądziła, nie gawędzilibyśmy sobie miło w gabinecie komisarza Witchenbachera, którego ten był łaskaw mi użyczyć.

Stojący pod ścianą Witchenbacher, za pomocą zmiętej chusteczki bezskutecznie walczący z potem zalewającym czoło i kark, spojrzał nerwowo na rozpartą na jego krześle kobietę i głośno przełknął ślinę.

– Gdyby było inaczej – ciągnęła kobieta – nie okazywałabym panom listów uwierzytelniających wystawionych przez Dyrekcję c.k. Policji we Lwowie i departament Ministerstwa Spraw Wewnętrznych, ale natychmiast kazałabym was aresztować.

– Ministerstwo Spraw Wewnętrznych – powtórzył cicho profesor Hildenberg i zerknął na blat biurka, gdzie leżały dokumenty wystawione na nazwisko Teresa Zamenhoff, dostarczone przez jednego z posterunkowych wraz z bagażem odebranym z domu Czarnej Bimełe.

– Wiem, że to nie wy zamordowaliście Milczanowskiego. – Teresa Zamenhoff zignorowała mruknięcie i spojrzenie profesora. – Słyszałam waszą rozmowę na ganku. Chcę jednak wiedzieć, co sprowadziło was do jego domu.

Borys miał już coś powiedzieć, ale Hildenberg powstrzymał go ruchem dłoni.

– Przypadek – stwierdził lakonicznie profesor. – Nie wiedzieliśmy, co zastaniemy w środku.

Zamenhoff pochyliła się nad biurkiem i z wilczym, pozbawionym ciepła uśmiechem spojrzała Austriakowi prosto w oczy.

– Przypadki nie istnieją, profesorze. Proszę nie zapominać, że słyszałam waszą rozmowę. Dlaczego chcieliście aresztować Milczanowskiego? Dlaczego sądziliście, że to on stał za wcześniejszymi morderstwami?

– Pani Zamenhoff...

– Panno Zamenhoff, jeśli łaska.

– Panno Zamenhoff, czy możemy porozmawiać na osobności? Bez świadków?

– Dlaczego miałabym się zgodzić na pańską propozycję?

– Przed godziną sama pani poprosiła o to naszego komisarza. Gdyby się na to zgodził, pani tożsamość nie zostałaby ujawniona.

Zamenhoff w zamyśleniu pokiwała głową.

– Proszę poczekać na korytarzu – poleciła szorstko Witchenbacherowi, nawet nie odwracając się w jego stronę.

– Chciałbym złożyć pani pewną propozycję – odezwał się Hildenberg, kiedy za komisarzem trzasnęły drzwi. – Rozumiem, że nie afiszowała się pani ze swoim przybyciem do miasteczka, ponieważ zależało pani na swobodnym zbadaniu sprawy. Planowała pani prowadzić swoje śledztwo incognito, ale w zaistniałej sytuacji...

– Do rzeczy, profesorze. Nie będziemy chyba zbyt długo narażali naszego biednego Ludwika na przeciągi w korytarzu.

– Proponuję pani połączenie sił i wspólne prowadzenie śledztwa.

Teresa Zamenhoff roześmiała się głośno. I najzupełniej szczerze.

– Pan oszalał.

– Nie sądzę. To pani może zyskać najwięcej na tej współpracy. Znalazła pani ciało szybciej od nas, ale najwyraźniej stało się tak dzięki przypadkowi. Nie wie pani, dlaczego uważamy... a może uważaliśmy, że to Milczanowski jest mordercą. Współpracując, możemy połączyć naszą wiedzę z pani możliwościami.

– Waszą wiedzę mogę wycisnąć z was siłą – odpowiedziała twardo. – Wystarczy wam jedna noc w areszcie, żebym rankiem usłyszała wszystko, co tylko zechcę. A na jednej nocy może się nie skończyć. To, co robicie, nazywa się utrudnianiem śledztwa. Poza tym, do czego przydać mi się może małomiasteczkowy nauczyciel i siwowłosy starzec?

– Ten siwowłosy starzec przeżył już w swoim życiu sporo, wiele widział i poznał wiele osób. – Głos profesora był cichy i spokojny. – Między innymi te, które złożyły podpis na zaprezentowanych przez panią dokumentach.

Teresa Zamenhoff uśmiechnęła się. Znów samymi ustami. Jej oczy pozostałe nieruchome.

– Panie profesorze, wie pan, że mogę kazać pana...

– Zamknąć. Wiem. Ale nie może pani więzić mnie bez końca. Jestem obywatelem austriackim, członkiem Cesarskiej Akademii Nauk. Prędzej czy później zdołam dotrzeć do osób, od których zależy los pani przełożonych, a co za tym idzie, również i pani samej. Raczej prędzej niż później. Proszę mi wierzyć, potrafię zrobić użytek z tych znajomości.

– Pan mi grozi? W tej sytuacji to śmieszne.

– Nie – powoli odpowiedział Hildenberg. – To nie groźba. Proszę to traktować raczej jako podkreślenie zalet propozycji, którą pani złożyłem.

Borys patrzył w milczeniu na przeciągający się pojedynek spojrzeń. Młoda kobieta o nieruchomych oczach drapieżnika i siwobrody starzec spoglądający na nią ze spokojem, który zdobywa się z wiekiem. Wydawało mu się, że w spojrzeniu kobiety pojawił się nowy ton, iskierka podniecenia, błysk, który sprawił, że jej twarz na krótki ułamek chwili upodobniła się do buzi małej dziewczynki obmyślającej nowy psikus.

– Dobrze – Teresa Zamenhoff zmrużyła oczy. – Może ma pan rację. Może rzeczywiście wspólnymi siłami zdołamy szybciej rozwikłać tę zagadkę. Muszę jednak otrzymać dowód, że to, co mówicie, jest prawdą.

Posterunkowy Schenke dopiero co wrócił ze szpitalnej kostnicy, gdzie złożono ciało Milczanowskiego. Od magistrackiego stróża dowiedział się, że komisarz Witchenbacher jest zajęty, postanowił więc odsapnąć chwilę i z przyjemnością wypalić papierosa. Ledwie jednak wsparł się o ścianę ratusza i patrząc na ludzi idących do kościoła Franciszkanów, odpalił zapałkę, drzwi magistratu otwarły się z trzaskiem. Najpierw zamaszystym krokiem wyszedł sam komisarz, przytrzymał drzwi przed kobietą w szarej, wysoko zapiętej sukni, za nimi wybiegł przypominający niedźwiedzia Austriak, a zaraz potem nauczyciel z domu doktora Zaleskiego. Schenke wyprężył się jak struna.

– Wezwij dorożkę – polecił komisarz.

Posterunkowy zerwał się do biegu, ale nauczyciel powstrzymał go ruchem dłoni.

– Nie trzeba. To blisko.

Schenke skinął głową i patrzył, jak cała grupa zmierza szybko w stronę ulicy Nowej Rady.

Hildenberg sadził długie susy, rozbryzgując stojącą w kałużach wodę. Kobieta z trudem dotrzymywała mu kroku. Unosząc rąbek sukni do wysokości cholewek, raz po raz rzucała rozzłoszczone spojrzenia na profesora.

Apteka była już zamknięta, przeszkloną witrynę do połowy jej wysokości przysłonięto drewnianym zabezpieczeniem. Hildenberg przez chwilę mocował się z klamką, zadudnił pięścią w drzwi, podszedł do wystawy i zastukał w szybę.

– Nie obejdzie się bez dorożki – mruknął zawiedziony. – Panie komisarzu, czy mógłby pan wezwać fiakra?

– Nie trzeba. – Borys wskazał drzwi sąsiadujące z wejściem do apteki. – Cała kamienica należy do Ochmańskiego, mieszka wraz z małżonką nad apteką, na piętrze.

Hildenberg doskoczył do wskazanych drzwi i energicznie zapukał. Zamenhoff położyła dłoń na jego ramieniu.

– Chcę przesłuchać tego człowieka – powiedziała cicho. – Doceniam informacje, które mi pan przekazał, ale to ja prowadzę śledztwo. Zgadzam się na pańską obecność przy rozmowie, tylko proszę mi nie przeszkadzać.

Drzwi uchyliły się i w ciemnym korytarzu pojawiła się młoda dziewczyna w fartuchu. Zamenhoff chciała coś powiedzieć, ale uprzedził ją profesor.

– My do pana Ochmańskiego.

Służąca skinęła głową i zniknęła, a po chwili w progu stanął ubrany w szlafrok aptekarz. Zamenhoff przybrała surowy wyraz twarzy i otworzyła usta, ale i tym razem pierwszy odezwał się Hildenberg.

– Musimy porozmawiać. Tym razem szczerze.

– Byliście u Milczanowskiego? – Ochmański spoglądał to na Borysa, to na profesora, przelotnie zatrzymując wzrok na twarzy agentki.

– Milczanowski nie żyje.

Ochmański głośno wciągnął powietrze.

– Zaczekajcie na dole. Nie chcę rozmawiać w mieszkaniu, moja żona i bez tego jest śmiertelnie przerażona. Wezmę tylko klucze. Pomówimy w aptece.

Hildenberg skinął głową, ignorując niechętne spojrzenie Zamenhoff, która najwyraźniej nie chciała tracić Ochmańskiego z oczu. Jej obawy okazały się bezzasadne, bo po krótkiej chwili aptekarz wyszedł z kamienicy, z marynarką narzuconą na ramiona i pękiem kluczy w dłoni.

Otworzył aptekę, a kiedy wszyscy przekroczyli już jej próg, na powrót przekręcił klucz w zamku.

– Milczanowski nie żyje. – Hildenberg wsparł się o szeroki kontuar. – Znaleźliśmy go martwego na podłodze jego domu.

Ochmański skrył twarz w dłoniach i pokręcił głową.

– W takim razie straciliśmy wszelką nadzieję. Nie ma już dla nas ratunku.

– O czym pan mówi?

– O bestii – niemal wykrzyknął aptekarz, odwracając się w stronę Borysa. – Powiedz im, o czym mówię! Ty dobrze wiesz, rozumiesz, o czym mówię. To Milczanowski wezwał demona, to on przywołał wilka i posłużył się nim, aby zabić Skwierzyńskiego i Stezla. Teraz, kiedy bestia wymknęła się spod kontroli, nikt jej nie powstrzyma.

– O czym on mówi? – zapytał Witchenbacher, przysuwając się do Borysa, ale ten nie odpowiedział, wpatrzony w wykrzywioną strachem twarz aptekarza. – Milczanowskiego zabił człowiek, nie zwierzę. Ktoś przywiązał go do łóżka.

– Tak samo, jak wcześniej ktoś rozerwał na strzępy starego Stezla – prychnął Ochmański z lekceważeniem. – To bestia. Wilk, nie człowiek.

Zamenhoff, do tej pory stojąca w milczeniu przed gablotą ze słoiczkami maści i suszonych ziół, podeszła do aptekarza, odpięła dwa guzki przy szyi i błysnęła złotym medalionem.

– Widział pan kiedyś coś takiego?

Ochmański skinął głową.

– Złoty wilk. Milczanowski nosił ten medalion na szyi. Mówił, że przynosi mu szczęście.

Witchenbacher stęknął głucho.

– Wyjąłem tę błyskotkę z dłoni martwego Skwierzyńskiego – wyszeptał, ignorując piorunujące spojrzenie Zamenhoff. – Zerwany medalion w dłoni ofiary. To znaczy, że Milczanowski jest mordercą...

– Milczanowski nie żyje. – Borys podrapał się w głowę. – Ktoś zabił go w taki sam sposób jak poprzednie ofiary.

– To nie Milczanowski, to wilk – powtarzał z uporem Ochmański, spoglądając raz na nauczyciela, raz na brodatego Austriaka. – Musicie to w końcu zrozumieć!

Hildenberg zbliżył się do aptekarza, położył dłonie na jego ramionach, przybliżył ku niemu twarz i odezwał się głosem zimnym jak jesienny deszcz, który właśnie spływał po szklanej witrynie.

– Niech mnie pan uważnie posłucha, panie Anzelmie. Nie interesuje mnie, w co pan wierzy. Ja chcę poznać prawdę, nie bajki, którymi straszy się niegrzeczne dzieci. Mój najlepszy przyjaciel stracił swą jedyną córkę i przysiągłem sobie, że schwytam mordercę. Bez względu na wszystko. Mam nadzieję, że rozumie pan, co to oznacza?

Aptekarz skinął głową. Zamenhoff podeszła bliżej i spróbowała odsunąć Austriaka, ale nawet ona cofnęła się przed lodowatym spojrzeniem.

– Skwierzyński, Stezl, Milczanowski – wyliczał Hildenberg cichym głosem. – W końcu pan. Wszyscy pochodzicie z biednych rodzin. Wszyscy dorobiliście się majątku i pozycji w tym samym okresie. Zdobyliście pierwsze pieniądze na jednej transakcji, czy tak? Jeden przegon bydła dał wam kapitał umożliwiający rozwinięcie interesów w rodzinnym mieście?

Ochmański zadrżał.

– Mieliśmy szczęście. Sprzedaliśmy stado z dużym zyskiem...

– Nie kłam – warknął Austriak. Pchnął aptekarza na kontuar i chwycił go za gardło. – Nie kłam! Zrobię wszystko, aby poznać prawdę! Wszystko!

Borys rzucił się na Hildenberga, próbując odciągnąć go od Ochmańskiego, ale wobec masy ciała i siły Austriaka okazał się bezradny.

– Profesorze, niech pan przestanie!

– Powiem, wszystko powiem – wyjęczał aptekarz, przestraszony bardziej wyrazem twarzy Hildenberga niż siłą jego uścisku. – W czasie tej podróży straciliśmy wszystko! Absolutnie wszystko. Nawet duszę.

Profesor odsunął się, by Ochmański mógł odetchnąć.

– Straciliśmy wszystko – powtórzył, ciężko dysząc aptekarz. – Zaraz po wyjeździe z miasta bydło zaczęło chorować, żaden z nas nie znał się na zwierzętach. Straciliśmy kilkanaście sztuk. Ale to nie koniec. Chodziły słuchy, że wysokie ceny bydła były plotką albo może do tego czasu zdążyły się już zmienić. Nie chcieliśmy w to uwierzyć. Zatrzymaliśmy się pod miastem, szukaliśmy kupca, z każdym dniem tracąc pieniądze na popas zwierząt. Choroba zdziesiątkowała stado. Zwierzęta wychudły, codziennie traciliśmy kilka, kłóciliśmy się, co robić dalej. W końcu sprzedaliśmy bydło za marne grosze. Tej nocy upiliśmy się do nieprzytomności. Ranek nie przyniósł wytchnienia, wciąż nie wiedzieliśmy, co robić. Nie mieliśmy z czym wracać do Sanoka. Kłóciliśmy się do późnej nocy i znów sięgnęliśmy po gorzałkę. Po tygodniu nie mieliśmy nic i wracaliśmy w rodzinne strony bez grosza przy duszy.

Ochmański otarł oczy i czoło rękawem koszuli.

– Jechaliśmy powoli, starając się odwlec chwilę powrotu do Sanoka. Przed Gorlicami stanęliśmy na wieczorny popas i tam wszystko się zaczęło. Karczma, w której się zatrzymaliśmy, była prawie pusta. Poza nami we wspólnej sali znajdował się tylko jeden samotny podróżny. Był milczący, nie szukał towarzystwa, spał pod ścianą, owinięty opończą. Unikał nas, ale Stezl wypatrzył, że ma u pasa ciężko pobrzękującą sakwę. Wędrowiec opuścił karczmę przed świtem, ruszył w stronę Sącza, ale my nie wyjechaliśmy na trakt. Milczanowski rzucił, niby żartem, że warto by było pójść jego śladem. Śmialiśmy się z tego pomysłu, piliśmy gorzałkę, oporządzaliśmy konie... A potem ruszyliśmy, co koń wyskoczy. Traktem na Sącz.

Ochmański przerwał, oczekując pytań, ale te nie padły. Pogrążające się w wieczornym półmroku wnętrze apteki spowijała cisza.

– Nie szczędziliśmy koni, dogoniliśmy go koło południa. Nie wiedzieliśmy, po co za nim jedziemy, pozwoliliśmy mu się oddalić, by ponownie zbliżyć się koło wieczora. Zatrzymał się przy strumieniu, oporządzał konia, podjechaliśmy całą grupą, okrążyliśmy go... Tam to się stało.

Aptekarz pociągnął głośno nosem.

– Milczanowski kopnął go z wysokości końskiego siodła, zeskoczył i uderzył nożem. Raz, drugi, trzeci. Odpiął mu pas i podszedł do ogniska, gdzie chciał przeliczyć zawartość sakwy. Ale tamten człowiek jeszcze żył, próbował wstać, jęczał. Milczanowski znów uderzył go nożem, ciął przez pierś. Wtedy też zdjął z jego szyi i powiesił na swojej medalion ze złotym wilkiem. Wędrowiec wciąż charczał, Skwierzyński znalazł więc w zaroślach grubą gałąź, i go przydusił. Stezl przytrzymał nogi, a ja... ja trzymałem ręce. Milczanowski śmiał się głośno, liczył pieniądze, a Skwierzyński docisnął całym ciałem gałąź na gardle wędrowca. Minęła długa chwila, zanim przestał wierzgać.

Ochmański otarł palcami łzy, spojrzał prosto w nieruchomą twarz Hildenberga.

– Zabiliśmy go. W czasie podróży zdobyliśmy majątek, ale straciliśmy znacznie więcej. Straciliśmy duszę. To, co nas teraz spotyka, to zasłużona kara za grzech śmiertelny.

Przedłużająca się chwila milczenia ciążyła coraz bardziej. Przerwał je spokojny głos Teresy Zamenhoff:

– Panie Anzelmie, powtórzy pan swoją opowieść...

Ktoś cicho zapukał w witrynę.

Na jeden krótki moment wszyscy zamarli w bezruchu, potem każde z nich zareagowało inaczej: agentka bezszelestnie przesunęła się pod ścianę, Hildenberg odsunął od siebie aptekarza i sięgnął pod marynarkę, Witchenbacher cofnął się i spojrzał na Borysa.

Borys zmrużył oczy. Drewniane zabezpieczenie przesłaniało osobę stojącą pod drzwiami. Pukanie rozległo się znowu, tym razem mocniejsze.

– Panie komisarzu, jest pan tam?

Komisarz otrząsnął się z zaskoczenia, przybrał dziarską minę i tonem nieuznającym sprzeciwu nakazał aptekarzowi otworzyć drzwi. W progu stał zdyszany posterunkowy Schenke.

– Wreszcie pana odnalazłem, komisarzu. Proszę wybaczyć, że przeszkadzam, ale mamy problem. Rajca Pąkowski podburza ludzi, zachęca do samosądu. Podobno znaleźli osobę, która pomaga wilkowi.

– Kogo takiego?
– Wdowę z domu nad rzeką.

Smagane batem konie ciągnęły powóz dróżką wijącą się między niskimi drewnianymi chatkami, kopyta ślizgały się w błotnistej mazi. Borys starł z powiek krople deszczu, wyjrzał sponad pleców woźnicy. Mimo zapadającego zmierzchu i coraz mocniej zacinającej zimnej mżawki poboczem drogi, w dół, w stronę rzeki, ciągnęły pieszo grupki mieszkańców miasteczka. Zacisnął kurczowo palce na poręczy powozu. Tam, dokąd zmierzali, działo się coś, co sprawiło, że ludzie opuścili ciepłe kuchnie i przytulne sypialnie, aby zobaczyć to na własne oczy.

Fiakier ściągnął lejce, konie skręciły w polną ścieżkę, koła ślizgały się na mokrej trawie. Siedzący przy woźnicy komisarz Witchenbacher podskoczył na koźle, w ostatniej chwili przytrzymał melonik. Zaklął przez zęby. To on, na polecenie Teresy Zamenhoff, wezwał dorożkę i miał nadzieję, że agentka ureguluje koszta podróży, bo zgodnie z regulaminem wynagradzania, nie mógł domagać się zwrotu należności za powóz w granicach miasta. Tym bardziej nie mógł liczyć na zwrot kosztów dwóch dorożek, bo w ślad za nimi jechał drugi powóz, a w nim czterech posterunkowych, na wypadek, gdyby zaistniała potrzeba rozgonienia zbiegowiska.

Pasternak przytrzymał się ramienia siedzącego obok Hildenberga i jeszcze raz wyjrzał ponad ramieniem dorożkarza. Zadrżał ze strachu. Między gałęziami drzew, na tle czarnego już nieba, zobaczył ognistą poświatę.

– Podpalili jej dom! – wyszeptał. Oślepiony deszczem przetarł palcami oczy. – Szybciej! – krzyknął. – Może nie jest jeszcze za późno!

Dorożkarz nie zaciął koni, a przeciwnie, ściągnął cugle. W ciemnościach nie widział dokładnie krętej polnej ścieżki, koła powozu co rusz ślizgały się i podskakiwały na kępach trawy.

Obawy nauczyciela okazały się przedwczesne. To, co wziął za łunę pożaru, okazało się blaskiem pochodni i lamp naftowych w dłoniach ludzi zgromadzonych wokół domu wdowy. Powóz zwolnił, ale Borys nie czekał, aż się zatrzyma. Zeskoczył z gondoli, wpadając po same kostki w błoto, i pobiegł w stronę budynku, przeciskając się między gapiami, którzy z bezpiecznej odległości obserwowali to, co działo się przed drzwiami.

Na ganku, przy otwartych drzwiach, stał chudy człowiek w cylindrze, z latarnią w dłoni. Chudzielec mówił do zebranych, przekrzykując deszcz i wiatr.

– Nikt inny, tylko ja dbam o bezpieczeństwo tego miasta – grzmiał z wysokości dwóch schodków. – Nikt inny nie troszczy się o wasze bezpieczeństwo. Burmistrz sam nie wie, co ma robić! Rada miasta jest bezradna! Tylko ja, rajca Walenty Pąkowski...

Mowę przerwało ujadanie niewielkiego kundla, który wybiegł nie wiadomo skąd i od razu upatrzył sobie nogawki urzędniczych spodni. Rajca Pąkowski podskoczył, niemal upuszczając latarnię, podniósł wysoko jedną nogę, potem drugą, uchodząc przed zębami rozzłoszczonego zwierzęcia. Dopiero kiedy ktoś zamachnął się na kundla kijem, pies podkulił ogon i czmychnął pod ganek.

– Wszyscy znamy tę kobietę – ciągnął podniesionym głosem Pąkowski. – Znamy jej grzechy! To nie przypadek, że chodzi za nią wilkołak. To nie przypadek, że jej pelerynę znaleziono przy zwłokach niewinnego dziecka, które stało się ofiarą bestii. Musimy przeszukać ten dom, a ją samą przykładnie ukarać!

Słowa rajcy zostały przyjęte z pełnym uznania pomrukiem. Ktoś coś krzyknął, ktoś przyłożył pochodnię pod dach obory.

Borys przepchnął się przez zbiegowisko, wypadł na otwartą przestrzeń przed gankiem, wprost w krąg światła rzucanego z lamp mężczyzn otaczających front domu ciasnym szpalerem. Mężczyzn o zaciętych twarzach, mężczyzn o zaciśniętych pięściach, z kijami w dłoniach. Strach spętał mu nogi, wysuszył usta. Spojrzał na ganek. W kącie, przyparta do ściany, stała Alina, osłaniając się starym płaszczem przed deszczem i nienawistnymi spojrzeniami.

Rajca Pąkowski wymierzył długim chudym palcem w wystraszoną kobietę.

– Brać ją – rozkazał. – Jak tylko przyłoży się jej rozgrzane węgle pod stopy, zaraz wyda swojego diabelskiego wspólnika!

Mężczyźni ruszyli. Pąkowski zszedł ze schodków, robiąc im miejsce. Ktoś silnym ramieniem odsunął Borysa na bok.

– Odejdź, chłopcze – syknął mu w twarz ospowaty, czarnowłosy Kosma, syn szewca. – To nie miejsce dla ciebie.

– Nie pozwolę wam jej skrzywdzić!

– Nie masz tu nic do gadania – zaśmiał się Kosma, ale w jednej chwili uśmiech zniknął z jego twarzy.

Ktoś przedarł się przez tłum, roztrącił mężczyzn jak snopki siana, jednym susem wskoczył na ganek. Pąkowski skierował w jego stronę latarnię i krzyknął, a zwalisty kosmaty brodacz, którego ujrzał, wyrżnął go na odlew prosto w szczękę. Siła ciosu była straszliwa. Pąkowski runął w dół, uderzył tyłem głowy o ścianę i bez przytomności osunął się na ziemię.

Tłum zawrzał, pierwszy szereg ruszył w stronę brodacza, ale ten nie zamierzał uciekać. Przeciwnie, zacisnął sękate dłonie na balustradzie i płonącymi oczyma powiódł po mężczyznach.

– Wara od niej – zaryczał jak dzikie zwierzę. – Wara wam! Wynocha! Nic tu po was.

Tłum zafalował. Brodaty długowłosy mężczyzna wyglądał jak bestia. Jak wilk.

– Wara wam od niej – powtórzył brodacz. – Ona jest moja.

Ktoś rzucił kamieniem, ktoś cisnął grudą błota, która rozbiła się o ramię osiłka.

– Naprzód! – ktoś wydarł się w niebogłosy. – Spalimy bestię.

Mężczyźni naparli na ganek, kiedy gwar okrzyków zagłuszyły wystrzały.

Ktoś raz za razem naciskał na spust.

Napastnicy przystanęli, opuścili kije, rozstąpili się, przepuszczając komisarza Witchenbachera. Policjant jedną ręką przyciskał do czubka głowy przemoknięty melonik, drugą mierzył w niebo dymiącym rewolwerem. W ślad za komisarzem przesuwał się rosły Austriak, skryta pod peleryną Zamenhoff i posterunkowy Schenke, używający, ile sił w płucach, policyjnego gwizdka.

– Rozejść się! – Rewolwer w dłoni Witchenbachera zatoczył szeroki łuk.

Borys doskoczył do budynku, zatrzymał się przed schodkami wiodącymi na ganek i spojrzał na dumnie wyprostowanego brodacza. Hildenberg górował nad otoczeniem niemal o głowę, ale nieznajomy był jeszcze wyższy, zmierzwiona broda sięgała piersi, a skołtunione, nierówno przycięte włosy opadały na szerokie ramiona.

Witchenbacher wstąpił na schody, spojrzał na leżącego bez tchu Pąkowskiego.

Olbrzym uniósł dłoń w ostrzegawczym geście.

– Wara wam od tego domu – warknął. – Wara wam od niej!

– Jestem komisarzem policji miejskiej miasta Sanoka – twardo odpowiedział Witchenbacher. – A ty, łajdaku, właśnie pobiłeś rajcę.

– Nie miał prawa wchodzić na mój teren i zbliżać się do mojej kobiety.

– Na twój teren? Do twojej kobiety? Kim jesteś, że rościsz sobie do niej prawo?

Brodacz wyglądał, jakby miał splunąć, ale tylko spojrzał z wyższością na policjanta.

– Nazywam się Jan Szczudlik. Jestem mężem tej kobiety i właścicielem tego domu.

Tłum zakołysał się, ktoś coś krzyknął, ktoś zaklął, ktoś inny odrzucił kij w zarośla. Borys poczuł, jak ziemia umyka mu spod nóg. Zakręciło mu się w głowie. Chciał spojrzeć na Alinę, ale plecy Witchenbachera i szeroka pierś brodacza zasłaniały mu widok.

– Jestem jej mężem – zagrzmiał jeszcze raz Szczudlik. Podniósł latarnię upuszczoną przez Pąkowskiego i oświetlił nią szeroki krąg. – Nie macie prawa wchodzić na teren mojej posesji.

– Jesteś byłym więźniem objętym cesarską amnestią i jako taki nadal podlegasz jurysdykcji cesarsko-królewskiego wymiaru sprawiedliwości.

Borys wyciągnął szyję, szukając osoby, która wypowiedziała te słowa. Witchenbacher obrócił się zaciekawiony.

Teresa Zamenhoff weszła w krąg światła.

– Komisarzu, nakazuję panu zatrzymać do wyjaśnienia obecnego tu Jana Szczudlika jako podejrzanego o popełnienie zbrodni wielokrotnego zabójstwa.

Brodacz opuścił latarnię.

– Kim jesteś, kobieto?

– Komisarzu, słyszał pan, co powiedziałam?

Szczudlik dzikim wzrokiem spoglądał raz na Zamenhoff, raz na policjanta, ale nie protestował, kiedy komisarz skuwał mu nadgarstki stalowymi kajdankami.

– Wracamy do ratusza – zarządziła Zamenhoff. – Pan, komisarzu, przewiezie aresztanta w asyście posterunkowych, my pojedziemy drugą dorożką.

– A co z dziewczyną? – wtrącił się Borys. – Nie możemy tak jej tu zostawić.

– Dziewczyna jedzie z nami. Ją również chcę przesłuchać.

Borys pomógł Alinie wspiąć się na gondolę dorożki. Płakała, ale nie odezwała się ani słowem. Kiedy usiadła, delikatnie ścisnął jej dłoń. Gest ten nie uszedł uwagi Zamenhoff, która zajęła miejsce obok.

– Pani zna tego mężczyznę? – zapytał profesor Hildenberg. – Wie pani, jak się nazywa i że był więźniem objętym amnestią? Szanuję pani zdolności, ale nie wierzę, że ma pani w pamięci listę wszystkich więźniów ułaskawionych przez cesarza.

– Nie zamierzam się przed panem tłumaczyć. – Zamenhoff wzruszyła ramionami.

Dorożki pięły się dróżką biegnącą w stronę zamkowego wzgórza. Zostawili za sobą drewniane domki, przejechali między cerkwią i synagogą i znaleźli się na rynku. Woźnica wstrzymał konie przed drzwiami magistratu.

Teresa Zamenhoff zeskoczyła z powozu i podeszła do drugiej dorożki.

– Proszę umieścić zatrzymanego w pańskim gabinecie – poleciła komisarzowi. – Następnie wyśle pan swoich posterunkowych po rajców Ochmańskiego i Kiedewicza. Jak tylko tu dotrą, dopilnuje pan, aby nikt nie wchodził do ratusza. Powtarzam: absolutnie nikt. Zakaz ten dotyczy również pozostałych rajców, jak i samego burmistrza.

Witchenbacher skinął głową. Gestem dał znak posterunkowym, aby wyprowadzili z dorożki zakutego w kajdanki aresztanta.

– Mam tylko tych czterech ludzi. – Obejrzał się przez ramię. Na pogrążonym w ciemnościach rynku, zwykle pustym o tej porze, zbierały się grupki gapiów. – Jeżeli ci, którzy chcieli dokonać samosądu, postanowią wejść do budynku, nie dam rady ich powstrzymać.

– W takim razie po Ochmańskiego i Kiedewicza wyśle pan dwóch. – Zamenhoff kątem oka lustrowała część rynku między studnią a klasztorem Franciszkanów. – Trzeci stanie przy drzwiach, a czwarty odprowadzi aresztanta do pańskiego gabinetu. Pan uda się z listem do dowódcy miejskiego garnizonu.

– Tak jest! – Witchenbacher stuknął obcasami. – Wszystko jasne.

Komisarz wydał dyspozycje i zaraz dwaj posterunkowi pobiegli w stronę ulicy Kościuszki, on sam zaś pomógł wprowadzić skutego osiłka na piętro, uprzednio dokładnie poinstruowawszy woźnego o zakazie wpuszczania kogokolwiek do budynku.

– A co z nimi? – Pilnujący ratusza staruszek wskazał na stojącego z założonymi rękami Hildenberga i wyraźnie podenerwowanego Borysa.

Zamenhoff zawahała się.

– Niech wejdą – zdecydowała. – Wolę mieć ich na oku.

Borys wszedł na schody, zadzierając wysoko głowę, lecz Alina zniknęła już za załomem korytarza. Agentka poleciła odprowadzić ją do sali posiedzeń, gdzie miała zaczekać na swoją kolej.

– Wszystko gotowe – zameldował komisarz. – Szczudlik jest w moim gabinecie, zostawiłem go tam z posterunkowym Schenkem.

– Świetnie. – Zamenhoff nacisnęła klamkę jednego z biur, ale drzwi były zamknięte. Sprawdziła po kolei kilka pozostałych. – Czy jest tu jakieś pomieszczenie, w którym mogłabym znaleźć coś do pisania?

– Na dole jest otwarty sekretariat.

– Doskonale. – Agentka odwróciła się w stronę schodów, ale po kilku krokach przystanęła i spojrzała przez ramię na wciąż milczącego Hildenberga.

– Proszę zaczekać na mnie w sali posiedzeń. Pan i pański młody pomocnik przypilnujecie tej kobiety.

– Pozwoli nam pani wziąć udział w przesłuchaniu Szczudlika? – zapytał profesor.

– Nie ma powodu, byście w nim uczestniczyli.

– Zawarliśmy porozumienie... – wtrącił Borys.

– Porozumienie jest już nieaktualne. Główny podejrzany został zatrzymany. Dziękuję obu panom za pomoc. Teraz do wykonania pozostają jedynie czynności przedprocesowe i zabezpieczenie ewentualnych dowodów świadczących o współudziale osób trzecich.

– Pani zna tego człowieka, prawda?

– Niech się pan zajmie tą kobietą, profesorze. – Zamenhoff uśmiechnęła się chłodno. – Niech się pan zajmie swoimi sprawami. W przeciwnym razie zamknę was na trzy dni w areszcie za utrudnianie śledztwa.

Borys patrzył, jak agentka szybkim krokiem przemierza korytarz i znika na schodach. Odwrócił się i wszedł do pogrążonej w ciemnościach sali obrad. Długi masywny stół, przy którym zapadała większość decyzji dotyczących miasta, stał pusty. Alina siedziała przy oknie. Widział jedynie ciemny zarys jej sylwetki w blasku ulicznej latarni. Słyszał cichy płacz. Chciał podejść i objąć ją, ale ktoś szarpnął go za ramię.

– Chodź!

– Co pan robi, profesorze?

– Prędzej, nie mamy czasu do stracenia. – Hildenberg ciągnął go korytarzem. – Pamiętasz, gdzie jest gabinet Witchenbachera?

– Tam, drugie drzwi od schodów.

Profesor podszedł szybko do wskazanych drzwi, przyklęknął, przyłożył oko do dziurki od klucza. Szczudlik siedział skuty na krześle przed biurkiem; pod ścianą, wyprężony jak struna, stał posterunkowy.

– Nie będziemy chyba podsłuchiwali pod drzwiami – szepnął Borys. – Ta żmija postawi pewnie kogoś na korytarzu.

Austriak podniósł się z kolan, podszedł do sąsiedniego gabinetu, nacisnął klamkę, a kiedy szczęknęła głucho, jedną ręką chwycił rękaw Pasternaka, drugą zamachnął się i uderzył łokciem w zamek. Naparł barkiem, a kiedy przeszkoda nie ustąpiła, uderzył po raz drugi, jeszcze mocniej. Coś strzeliło, pękło i zagrzechotało, drzwi otworzyły się i Hildenberg wpadł do środka, pociągając za sobą nauczyciela. Upadli na brudną, pokrytą kurzem i miałem węglowym podłogę. Profesor podniósł się i natychmiast zamknął drzwi, napierając na nie ciężarem całego ciała i mocno przytrzymując obluzowaną klamkę.

Usłyszeli trzaśnięcie, ktoś wyszedł z gabinetu komisarza. Dudniące w korytarzu kroki zatrzymały się za progiem. Ktoś energicznie nacisnął na klamkę. Profesor pozwolił, aby ta poruszyła się w jego dłoni, ale przytrzymał drzwi kolanem. Ktoś ponownie spróbował dostać się do środka, ale najwyraźniej przekonany, że pokój jest zamknięty na klucz, wrócił do gabinetu komisarza.

Borys odetchnął głęboko i otarł zroszone potem czoło. Znajdowali się w typowym ciasnym magistrackim biurze, przesiąkniętym zapachem stęchlizny, kurzu i starego papieru. Sędziwy Franciszek Józef spoglądał z wysokości portretu na dwa małe biurka, liche krzesła, drewnianą szafę, kosz na węgiel i piecyk.

Hildenberg doskoczył do okna, otworzył je, wyjrzał na zewnątrz. Podszedł do ściany, przystawił ucho. Jego wzrok padł na piecyk i stalową rurę biegnącą wzdłuż ściany pod sufit. Zrzucił z biurka stertę papierzysk, przystawił mebel do ściany. Blat zaskrzypiał, kiedy stanął na nim kolanami, a później butami. Ostrożnie ujął rurę, najdelikatniej jak umiał przekręcił ją, najpierw o pół cala, później o cal, o dwa cale. Zmrużył oczy, oślepiony chmurą kurzu. Splunął z niesmakiem.

Borys przytrzymał się ściany i wspiął się na krawędź biurka. Obciążony ponad miarę mebel stęknął ciężko. Hildenberg odsunął policzek od powstałej szpary, zgromił wzrokiem nauczyciela, spojrzeniem nakazując mu zejść.

W pomieszczeniu obok skrzypnęły drzwi.

– Proszę zaczekać na zewnątrz – usłyszeli wyraźnie stanowczy głos Teresy Zamenhoff.

Trzask obcasów, mocne kroki na drewnianej podłodze, skrzypienie otwieranych, a następnie zamykanych drzwi.

– Znowu się spotykamy. Pamiętasz mnie, prawda? – mówiła agentka. – Przyzwyczaiłeś się już do słuchania poleceń kobiety? Za pierwszym razem ciężko było ci się podporządkować, ale w końcu się nauczyłeś, prawda? A może jednak nie? Może znowu chcesz spróbować? Dalej, nie powstrzymają cię chyba te kajdanki. Spróbuj, proszę. Ale ostrzegam, nie pójdzie ci tak łatwo jak kiedyś z własną żoną.

Odgłos cichych kroków. Zamenhoff prawdopodobnie spacerowała przed siedzącym na krześle aresztantem.

– Zdziwiony? We Lwowie, jeszcze przed pierwszym przesłuchaniem, sprowadziliśmy z Sanoka wszystkie informacje na twój temat.

Borys przesunął się bliżej ściany, nadstawił uszu. Agentka mówiła coś, czego nie mógł zrozumieć.

– Jesteś głupi, Szczudlik, wiesz? Bardzo głupi. Dostałeś od losu prawdziwą szansę i nie potrafiłeś z niej skorzystać. Cesarz okazał ci serce, objęto cię amnestią, ale nie potrafiłeś usiedzieć na miejscu. Musiałeś się wplątać w coś nowego. Okazuje się, że jesteś nie tylko szantażystą, ale i mordercą.

– Nikogo nie zabiłem.

– Nie? – Agentka udała zdziwienie. – Mamy tu trzy trupy i daję sobie głowę uciąć, że maczałeś w tym palce. Może nie sam, ale maczałeś. Podobnie jak przed dziesięcioma laty, na trakcie z Nowego Sącza do Sanoka.

Teraz to Hildenberg zmienił niewygodną pozycję, odwrócił głowę i przystawił do wylotu rury drugie ucho. Skrzypnięcie stołu zagłuszyło słowa Szczudlika.

– We Lwowie nie udało się wyjaśnić, skąd wziąłeś informacje i listy obciążające Antoniego Hardasiewicza, szanowanego obywatela, przemysłowca, właściciela huty stali i zakładów produkcyjnych – mówiła Zamenhoff. – Teraz jednak poznaliśmy twoją tajemnicę. Twój wspólnik odebrał waszej ofierze medalion ze złotym wilkiem. To znak, którym pieczętuje się Hardasiewicz. Człowiek, którego zabiliście, był w jakiś sposób powiązany z przemysłowcem. Wiózł jego listy, ty je zabrałeś, a po pewnym czasie postanowiłeś wykorzystać. Nie przypuszczałeś jednak, że Hardasiewicz nie przestraszy się twoich gróźb i nie ulegnie szantażowi.

– Nie przypuszczałem – warknął wściekle Szczudlik – że złoty wilk odbierze temu nieszczęśnikowi duszę. Wiesz, co zobaczyłem, kiedy się spotkaliśmy? Zobaczyłem zgorzkniałego, pozbawionego wszelkiej nadziei człowieka. Jego syn odwrócił się od niego, gardząc majątkiem i pozycją związał się z grupą anarchistów, która za swój symbol obrała właśnie pysk złotego wilka. Ten sam znak, którym bogacz oznaczał wszystko, co do niego należało, nawet portyk swej kamienicy we Lwowie.

Jego żona wydała na świat martwą córkę i zmarła zaraz po porodzie. Tego człowieka nie sposób było szantażować, bo nie miał niczego, na czym by mu zależało. To dziwne, prawda, że człowiek, którego wychowała ulica, który niejednokrotnie przymierał głodem, zdobył fortunę, ale utracił szczęście. Kiedy z nim rozmawiałem, widziałem w jego oczach tęsknotę za latami, które spędził w biedzie.

Chwila milczenia. Hildenberg wsparł dłoń na ramieniu Borysa, spróbował dostrzec coś przez szparę, ale widział jedynie starą szafę na dokumenty.

– Dlaczego tak na mnie patrzysz? Czytałaś list, który pokazałem Hardasiewiczowi? Dobrze wiesz, że wychowała go lwowska ulica. Aby przeżyć, musiał kraść. Gdyby nie partia kart, do której usiadł w jednej ze spelun na Starym Mieście, prędzej czy później wylądowałby w więzieniu, w najlepszym razie zostałby alfonsem. Pewnej nocy zagrał jednak o wszystko z człowiekiem, jakim sam miał się później stać. Młody ulicznik rozłożył karty przed starym zgorzkniałym nieszczęśliwcem, szukającym zapomnienia w gorzałce i nocnej włóczędze. Na jego nieszczęście, tej nocy karta mu dopisywała. Wygrał kolejno butelkę wina, zniszczony, lecz wypchany portfel, piętrową kamienicę, a na koniec medalion. Złotego wilka z rozwartą paszczą. Założę się, że człowiek, z którym Hardasiewicz grał o wszystko, oddał ten medalion z ulgą. Dla niego był to koniec pewnej drogi, dla Hardasiewicza jej początek. Wynajął parter kamienicy, w suterenie urządził warsztaty, dobudował oficynę. Złodziejski spryt i determinacja pozwoliły mu szybko pomnożyć majątek, aż stał się bogatym przemysłowcem, właścicielem fabryki pracującej dla ministerstwa wojny.

– A wilk? – zapytała Zamenhoff. – Jaką rolę odegrał w tej sprawie?

– Początkowo Hardasiewicz śmiał się ze słów mężczyzny, którego ograł w karty. Śmiał się z opowieści o przekleństwie, które ciąży nad medalionem. Pozwala zdobyć majątek, ale odbiera szczęście. Śmiał się z tego. Przecież pieniądze dają szczęście. Nosił medalion na szyi, kazał oznaczyć wilczym pyskiem porcelanową zastawę, obrusy, srebrne sztućce. Wmurował znak wilka nad drzwiami swej rezydencji. Ale przyszedł dzień, w którym szczęście się od niego odwróciło. Syn wzgardził majątkiem, swój kapitał przeznaczył na finansowanie grupy anarchistów, żona zmarła. Nie mógł znieść samotności, nie mógł znieść choćby minuty w wielkim domu oznaczonym wilczym pyskiem. Pewnego wieczora wyszedł na długi samotny spacer, chodził po mieście, aż trafił pod ten sam szynk, w którym przed laty grał o wszystko w karty. Wtedy przypomniał sobie słowa starca, którego ograł.

Zamenhoff zaśmiała się złośliwie.

– Mam uwierzyć, że wszystko to opowiedział ci Hardasiewicz, kiedy pojawiłeś się w jego domu z zamiarem szantażu?

– Tak – spokojnie odpowiedział Szczudlik. – Opowiedział mi tę właśnie historię. On nie miał już duszy. Rozmawiał ze mną, choć w środku był już martwy. Starał się naprawić przeszłość, odwrócić czas. Postanowił odnaleźć człowieka, od którego wszystko się zaczęło. Wysłał zaufanego sługę z pokaźną sumą pieniędzy, złotym medalionem i listem, w którym opowiadał, co się z nim działo w ostatnich latach i jaki los zgotował mu wilk. Resztę historii znasz. Sługa nigdy nie odnalazł tego człowieka, list wpadł w moje ręce, medalion zabrał Milczanowski.

Borys wraz z Hildenbergiem wymienili spojrzenia.

– Mówisz, że kiedy rozmawiałeś z Hardasiewiczem, odniosłeś wrażenie, że jest martwy, że stracił swą duszę. Niedługo potem rzeczywiście zginął.

– Wiem. Słyszałem o tym. Siedziałem wtedy w więzieniu. Podobno w jego rezydencji wybuchł pożar.

– Tak, ale w zgliszczach znaleziono jego ciało przyszpilone pogrzebaczem do fotela.

– Nie miałem z tym nic wspólnego. Dobrze o tym wiesz.

Kolejna chwila milczenia. Borys wstrzymał oddech, wytężył słuch, ale jedyne, co słyszał, to gwar dobiegający zza okna. Coś działo się przed ratuszem.

– Dlaczego wróciłeś? – zapytała Teresa Zamenhoff.

– Zostawiłem tu żonę. Tutaj jest mój dom.

– Kiedyś to miasteczko wydawało ci się zbyt ciasne.

– Cztery lata to sporo czasu. Przemyślałem wiele spraw.

– Postanowiłeś zatem wrócić do rodzinnego miasta, domu i żony. Dziwnym trafem, równocześnie z twoim powrotem zaczynają się tutaj dziać niezwykłe rzeczy. Giną ludzie, których znałeś. Giną twoi dawni przyjaciele. Wspólnicy zbrodni sprzed lat.

– Nie mam z tym nic wspólnego – po raz kolejny powtórzył Szczudlik; w jego głosie, do tej pory spokojnym, brzmiało zdenerwowanie.

– Dlaczego zabiłeś Skwierzyńskiego, Stezla i Milczanowskiego? – pytała coraz głośniej Zamenhoff. – Kim są twoi wspólnicy? Co łączy cię z anarchistami?

– Nikogo nie zabiłem – warknął Szczudlik. – Cztery lata więzienia nauczyły mnie bardzo wiele. Nigdy nie miałem nic wspólnego z żadnymi anarchistami. Wróciłem, bo tu jest mój dom.

– A wilk? Skąd w Sanoku wziął się złoty wilk?

– Mówiłem już, miał go przy sobie posłaniec Hardasiewicza, którego spotkaliśmy w drodze z Nowego Sącza. Medalion spodobał się Milczanowskiemu. Zawiesił go sobie na szyi.

Po raz kolejny w pomieszczeniu obok zapadła głęboka cisza. Hildenberg przesunął się na stole, odsuwając nieco Pasternaka, ale ten, zaciekawiony historią, nie myślał ustępować. Przytrzymał się ściany i nadstawił ucha. Wydawało mu się, że Zamenhoff mówi coś szeptem, ale nie potrafił zrozumieć jej słów. W głębi korytarza głośno strzeliły drzwi. Echo energicznych kroków rozniosło się po pustym budynku ratusza. Borys zesztywniał i spojrzał w oczy profesora, który przyłożył palec do ust, gestem nakazując spokój. Kroki ucichły przed drzwiami sąsiedniego gabinetu. Ktoś zapukał głośno.

– Wejść – rozkazała Zamenhoff.

Drzwi otworzyły się.

– Mamy małe zamieszanie na dole – usłyszeli głos Ludwika Witchenbachera. – Przed ratuszem zebrało się sporo osób, do budynku próbował wejść burmistrz Ładyżyński, ale zgodnie z poleceniem, nie został wpuszczony do środka. Ktoś próbował podpalić jeden z żydowskich sklepików, straż ugasiła zarzewie pożaru, ale na wszelki wypadek umieściłem tam jednego z posterunkowych.

– Dostarczył pan list do koszar?

– Pułkownik Franz Ullsperger zadecydował o wyprowadzeniu wojska na ulice miasta. Mamy szczęście, że tak szybko zareagował na pani list, bo woźny może powstrzymać burmistrza, ale nie poradzi sobie z gromadą pijanych robotników, których ktoś podpuścił do samosądu. Pułkownik czeka na dole. Chce rozmawiać z panią.

Borys poczuł, że koszula zaczyna się lepić do jego spoconych pleców.

– Proszę odprowadzić aresztanta do celi – zadecydowała Zamenhoff. – Ja zejdę porozmawiać z pułkownikiem.

– Mamy też Ochmańskiego. Czeka na korytarzu.

– Świetnie. Co z Kiedewiczem?

– Jego mieszkanie jest puste. Dozorca mówi, że nie widział go od dwóch dni.

– Szukajcie dalej. Musimy go odnaleźć.

Ktoś przesunął krzesło po podłodze, słychać było tłumione przekleństwo Szczudlika, po chwili znów trzasnęły drzwi.

Borys zeskoczył ze stołu, podszedł do okna. W dole, na rynku, zgromadziły się prawdziwe tłumy. Ludzie, stłoczeni w niewielkich grupkach rozrzuconych między klasztorem Franciszkanów a wąską stromą uliczką prowadzącą do cerkwi, pokrzykiwali, wskazując okna magistratu. Najodważniejsi, a może najbardziej pijani mężczyźni skupili się przy latarni przed drzwiami ratusza. Dostępu do środka bronił szpaler żołnierzy 45 Pułku Piechoty Liniowej. Konny oficer wyjechał zza szeregu, wyjął pistolet, wymierzył w napastników, krzyknął coś głośno, i po chwili wahania napierający na drzwi mężczyźni cofnęli się. W stronę żołnierzy w granatowych mundurach poleciała butelka, przefrunęła ponad ich głowami i uderzyła w fasadę ratusza.

Borys odskoczył od okna. Wybiegł na korytarz i zobaczył skulonego pod ścianą Ochmańskiego. Bez namysłu złapał go za rękaw i pociągnął za sobą do sali posiedzeń.

Alina z krzykiem zerwała się z miejsca, odskoczyła od stołu, krzesło przewróciło się z łoskotem.

– Nie bój się. – Pasternak, nie puszczając aptekarza, chwycił dłoń Aliny. – Chodź, nie mamy czasu do stracenia.

– Co się dzieje? – rzuciła, kiedy jak szaleni biegli korytarzem, a potem schodami w dół.

Nie odpowiedział. W kompletnych ciemnościach na pamięć kierował się w stronę pomieszczeń gospodarczych położonych na tyłach budynku. Jedną ręką ściskał dłoń Aliny, drugą wymacywał ścianę, pilnował, aby zdyszany aptekarz nie został za bardzo w tyle, a jednocześnie usiłował sobie przypomnieć rozkład pomieszczeń, w których przebywał tylko raz w życiu. W końcu znalazł to, czego szukał. Tak jak przypuszczał, drzwi do piwnicy były zamknięte. Odsunął dziewczynę, wziął rozbieg i naparł z całych sił. Po dwóch próbach drzwi ustąpiły.

– Szybciej. – Przepchnął do środka Alinę, niemal przemocą zmuszając Ochmańskiego do zejścia w dół. – Nie macie czasu do stracenia. Musicie uciekać. Tam, na zewnątrz, dzieje się coś niedobrego. Na razie wojsko panuje nad sytuacją, ale w każdej chwili tłum może się wedrzeć do środka.

– Widziałem, Borys, ja to widziałem. – Ochmański chwycił ramię Pasternaka. – To miasto zwariowało.

– Musicie przetrwać tę noc. Rankiem ludzie się uspokoją, świt ochłodzi ich głowy, ale teraz jest niebezpiecznie. Pod żadnym pozorem nie wychodźcie na rynek. Przejdźcie przez żydowskie uliczki i jak najszybciej znajdźcie jakąś kryjówkę. Musicie przeczekać gdzieś do rana.

– A co z tobą?

– O mnie się nie martw, to nie mnie szukają. – Borys zdjął z ramienia dłoń aptekarza. – Przejdziecie przez piwnice, znajdziecie skład opału, przeciśniecie się i wyjdziecie okienkiem, przez które tragarze wrzucają węgiel do środka. Opiekuj się nią – dodał po chwili.

Zaczekał, aż ich kroki ucichną w głębi piwnicy, po czym tą samą drogą wrócił na piętro.

– Gdzieś ty był – zagrzmiał Hildenberg czekający przy drzwiach gabinetu komisarza.

– Co się dzieje na zewnątrz?

– Wojsko uspokoiło sytuację, ale kilku mężczyzn najwyraźniej za dużo wypiło. Jeżeli padną strzały, przed ratuszem rozpęta się prawdziwe piekło.

Po drugiej stronie korytarza rozległy się kroki i obaj, jak na komendę, odwrócili się w tamtą stronę. Światło latarni zmusiło ich do zmrużenia oczu.

– Komisarzu – zarządziła Zamenhoff – proszę zaprowadzić tę kobietę do gabinetu. A wy... – Skierowała snop światła prosto na twarz Borysa. – Czy zawsze musicie pałętać się pod nogami?

Pasternak nie odpowiedział.

– Komisarzu, co z tą kobietą? – ponagliła Zamenhoff.

– Nie ma jej tutaj – odkrzyknął z sali posiedzeń Witchenbacher.

– Jak to nie ma?

– Nie ma. Zniknęła.

Hildenberg odwrócił głowę i spojrzał znacząco na Borysa, ale ten w dalszym ciągu milczał.

– Przeszukajcie każdy zakamarek tej budy – syknęła Zamenhoff. – Macie odnaleźć tę kobietę!

Zza okna dobiegły ich głośne okrzyki, brzęk rozbijanej butelki i rżenie konia. Ktoś coś wrzeszczał po polsku, odpowiedział mu krzyk po niemiecku.

Zadyszany Witchenbacher otwierał kolejne pomieszczenia, w ślad za nim biegało dwóch posterunkowych.

Zamenhoff zbliżyła się po profesora, zadarła głowę i bezczelnie spojrzała mu w oczy, po czym przeniosła spojrzenie na Pasternaka.

– Jeżeli to wy za tym stoicie, przysięgam, pożałujecie, że weszliście mi w drogę. Teraz jednak nie będę już ryzykowała. Posiedzicie do rana pod kluczem. Komisarzu, proszę przygotować odpowiednie pomieszczenie.

Jan Kaszycki z wysiłkiem wbiegł na miejskie wzgórze, łapczywie chwytając oddech, usiłował poprawić rozchełstaną koszulę i osuwającą się z ramion marynarkę. Starał się jak mógł, ale po kilkudziesięciu metrach stracił z oczu umundurowaną sylwetkę policjanta uczepionego gondoli jednej z dorożek jadących w stronę rynku. Biegł ile tchu w płucach, kiedy jednak stanął przed kościołem Franciszkanów, puste dorożki odjeżdżały już w stronę placu Świętego Michała, a drzwi magistratu były zamknięte.

Otarł czoło i rozejrzał się dookoła. Na rynku, w mniejszych i większych grupkach, stali gapie, rozmawiając o ostatnich wydarzeniach. W większości byli to młodzi mężczyźni, od rana do nocy harujący w fabryce za marne grosze, lub ci, którzy nie wytrzymali fabrycznego kieratu i za małą wydajność lub naruszenie dyscypliny zostali z dnia na dzień zwolnieni. Kaszycki dobrze znał ten grymas na młodych, pozbawionych jeszcze zarostu twarzach, przypominał sobie słowa, które padały między robotnikami, ton ich głosu i zaciśnięte pięści. Pamiętał te nastroje jeszcze z Lwowa, gdzie anarchiści i rewolucyjnie nastawieni socjaliści znajdowali posłuch dla głoszonych przez siebie idei. Sanok był niewielkim miasteczkiem, położona na jego skraju fabryka nie była tak duża jak zakłady we Lwowie, ale napięcie i niezadowolenie były te same. Wystarczyła iskra, by wzniecić pożogę. Iskrą tą mogło się stać skrócenie przerwy w ciągu dnia pracy, podwyższenie normy, obniżenie dniówki, podniesienie cen przez żydowskich sklepikarzy. Lub oskarżenie samotnej kobiety o pomoc w zamordowaniu trzech obywateli miasteczka.

Na rynku pojawili się także ci, którzy przed niespełna godziną obserwowali wydarzenia przed domem wdowy. Wieści przechodziły z ust do ust, wzbogacając się o coraz to nowe szczegóły, a fakt pojawienia się Jana Szczudlika, którego miasteczko dawno temu uznało za zmarłego, nadawał opowieści dodatkowy koloryt. Stary majster gorączkowym szeptem relacjonował zasłyszane wydarzenia ciemnowłosej praczce, ta natychmiast podzieliła się nowiną ze służącą z mieszczańskiego domu, która zaraz wdała się w rozmowę z subiektem ze sklepiku. Plotka okrążyła rynek, przebiegła wzdłuż kamieniczek, rozlała się między drewnianymi chatynkami na Podgórzu, dotarła nawet do żydowskiej dzielnicy, wywabiając na ulicę wystraszonych oskarżeniami młodych Żydów, którzy w niewielkiej grupce skupili się przy miejskiej studni.

Nie wszyscy przyszli pod ratusz w oczekiwaniu niezwykłych wydarzeń, niektórzy po prostu skorzystali z pretekstu i wyrwali się z domu z butelką gorzałki ukrytą pod kapotą. Ci pociągali teraz tęgo, częstując przemarzniętych towarzyszy.

Mimo późnej pory między grupkami mężczyzn pojawiły się roześmiane gromadki miejskich urwisów szukających wrażeń i sensacji. Rajca Walenty Pąkowski, z opuchniętą twarzą i złamaną dumą municypalnego dostojnika, przemawiał do swoich stronników, teraz już znacznie ciszej i znacznie mniej buńczucznie. W pewnej chwili gęstniejący tłum zafalował, ktoś coś krzyknął, ktoś zaśmiał się szyderczo. Kaszycki przepchnął się do przodu, wspiął na palce, spojrzał ponad głowami.

Na rynek, w karnym dwuszeregu, wmaszerowali żołnierze 45 Pułku Piechoty. Zwarta kolumna przeszła pod magistrat, jadący konno oficer wydał głośno komendę, oddział zatrzymał się, odwrócił tyłem do ratusza, kolby karabinów uderzyły o bruk. Między gapiami przebiegł głośny pomruk niezadowolenia. Burzliwa atmosfera jesiennej nocy, podawane z ust do ust plotki i alkohol sprawiły, że austriaccy żołnierze, zwyczajny element codziennego miejskiego krajobrazu, jawili się teraz jako znienawidzeni okupanci.

– Wracajcie, skąd żeście przyszli! – krzyczał stojący obok Kaszyckiego chłop, wygrażając żołnierzom pięścią. – Oby was wszystkich zaraza zadusiła!

– Austria wiedźma! – wrzasnął chudy jak tyczka chłopak w czapce gimnazjalisty.

Tłum wrzał, co odważniejsi przeciskali się do przodu, wykrzykując obelgi i groźby. W stronę piechurów poleciała butelka, rozbiła się tuż przed szeregiem, ciśnięty gdzieś z daleka kamień przeleciał ponad głowami żołnierzy i uderzył w ścianę ratusza. Grudka błota trafiła w ramię jednego z Austriaków. Konny oficer wyjechał przed szereg, krzyknął coś głośno, wyjął pistolet i wymierzył w niebo. Przejechał kilka razy przed czołem kolumny, koń wierzgał niespokojnie, bryzgając błotem w twarze stojących najbliżej gapiów.

Tłum cofnął się, nic już nie leciało w stronę żołnierzy, choć coraz to podnosiły się okrzyki i przekleństwa.

Ciszej zrobiło się dopiero koło północy. Znużenie dopadło największych krzykaczy, powtarzane w kółko wciąż te same plotki zrobiły się już tak niedorzeczne, że przestali w nie wierzyć sami opowiadający, gorzałka się skończyła, a mróz ściął kałuże.

Kaszycki przeszedł się między rzedniejącymi grupkami gapiów, z bezpiecznej odległości zlustrował nieruchomy szereg żołnierzy i wyraźnie znudzonego oficera. Dla rozgrzewki okrążył rynek i zawrócił w kierunku cerkwi, rozważając w myślach powrót do domu.

Trzask łamanego drewna sprawił, że odwrócił się gwałtownie. Coś uderzyło ciężko, ktoś krzyczał, ktoś biegł w ciemnościach, by na jedną krótką chwilę pojawić się w kręgu światła ostatniej w szeregu gazowej latarni. Wysoki, potężnie zbudowany brodacz przemknął obok Kaszyckiego, skręcił w przesmyk między kamieniczkami, stracił równowagę, upadł w błoto, zerwał się i pobiegł w stronę żydowskich uliczek.

Po chwili do osłupiałego Kaszyckiego dobiegł zdyszany policjant.

– Wysoki mężczyzna z brodą – zapytał głośno, chciwie łapiąc ustami powietrze. – Widział go pan?

Dziennikarz wahał się przez moment. Wskazał za siebie, w głąb uliczki opadającej stromo ku cerkwi.

– Pobiegł tamtędy.

Policjant rzucił się we wskazanym kierunku. Kaszycki stał nieruchomo, wpatrując się w gęsty mrok między kamieniczkami, w wąski przesmyk wychodzący na skraj żydowskiej dzielnicy, gdzie zniknął Szczudlik. Nie zauważył nawet, kiedy mijali go kolejni policjanci w pogoni za zbiegłym więźniem.

Stał długą chwilę, z zaciśniętymi pięściami i zamyślonym wzrokiem, a potem rzucił się biegiem przez rynek.

13

Odgłos przekręcanego klucza zbiegł się z biciem dzwonów, które z wysokości klasztornej wieży obwieszczały nadejście północy. Borys przyłożył policzek do drzwi. Nasłuchiwał. Szarpnął kilka razy klamką.

– Zamknęli nas! Naprawdę nas zamknęli!

Hildenberg stał przy oknie, oparty ramieniem o ścianę, i spokojnie przyglądał się temu, co działo się na rynku.

– Ciesz się, że nie kazała nas wtrącić do aresztu. Choć sam już nie wiem, co gorsze. Tam przynajmniej mielibyśmy do dyspozycji prycze.

Borys jeszcze raz szarpnął klamką.

– Te drzwi nie wyglądają na solidne. Bez trudu zdołamy je wyłamać.

– A po co mielibyśmy to robić? – Austriak wzruszył ramionami. – Chcesz jeszcze bardziej rozsierdzić tę kobietę? Musimy przeczekać do świtu. Sam zobacz – wskazał za okno. – Sytuacja powoli się uspokaja, część ludzi już wróciła do domów. Jeszcze godzina, a na rynku nie będzie ani żywej duszy.

– Nie możemy siedzieć tu bezczynnie!

– A masz jakiś lepszy koncept? Główny podejrzany siedzi teraz pod kluczem, policjanci Witchenbachera biegają po mieście za Kiedewiczem. Nie pozostaje nam nic innego, jak czekać brzasku.

Pasternak niechętnie odszedł od drzwi, usiadł na krześle pod ścianą, wyciągnął nogi przed siebie.

– Naprawdę myślisz, że to on? Że to Szczudlik zamordował Skwierzyńskiego, Stezla, a potem Milczanowskiego?

Hildenberg milczał.

– Po co miałby to robić? Wrócił z więzienia w rodzinne strony. Gdyby tylko zechciał, dawni kompani na pewno by mu pomogli, łączyła ich przecież wspólna tajemnica. Dlaczego miałby ich zabijać w tak okrutny sposób? A może to jednak nie on?

Profesor usiadł na krześle po drugiej stronie pokoju, rozwiązał fular, poluźnił kołnierzyk koszuli i oparł głowę o ścianę. Przymknął oczy. Wpadające przez okno światło ulicznej latarni rozpraszało mrok w połowie pomieszczenia, druga połowa pogrążona była w ciemności. Borys widział wyraźnie tłuste smugi błota pokrywające eleganckie buty Austriaka i jedynie zarys jego ramion oraz głowy. Teraz, w półmroku, jego barki wydawały się jeszcze szersze.

– A może to jednak nie on – powtórzył.

Hildenberg uniósł powieki i Borys dostrzegł w ciemności błysk jego oczu.

– Co masz na myśli?

– Może to nie Szczudlik zabił rajców. Przecież wilkołak zaatakował i zranił Alinę, a Szczudlik dziś wieczorem stanął w jej obronie. Coś tu się nie zgadza.

Profesor milczał. Skrzyżował ręce na piersi i patrzył na nauczyciela.

– Tamtego wieczora, kiedy wilk zaatakował Alinę, byłem w pańskim pokoju. Nie zastałem tam pana, ale znalazłem coś innego. Narzędzie, którym można imitować uścisk zwierzęcych szczęk.

W gabinecie bezimiennego magistrackiego urzędnika zapadła cisza.

– Sądzisz zatem, że to ja jestem wilkołakiem?

Borys wahał się.

– Tamtego wieczora nie było pana w pokoju gościnnym – powiedział cicho, patrząc w oczy Austriaka. – Na pańskim biurku znalazłem narzędzie, którym można rozedrzeć człowieka na strzępy, pozorując atak dzikiej bestii. Jest pan rosłym i silnym mężczyzną, bez trudu mógłby pan...

Hildenberg zacharczał wściekle, zerwał się z miejsca i jednym susem dopadł Borysa. Chwycił go za ramiona, rzucił nim o ścianę.

– Myślisz, że to ja ich zabiłem, tak? Że rozszarpałem Skwierzyńskiego, uśmierciłem Stezla, a potem rozerwałem na części córkę najlepszego przyjaciela, który jest mi bliższy niż rodzony brat? Przegryzłem jej gardło, odciąłem dłoń, zerwałem skórę z pleców, a potem osobiście asystowałem jej ojcu w czasie sekcji? Miałem krew tego dziecka na dłoniach i ustach, a próbowałem szukać słów pocieszenia?

Borys zacisnął dłonie na nadgarstkach profesora, zaparł się nogami o podłogę, spróbował wstać.

– Widziałem te nożyce – stęknął. – Trzymałem je w dłoniach. Sekator z przerobionymi ostrzami. Ktoś silny mógłby czymś takim pociąć człowieka na kawałki!

Hildenberg przytrzymał Borysa przy ścianie, pochylił się i spojrzał mu z bliska prosto w oczy.

– To Zaleski naprowadził mnie na ten ślad. Zapytał w trakcie sekcji Stezla, czy takie rany można zadać odpowiednio spreparowanym narzędziem. Okazało się, że to niemożliwe. Przerobiłem nożyce, wypróbowałem je na sztuce surowego mięsa, ale obrażenia, które widziałem na ciele rajcy, były bardzo różnorodne. Tej różnorodności, różnic głębokości, siły i kierunku cięć, nie sposób uzyskać narzędziem.

Borys kopnął Austriaka w kostkę, wbił palce w jego nadgarstki, ale nie przyniosło to żadnych skutków.

– A może to nie tak – jęknął. – Może morderca jest tu, w tym samym co my pomieszczeniu, obserwuje nas z ukrycia i tylko czeka na okazję, aby się ujawnić.

Hildenberg ściągnął brwi.

– O czym ty mówisz?

– Sam pan wspominał o tajemnicach ludzkiego umysłu, o możliwości współistnienia w człowieku dwóch osobowości.

– Nie sądzisz chyba, że...

– Morderstwa rozpoczęły się wraz z pańskim przybyciem w te strony. Może prawdziwy morderca czai się w pańskim umyśle.

– Przyjechałem do doktora Zaleskiego dzień po zamordowaniu Skwierzyńskiego. Służąca zginęła jeszcze wcześniej!

– Był pan w pobliżu, wędrował po okolicy...

– Jesteś szalony, chłopcze! Naprawdę szalony!

– Laudanum – Borys krzyknął prosto w rozwścieczoną twarz profesora. – Co z laudanum i specyfikiem, który palił pan na tarasie willi Zaleskiego?

Oczy profesora rozszerzyły się, twarz poczerwieniała. Borys przymknął oczy w oczekiwaniu na wybuch, ale ten nie nastąpił.

– Stąpasz po kruchym lodzie, chłopcze. Równie dobrze mogę podejrzewać ciebie. Jak często zdarzają ci się napady niepohamowanego gniewu? Jak często robisz coś, czego później nie pamiętasz? Jak często masz ochotę zrobić z kimś to, co zrobiłeś z tymi pijanymi robotnikami? Nie mogę zapomnieć tego, co widziałem w twoich oczach w dniu, w którym znaleźliśmy ciało Laury...

– Proszę mnie posłuchać, profesorze – Pasternak starał się mówić powoli i spokojnie. – Wiele czytałem o osobach... uzależnionych od... niektórych specyfików. Wiem, do niedawna uważano, że rośliny te mają działanie lecznicze, ale teraz powszechnie znane są uboczne skutki ich zażywania. Wie pan lepiej ode mnie, jak te substancje wpływają na umysł i osobowość.

Hilderberg zwolnił uścisk, odwrócił się od Borysa, podszedł do okna.

– Jest pan mądrym człowiekiem. – Pasternak stanął tuż za nim. – Dlaczego pan to robi?

Rosły brodaty mężczyzna szybkim krokiem przemierzał korytarze szpitala publicznego w Budapeszcie. Jak burza wpadł do swojego gabinetu, zrzucił marynarkę, podwinął rękawy koszuli. Sięgnął po przygotowany przez pielęgniarki dzban z gorącą wodą, napełnił umywalkę i dokładnie umył dłonie. Nakładał już fartuch, kiedy ktoś zapukał i niemal natychmiast otworzył drzwi.

– Dzień dobry, panie profesorze. – Josef Koraly, szczupły brunet o coraz mocniej zaznaczających się zakolach i postępującej krótkowzroczności, przystanął w progu, poprawił okulary. – Pacjentka już czeka.

Brodacz skinieniem głowy przywitał swojego asystenta. Pośpiesznie zapiął guziki białego fartucha, przejrzał się w zawieszonym nad umywalką lustrze, przeczesał dłonią gęste posiwiałe włosy.

– Co to za hałasy?

– Rodzina pacjentki. – Koraly znów poprawił okulary.

– Skąd się tu wzięli? – warknął profesor. – Prosiłem o możliwość zbadania dziewczyny późnym wieczorem właśnie po to, aby mieć święty spokój z jej rodziną.

– Siedzą w szpitalu cały dzień. Ojciec interweniował w dyrekcji. Najprawdopodobniej jutro z samego rana będzie mógł zabrać córkę bez względu na jej stan.

– W takim razie nie mamy czasu do stracenia.

Wyszli na oświetlony gazowymi lampami korytarz. Gdzieś z głębi budynku niosło się echo głośnej rozmowy.

– Przygotował pan salę zgodnie z moimi wytycznymi?

– Tak. – Asystent skinął głową. – Wszystkiego dopilnowałem.

– Sprawdził pan korytarz pomiędzy pokojem pacjentki a salą, w której dokonamy badania?

– Tak jest. Żadnych krzyży ani innych symboli religijnych.

– Doskonale.

Mężczyźni zbiegli po schodach, skręcili w korytarz prowadzący do drugiego skrzydła budynku. Koraly sięgnął do kieszeni fartucha, wyjął pęk kluczy, otworzył jedne z drzwi. Weszli do pogrążonego w półmroku pomieszczenia, pachnącego świeżymi prześcieradłami i środkiem do dezynfekcji. Brodacz stanął przy drzwiach, młodszy z mężczyzn zakrzątnął się i po chwili światło lampy oświetliło nagie białe ściany i szerokie łóżko ustawione pośrodku pokoju. Na łóżku leżała jasnowłosa dziewczyna, nie mogła mieć więcej niż piętnaście lat, biała nocna koszula opinała kościste ramiona i płaską klatkę piersiową. Profesor odebrał lampę z rąk asystenta i nachylił się nad łóżkiem. Dziewczyna otworzyła oczy.

Wątła pierś uniosła się w serii szybkich płytkich oddechów, wąskie usta rozchyliły się, odsłaniając zęby. Dziewczyna zacharczała, jej ciało wygięło się i podskoczyło gwałtownie niczym miotająca się na brzegu ryba. Skórzane pasy unieruchamiające nadgarstki i chude kostki zatrzeszczały. Brodacz odsunął się od łóżka.

– Ma pan wyniki badań przeprowadzonych przez doktora Heszbeta?

– Oczywiście, panie profesorze. Proszę spojrzeć.

Brodacz sięgnął po arkusz papieru, przysunął go do światła.

– Jaką terapię zastosowano?

– Doktor Heszbet próbował już chyba wszystkiego, zaczynając od głodówki, poprzez zimne kąpiele, aż po upuszczanie krwi. Niestety, żadna z tych kuracji nie przyniosła pacjentce ukojenia. Dopiero pan się zorientował, że to symbole religijne nasilają te niezwykłe ataki.

– Musi pan wiedzieć, że ludzki umysł pełen jest tajemnic i upłynie jeszcze wiele lat, zanim poznamy wszystkie. Podejrzewam, że pacjentka od wczesnego dzieciństwa przymuszana była do praktyk religijnych i ta nieustanna presja odcisnęła głębokie piętno na jej psychice. Widział pan jej ciotkę? Niech pan zapamięta, religia jest częścią życia seksualnego kobiet i ta siwowłosa dewotka jest tego najlepszym przykładem.

Josef Kiraly pochylił głowę, tłumiąc uśmiech.

– Jej krewni uważają, że ta przypadłość ma... dość specyficzny charakter. Ich zdaniem dziewczyna nie potrzebuje pomocy medycznej, lecz duchowej. Dziś pojawili się tu w towarzystwie katolickiego księdza.

Brodacz wzruszył ramionami.

– Nonsens. Widział pan kiedykolwiek, aby ksiądz wyleczył kogoś z choroby? To choroba, drogi panie, taka sama jak grypa czy przeziębienie, tyle że wiemy o niej nieco mniej, ale to tylko kwestia czasu.

– Co pan zamierza?

– Chciałbym poddać pacjentkę gruntownej obserwacji, odizolować ją od dotychczasowych bodźców, uspokoić jej zmysły. Niestety, obawiam się, że nie będę miał na to czasu, jeśli jutro z samego rana rodzina ma ją stąd zabrać. Pozostaje mi więc zbadanie, jaki wpływ ma niepokój jej zmysłów na funkcjonowanie ciała, sprawdzę reakcję organów, powiększenie gruczołów, reakcję na podstawowe bodźce.

– Od czego zaczynamy?

– Proszę przygotować...

Ciszę szpitalnych korytarzy wypełniło echo szybkich kroków i pogłos głośnej rozmowy. Ktoś zapukał energicznie i szarpnął klamkę.

– Profesorze Hildenberg, proszę otworzyć. Wiem, że pan tam jest.

– Dyrektor Grubber – mruknął Karoly.

– Proszę natychmiast otworzyć – zza drzwi dobiegł piskliwy głos.

Hildenberg zdusił przekleństwo, zagryzł wargę, spojrzał na unieruchomioną pacjentkę.

– Muszą mi dać trochę czasu. – Profesor zwrócił się do swojego asystenta. – Przynajmniej godzinę. Niech pan do nich wyjdzie i uspokoi. Proszę powiedzieć, że to rutynowe badanie, że chcemy się upewnić, czy życie pacjentki nie jest zagrożone. Niech mi dadzą godzinę, a potem będą mogli ją sobie zabrać, choćby na koniec świata.

Karoly skinął głową, nerwowym gestem poprawił okulary, jeszcze raz przytaknął. Podszedł do drzwi i otworzył je dokładnie na tyle, by przecisnąć się na korytarz i zaraz je za sobą zamknąć.

Hildenberg podszedł do okna i wpuścił do pokoju ciepły zapach letniego wieczoru. Mijający dzień był upalny, ale teraz wiejący od Dunaju wilgotny wiatr niósł orzeźwienie. Profesor odetchnął głęboko. Miał godzinę i aby dobrze ją wykorzystać, musiał być skoncentrowany. Ignorując dobiegającą zza drzwi kłótnię, podszedł do pacjentki, przyłożył dłoń do jej czoła, sprawdził puls.

Odwrócił się i podszedł do niewielkiego stolika, na którym przygotowane były medyczne akcesoria. Wtedy, po raz pierwszy, pacjentka odezwała się. Bardzo głośno i niezwykle wyraźnie. Tyle że nie swoim głosem. Głosem, którego nigdy wcześniej nie słyszał.

Profesor przystanął w pół kroku, czując, że włosy na jego głowie stają dęba, a wzdłuż kręgosłupa przebiega zimny dreszcz. Unieruchomiona skórzanymi pasami dziewczyna odezwała się chrapliwym głosem starego mężczyzny. Hildenberg pamiętał jeszcze czasy, kiedy jako student uczestniczył w zajęciach z języków starożytnych, i od razu poznał, że nastoletnia pensjonarka starczym głosem ciska bluźnierstwa w języku aramejskim. Powoli odwrócił się na pięcie, spojrzał w wykrzywioną złym grymasem twarz pacjentki i oczy, które z całą pewnością nie były oczami młodej dziewczyny.

Lampa wysunęła się z jego dłoni.

W zamkniętym na cztery spusty biurze sanockiego kancelisty zapadła cisza.

– Może są więc na tym świecie rzeczy, których nie sposób wyjaśnić? – cicho zapytał Borys. – Może nie wszystko jesteśmy w stanie zrozumieć?

Hildenberg, wsparty o parapet, z czołem przyłożonym do szyby, pokręcił głową.

– Pewnego dnia wszystko znajdzie swoje wyjaśnienie. Czasem jednak trudno udźwignąć ciężar niewiadomego.

Gdzieś w głębi budynku trzasnęły drzwi, po chwili na korytarzu rozległy się szybkie kroki, które ucichły tuż przed progiem. Borys uniósł się z miejsca, spojrzał na profesora. Patrzyli na siebie długą chwilę, ale zamek nie szczęknął.

– Halo – odezwał się głośno Pasternak. – Jest tam kto?

Odpowiedziała im cisza. Borys zerwał się z miejsca, podbiegł do drzwi, uderzył w nie otwartą dłonią.

– Jest tam kto?

W korytarzu coś zaszurało, ktoś chrząknął, kaszlnął.

– Panie bakałarzu, niech się pan uspokoi – usłyszeli znajomy głos posterunkowego Schenkego. – Rano zostaniecie przesłuchani, ale noc musicie spędzić pod kluczem.

– Będziesz tam sterczał aż do świtu?

– Tak zarządziła ta kobieta, a komisarz... komisarz kazał jej słuchać.

– Stało się coś? – Nauczyciel spojrzał przez ramię na Hildenberga. – Mów, co się stało!

– Wszystkiego dowiecie się rano. A teraz spokój. Nie wolno mi z wami rozmawiać.

– Mów natychmiast, co się stało! – Borys uderzył pięścią w drewnianą framugę.

– Macie być cicho! – rozeźlił się posterunkowy. – Nie będę dwa razy powtarzał. Spokój, albo wezwę tu komisarza, a wtedy tydzień posiedzicie w celi. Komisarz i ta... kobieta... Oboje są wściekli. Jak zamelduję, że się awanturujecie, będzie z wami źle.

– Czemu komisarz jest wściekły? – zapytał Pasternak już znacznie ciszej.

– Szczudlik wyłamał drzwi w areszcie. Pastuszczaka, który go pilnował, zdzielił w łeb tak mocno, że pewnie do tej pory go cucą.

– Ale go złapali, prawda? Nie dali mu uciec?

– Gdzie tam. – Za drzwiami znów coś zaszurało. – Nie rzucił się do wyjścia, bo zaraz by wpadł w ręce żołnierzy. Przeleciał jak szatan przez piwnice, przebił się do magazynu, a stamtąd wyleciał na zewnątrz, razem z oknem. Polecieli zaraz za nim, komisarz, ta wiedźma, co się jej tak nasz komisarz słucha, nawet kilku Austriaków... Ale co ja mówiłem! Cisza!

Borys odsunął się od drzwi i chwycił się za głowę.

– Uciekł – szeptał gorączkowo, jakby sam nie mógł uwierzyć w to, co przed chwilą usłyszał. – Uciekł... Wyłamał drzwi i uciekł...

Hildenberg położył dłoń na jego ramieniu.

– Spokojnie. Pewnie już go złapali.

– Alina... – Pasternak strącił dłoń profesora, skoczył w kierunku drzwi. – Musimy się stąd wydostać!

– Zaczekaj. – Austriak zatarasował mu drogę, rozkładając szeroko ramiona. – Zanim zdołamy wyłamać zamek, policjant ściągnie nam na głowę tę Zamenhoff, a wraz z nią połowę sanockiego pułku piechoty.

– Nie będę tu siedział bezczynnie, kiedy Alinie grozi niebezpieczeństwo!

Borys wbił spojrzenie w drzwi, ale uznał, że Hildenberg ma rację. Przetarł dłonią spocone czoło, rozpiął kolejne guziki koszuli, rozejrzał się po pokoju. Podszedł do okna, szarpnął klamką. Było zamknięte, ale wystarczyło jedno mocne uderzenie łokciem, aby drewniany skobel ustąpił. Otworzył okno, odetchnął głęboko rześkim nocnym powietrzem, wyjrzał na zewnątrz. Ludzi na rynku było mniej, ale szereg austriackiej piechoty ustawiony był równo wzdłuż chodnika na całej szerokości ratusza. Wychylił się i spojrzał w prawo. Sąsiednie okno było za daleko, aby mógł go dosięgnąć ręką. Wszedł kolanami na parapet, przytrzymując się framugi, wstał i obrócił się. Chwyciwszy się kurczowo okiennicy, powoli, stopa przy stopie, przesunął się do krawędzi parapetu, aż wsparł się tylko na czubkach palców. Odchylił nogę w bok, rozciągnął się jak tylko potrafił, po omacku szukając butem jakiegoś punktu podparcia, ale okno wciąż było za daleko.

Z pomocą Hildenberga, który trzymał go mocno za nogę, wrócił na parapet, obrócił się, wyjrzał w drugą stronę, ale odległość do okna po lewej była równie duża.

– Spróbuj w dół – szepnął profesor. – Pomogę ci się opuścić do gzymsu. Przesuniesz się wzdłuż ściany i dojdziesz do okna. Powoli, opuść nogę... dobrze... teraz drugą... Nie patrz w dół! Nie patrz w dół, na litość boską!

Kolano ześlizgnęło się z krawędzi parapetu, Borys próbował przytrzymać się okiennicy, ale śliskie od potu palce nie znalazły zaczepienia. W ostatniej chwili Hildenberg chwycił go za nadgarstek. Pasternak jęknął z bólu, machnął nogami w powietrzu, podniósł drugą rękę i zacisnął ją na przegubie profesora. Spojrzał przez ramię za siebie. Przy chodniku stała gazowa latarnia, ale jej światło nie docierało do fasady ratusza.

– Spokojnie, chłopcze – usłyszał szept Austriaka. – Długo cię tak nie utrzymam. Musisz znaleźć jakieś podparcie pod stopami.

Pasternak machał nogami, szurał czubkiem buta po ścianie, drapał mur, ale w dalszym ciągu wisiał całym ciężarem ciała na nadgarstkach. Jęcząc z bólu, z jeszcze większą zaciekłością kopał powietrze.

– Chłopcze – stęknął Hildenberg. – Z łaski swojej, pośpiesz się, proszę.

Kolejne kopnięcie naruszyło płat złuszczonej farby, która oderwała się od ściany i sfrunęła w dół. Raptem czubkiem lewej nogi Pasternak namacał jakieś oparcie. Wyciągnął się jak struna, dostawił drugą nogę.

– Mam!

– Muszę cię puścić.

– Nie!

– Nie dam rady ubezpieczać cię aż do samego okna – syknął Hildenberg. – Spokojnie, to tylko trzy kroki.

Pasternak powoli rozluźnił uchwyt, przenosząc ciężar ciała na stopy. Rozłożył szeroko ramiona, przywarł brzuchem do ściany, wyczuwał policzkiem każdą jej nierówność. Powoli przesunął się w lewo, rozkładając odległość trzech kroków na nieskończoną liczbę mniejszych odcinków. Kiedy uznał, że jest już pod oknem sąsiedniego pokoju, wspiął się na palce, wyciągnął rękę ponad głowę i uchwycił krawędź okiennicy. Szarpnął.

Mógł się tego spodziewać. To okno również było zamknięte. Ciągnął ze wszystkich sił, ale to nie dawało żadnych rezultatów. W końcu wsparł się całym ciężarem ciała na fragmencie, którego się uczepił, ugiął nogi w kolanach i nieomal krzyknął z przerażenia, kiedy zdrętwiałe z wysiłku palce straciły uchwyt. Zakręciło mu się w głowie. Zamachnął się kilka razy ramieniem i jakimś cudem zdołał ustać na wąskim gzymsie.

Odczekał chwilę, uspokoił oddech, po czym odchylił się od ściany i obrócił głowę. Okno, do którego bezskutecznie się dobijał, było ostatnie w szeregu, dalej była już tylko ściana i krawędź budynku. Krawędź, przy której biegła blaszana rynna.

Sunął dalej, tuż przy elewacji, czując na twarzy wilgoć i zapach starego muru. Pot zalewał mu oczy, utrudniał widzenie, przylepiał koszulę do pleców. Jeszcze cztery kroki, jeszcze trzy. Lewa stopa zsunęła się z gzymsu, kawałek obluzowanego kamienia uderzył w bruk przed ratuszem. Borys zamknął oczy, zacisnął zęby. Spodziewał się krzyku, zamieszania, może wystrzału. Mijały sekundy, a tu nic, cisza. Odetchnął głęboko, ruszył dalej, aż w końcu zacisnął dłoń na krawędzi ściany. Dostawił prawą stopę do lewej, lewą przeniósł nad rynną, ugiął nogi i zacisnął na niej kolana. Spojrzał w dół. Pod stopami miał nieprzeniknioną ciemność. Ostrożnie opuścił się niżej. Rynna jęknęła cicho, coś gdzieś trzasnęło, pękło, ale się nie urwało. Borys tarł udami blachę, raz za razem przekładał dłonie, szukał oparcia pod stopami. Nagle znów coś strzeliło, zatrzeszczało, tyle że głośniej, i na ułamek sekundy Borys zawisł w powietrzu z kawałem blaszanej rury w dłoniach, a potem ściana budynku odleciała gdzieś daleko, a on runął w dół. Pacnął plecami w błotnistą maź, wciąż trzymając kawałek rynny. Jęknął.

Pokonał ból promieniujący z dolnej części kręgosłupa i najszybciej jak tylko potrafił, poderwał się z ziemi. Spojrzał za siebie, wbiegł do sąsiedniej bramy, wsparł się o ścianę. Wyglądało na to, że nikt nie zauważył jego upadku.

Borys obciągnął koszulę, strząsnął dłonią grudki błota z nogawek, wyszedł na ulicę i energicznym krokiem ruszył przez plac Świętego Michała. Dopiero kiedy minął szpaler kasztanów, zdał sobie sprawę, że nie ma pojęcia, dokąd zmierza.

Zatrzymał się przed kamiennym budynkiem misjonarzy, gdzie w ciągu dnia fiakrzy oczekiwali na podróżnych, i zadarł głowę, wpatrując się w strzelistą sylwetkę kościoła farnego, ledwie widoczną na tle czarnego nieba. Mógł mieć tylko nadzieję, że Ochmański okaże się na tyle sprytny, aby znaleźć schronienie dla siebie i Aliny. Dopóki Szczudlik był na wolności, żadne z nich nie było bezpieczne. Musiał go odnaleźć, zanim on odnajdzie aptekarza i dziewczynę.

Zebrał myśli i zastanowił się, dokąd mógł się udać uciekający przed pościgiem zbieg, mający na karku policję i austriackich piechurów. Mógł się ukryć wśród pobliskich zabudowań, zaszyć w jednym z ogrodów lub skorzystać z pomocy któregoś z dawnych przyjaciół. Wtedy jednak słychać by było odgłosy nagonki, a sąsiednie uliczki sprawiały senne wrażenie i tylko od strony rynku wiatr niósł strzępy gorączkowych rozmów i rzadkie okrzyki. Szczudlik musiał uciec gdzieś dalej, może do parku, a może nawet poza miejskie wzgórze.

Borys stanął na skrzyżowaniu uliczek. Szukał wzrokiem jakiejś wskazówki, którą drogę wybrać, ale każda ze stron wydawała się równie dobra. Zamknął oczy. Przypomniał sobie słowa Hildenberga. Jeżeli chcesz zapanować nad ciemnością, jeżeli chcesz przestać się bać, musisz stać się jej częścią. Musisz zgasić lampę, zdmuchnąć płomień świecy. Nie wolno ci stać w kręgu światła, bo ciemność poza nim zawsze będzie ci się wydawała obca. Musisz zanurzyć się w ciemności, jak pływak zanurza się w morskiej toni. Zaczerpnął powietrza i zacisnął powieki. Przywołał w myślach rosłą sylwetkę Szczudlika, szerokie bary, brodatą twarz. Przypomniał sobie brzmienie jego głosu, nerwowe ruchy, dzikie spojrzenie. Myślał o nim jak o wilku biegnącym ulicami miasteczka, węszącym w powietrzu woń ofiary, tropiącym ślady wśród kałuż i kolein. Myślał gorączkowo i intensywnie, zaciskając powieki tak mocno, że na smaganych jesiennym wiatrem policzkach uczuł łzy.

Otworzył oczy. Sąsiednie ogrody pogrążone były wciąż w tej samej ciszy, niebo nad miastem miało wciąż tę samą barwę, krzyżujące się uliczki pozostawiały mu ten sam wybór. Nic się nie zmieniło. Ze złości kopnął drewniany płotek odgradzający najbliższą posesję od uliczki.

Ponownie zebrał myśli. Szczudlik mógł uciekać w stronę domu, to byłby najprostszy wybór, ale gdyby tak zrobił, miałby już na karku pościg. Mógł uciec w stronę Ogrodu Miejskiego, może nawet udałoby mu się dotrzeć do wysokiego ogrodzenia z kutego żelaza i skryć gdzieś w sieci stromych, krętych uliczek. Ale i tam najpóźniej wczesnym rankiem zostałby wytropiony. Jeżeli zachował zdolność trzeźwego myślenia, musiał spróbować wydostać się z miasta pod osłoną nocy, a następnie znaleźć kryjówkę na najbliższe dni. Borys spróbował przypomnieć sobie wszystko, co wiedział o Szczudliku. Może miał coś poza miastem? Domek myśliwski? Może któryś z jego dawnych przyjaciół mieszkał w jednej z pobliskich wiosek?

Olśnienie przyszło w jednej chwili. Borys wahał się przez moment, obawiając się postawić wszystko na jedną kartę, po czym ile sił w nogach pomknął w stronę ulicy Kościuszki.

Biegnąc wzdłuż ogrodów i kamienic, usiłował zebrać w myślach wszystko, co usłyszał od Ochmańskiego w czasie drugiej rozmowy w aptece. Dom pod miastem, opuszczone gospodarstwo karcianego bankruta, który wyjechał za chlebem. Dom położony na uboczu, przy trakcie na Zarszyn, wąska dróżka za kapliczką. Może spotykali się tam jeszcze przed wyjazdem Szczudlika do Lwowa? Jeżeli tak, byłaby to teraz doskonała kryjówka. W końcu spośród osób, które wiedziały o opuszczonym domostwie, przy życiu pozostał jedynie Ochmański, a może i Kiedewicz, jeżeli jeszcze żył.

Borys biegł tak długo, na ile pozwoliły mu siły, ból w krzyżu i niewygodne buty. Przy młynie odpoczął kilka minut. Wsparty o drzewo łapczywie łapał oddech, ocierając rękawem koszuli piekące od potu oczy. Pamiętał, o której kapliczce mówił Ochmański. Wydawało mu się, że to blisko, ledwie kilka chwil wlokącą się po cesarskiej drodze furmanką, jednak kiedy do niej dobiegł, nie mógł ustać na nogach, a w płucach czuł żywy ogień.

Tak jak mówił aptekarz, za glinianą kapliczką od głównego traktu odbijała wąska polna droga. Pasternak ruszył nią bez namysłu. Co rusz potykał się o wypełnione wodą nierówności, raz upadł twarzą prosto w błoto, ale podniósł się i po omacku szedł dalej. Kiedy wpadł na pień uschłej jabłonki, zorientował się, że wszedł w zdziczały sad. Dom musiał być blisko. Krążył wśród zmarniałych karłowatych drzewek, kiedy uderzył piorun. Granatowe niebo rozświetliła błyskawica. W jej blasku dostrzegł zarys parterowego budynku ze spadzistym dachem i werandą otoczoną szeroką balustradą.

Błysk zgasł tak szybko, jak się pojawił, ale Borys zapamiętał kierunek. Rozgarniając raniące twarz gałęzie, przedarł się przez zarośla. Powoli wstąpił na ganek. Zmurszałe deski skrzypnęły pod jego ciężarem. Zastygł w bezruchu, skulił się i wytężył słuch. Stary dom, smagany deszczem i jesiennym wiatrem, żył swoim własnym życiem. Targane podmuchami okiennice stukały, ściany trzeszczały, coś szeleściło pod schodkami werandy. Pasternak zdawał sobie sprawę, że wobec roślejszego i znacznie silniejszego Szczudlika jest bezbronny jak dziecko. Zatracony w szaleńczym biegu nie pomyślał, by zatroszczyć się o jakąkolwiek broń, choćby tęgi kawał kija, i teraz musiał stanąć przed mordercą z gołymi rękoma.

Ostrożnie zbliżył się do drzwi, przyłożył do nich ucho, namacał klamkę. Nie usłyszał niczego podejrzanego, ale klamka zwisała luźno w dół. Ktoś chyba wyłamał zamek. Borys zacisnął pięści, przełknął ślinę i pchnął lekko drzwi. Ustąpiły bez skrzypnięcia.

Borys wślizgnął się za próg i przywarł do ściany, spodziewając się napaści. Wnętrze spowijała tak gęsta ciemność, że nie widział czubków własnych butów. Odczekał chwilę, po czym zaczął się przesuwać wzdłuż ściany. Podejrzewał, że znajduje się w ciasnym przedpokoju. Po omacku odszukał przejście w głąb domu. Kolejne pomieszczenie musiało być przestronniejsze, czuł na twarzy przeciąg. Sunął plecami przy ścianie, z zamkniętymi oczyma, próbując przywołać w myślach jakąś wskazówkę, jakiś znak, który mógłby mu teraz pomóc. Nagle potknął się o coś, stracił równowagę i upadł, pociągając za sobą jakiś mebel. Coś przetoczyło się po drewnianej podłodze. Jeżeli do tej pory mógł mieć nadzieję, że pozostaje niezauważony, teraz każdy, kto ukrywał się w domu, musiał usłyszeć hałas. Borys znów zacisnął pięści, podkulił nogi i czekał na atak, ale nic się nie stało. Nasłuchiwał, usiłując przebić wzrokiem ciemność. Spróbował wstać, wymacując przy okazji przewrócone krzesło. Natychmiast podniósł je i wysunął przed siebie w obronie przed przeciwnikiem. Postanowił, że zmieni taktykę, nie będzie obchodził pomieszczenia przy ścianach, ale przetnie je przez środek.

Ruszył przed siebie, osłaniając się krzesłem jak tarczą. Po kilku krokach uderzył w coś, co ustąpiło miękko, ale przerażony odrzucił krzesło, uskoczył w bok, zakręcił się dookoła i z rozmachem uderzył. Trafił, skoczył do przodu, ale wtedy coś trafiło go w pierś. Upadł na plecy, uderzył o coś głową, znów przewrócił coś ciężkiego. Usłyszał brzęk tłuczonego szkła i odgłos toczenia się po nierównych deskach. Przekręcił się, wstał, podniósł do góry pięści. Dysząc ciężko, raz po raz, dla wyprzedzenia ataku, wyprowadzał bokserskie ciosy prosto w ciemność. Po chwili zmęczył się i opuścił nieco gardę. Czekał, ale napastnik najwyraźniej nie miał ochoty atakować.

Przypomniał sobie odgłos, jaki usłyszał przy upadku. Uklęknął i przesunął dłońmi po podłodze. Wymacał tkaninę, okrągłą papierośnicę, jakieś bibeloty i nadtłuczony klosz lampy, a potem kabłąkowy uchwyt i owalny cylinder. Skoro na stoliku stała lampa, obok mogły się znajdować zapałki. Znów zabrał się do mozolnego przeszukiwania podłogi, odkrył coś, co mogło być obcinarką do cygar, płachtę gazety, butelkę i dwie drobne monety. W końcu jego palce natrafiły na małe, szeleszczące pudełeczko zapałek. Wyjął jedną, potarł o draskę, zapalił knot, nałożył nadtłuczony klosz i uniósł lampę.

Krzyknął.

Pośrodku pokoju, na linie przerzuconej przez belkę u sufitu, wisiał człowiek. Wisielec w powolnym wahadłowym ruchu kołysał się nad wywróconym stolikiem, rzucając cień na przeciwległą ścianę. Borys podszedł bliżej, przemógł się i dotknął nogawki trupa. Ciało obróciło się wokół własnej osi, nabrzmiała twarz wynurzyła się z mroku prosto w światło lampy.

Stefan Kiedewicz. Ostatni z grupy rajców, którzy władzę i majątek zawdzięczali morderstwu popełnionemu przed laty. Zawsze uśmiechnięty właściciel dwóch kamienic i podmiejskiego browaru najwyraźniej nie wytrzymał napięcia. Kiedy odkrywano kolejne ofiary piekielnego wilka, uciekł z miasta, ale nie potrafił uciec przed strachem, który nosił w sercu. Zawieszony pod sufitem sznur okazał się jedynym ratunkiem.

Borys cofnął się, oświetlił wnętrze całkiem przytulnego salonu z okrytym czerwoną narzutą szezlongiem, trzema klubowymi fotelami i niewielkim stolikiem, który przed chwilą połamał. Miał zamiar przeszukać resztę domu, ale nie spodziewał się znaleźć w nim Szczudlika. Pomylił się. Morderca był gdzie indziej.

Ruszył w kierunku drzwi prowadzących w głąb domostwa, kiedy pomiędzy uderzeniami targanej wiatrem okiennicy usłyszał świst bata i rżenie konia. Doskoczył do okna, ale niczego nie dostrzegł. Znów usłyszał rżenie dochodzące z tyłu budynku. Chwycił wsparty o kominek pogrzebacz, przebiegł przez ganek, zeskoczył ze schodków i ślizgając się na mokrej trawie, popędził na róg domu. Wyraźnie słyszał pokrzykiwanie woźnicy i chlupot kół rozjeżdżających rozmytą drogę. Wybiegł zza rogu, ale powóz niknął już w ciemnościach, słychać było tylko plaskanie końskich kopyt i trzeszczenie skórzanych resorów. Borys puścił się biegiem za odjeżdżającym powozem, po kilku krokach potknął się o coś, upuścił lampę i upadł na trawę. Wstał, na powrót zapalił zgaszony knot, zatoczył lampą szerokie koło.

Tym, o co się potknął, było leżące w błocie ciało. Z bijącym sercem podszedł bliżej. Od razu poznał czyje zwłoki ma przed sobą. Szerokie plecy, długie nogi, zmierzwione włosy klejące się do byczego karku. Odłożył lampę, przewrócił ciało na wznak i spojrzał w brodatą twarz Jana Szczudlika.

Borys zagryzł wargę do krwi. To nie Szczudlik. To nie on jest mordercą. Pomógł Alinie wymknąć się z ratusza, byle tylko była jak najdalej od niego, szukał jego tropu, a teraz widział pozbawioną gałek ocznych twarz, z rozerwanym policzkiem odsłaniającym fragment szczęki, i rozpłatane gardło. Pasternak podniósł się i uniósł lampę. Szczudlik leżał u jego stóp z szeroko rozłożonymi ramionami. Jedna dłoń, pozbawiona palców, przypominała krwawy strzęp... Borys uklęknął, przechylił lampę. W zaciśniętych, zlepionych krwią palcach tkwiło ucho.

Wilcze, pokryte szorstką szczeciną ucho.

Borys zacisnął powieki, jęknął. Odwrócił się i co sił w nogach pobiegł drogą w kierunku miasta.

Najpierw odrzucił pogrzebacz, później do rowu trafiła lampa. W ciemnościach potykał się znacznie częściej, ale z wolnymi rękoma mógł biec szybciej. Skwierzyński, Stezl, Milczanowski, Kiedewicz i Szczudlik. Wszyscy zginęli. Z szóstki, która zabiła i obrabowała bezimiennego wędrowca na trakcie do Nowego Sącza, przy życiu został tylko jeden. Ten, który od początku interesował się przebiegiem śledztwa, który podsuwał im informacje, a któremu on sam wepchnął w ramiona Alinę.

Borys przeklinał w myślach własną naiwność, gorączkowo łapał oddech i modlił się w duchu, aby jego starania nie były nadaremne. Mijał już młyn, kiedy pociemniało mu w oczach, ale zmusił się do jeszcze większego wysiłku. Kroki stawiał już coraz krótsze, co chwila potykał się o własne stopy, gardło i płuca paliły go żywym ogniem, mięśnie sztywniały ze strachu, zimna i zmęczenia. Przy cmentarzu oparł się o kamienny mur, walcząc o oddech. Otarł zlepione potem powieki i zmusił się do dalszego biegu.

Droga za cmentarzem wiła się stromo w stronę miejskiego wzgórza. Pasternak zostawił za sobą niskie drewniane domki, wbiegł między kamieniczki. Po chwili stanął przed domem Ochmańskiego. Szarpnął kilka razy za klamkę. Rozejrzał się dookoła, szukając czegoś, czym mógłby wyważyć drzwi. Zajrzał znad drewnianego zabezpieczenia do wnętrza apteki. Wąskim przejściem wbiegł na tyły kamienicy, dopadł usytuowanego tuż przy ziemi niewielkiego okienka, przez które zwalano węgiel do piwnicy. Było otwarte. Przytrzymując się rynny, usiadł na bruku, którym wyłożony był podwórzec, wpuścił nogi do piwnicy, przesunął biodra do przodu, uniósł ręce i wślizgnął się do środka. Zeskoczył wprost na pryzmę węgla. Potknął się, stracił równowagę, upadł na coś twardego. Namacał kształt i ze zdziwieniem stwierdził, że to nie węgiel, a wyłamane drzwi okienka. Najwyraźniej ktoś wtargnął do kamienicy tą samą drogą co on. Podniósł się, po omacku odnalazł wyjście na schody i dobrnął do kolejnych drzwi.

Znalazł się w półmroku korytarza. Wydawało mu się, że z góry, z głębi budynku, dobiegł dźwięk, który kojarzył mu się z ruchem skrzydeł nietoperza lub chrobotaniem myszy harcującej pod drewnianą podłogą. Przez okna wpadało dalekie światło ulicznych latarni, rozpraszając ciemność na schodach. Położył dłoń na mosiężnej balustradzie, kiedy usłyszał krzyk.

Przeciągły, rozdzierający ciszę uśpionego domu krzyk kobiety.

Jak szalony wbiegł na piętro. Okna zasłonięte były ciężkimi kotarami, otoczyła go ciemność i znów usłyszał ten dziwny dźwięk, coś pazurami drapało o podłogę. Sunąc przy ścianie, wymacał następne drzwi.

Kobieta krzyknęła znowu, słyszał ją wyraźniej i znacznie bliżej. Borys rzucił się korytarzem w kierunku, z którego dobiegał wrzask. Staranował drzwi i wpadł do salonu, wprost na ustawione wokół stolika krzesła.

Krzyk zamarł, rozległo się natomiast głuche warknięcie. Pasternak podniósł się z podłogi i zesztywniał.

Po drugiej stronie mrocznego pokoju, pod szafą, z której dobiegał płacz, przyczaił się cień o ton ciemniejszy od otoczenia. Borys patrzył przerażony, jak cień wycofuje się pod ścianę, podpełza do niego, staje, błyska ślepiami i odwraca głowę. Usłyszał znów głuche warknięcie i cień rzucił się na szafę. Zwierzęce pazury drapały politurowane drewno, kryjąca się w szafie kobieta zapłakała głośno.

Rozpoznał jej głos w jednej chwili.

Przeskoczył nad wywróconymi krzesłami, jednym susem pokonał przestrzeń, jaka dzieliła go od szafy, wyciągnął ręce i rozczapierzonymi palcami trafił w mokry zwierzęcy grzbiet. Wczepił się w sierść, ale giętkie ciało bestii z łatwością wymknęło się z jego objęć. Tuż przy twarzy Borysa kłapnęły zęby, poczuł kwaśny zapach i ślinę na czole i policzkach. Przetoczył się po podłodze, szykując się do odparcia ataku, ale zwierzę zwróciło się w stronę szafy i z furią natarło na drzwi.

To był wilk. Pasternak chwycił krzesło, zamachnął się nim, usiłując odwrócić uwagę drapieżnika. Ten warknął groźnie, ale dalej drapał pazurami politurę i usiłował wepchnąć trójkątny pysk między ustępujące drzwi szafy. Dopiero kiedy noga masywnego mebla trafiła bestię w oko, wilk pisnął, zwinął się i w jednej chwili zaatakował Borysa. Teraz to on się cofał. W gęstym półmroku, z czołem zroszonym potem i koszulą lepiącą się do pleców, wymachiwał przed sobą krzesłem, usiłując odpędzić rozjuszonego wilka. Przemknęła mu myśl, że do świtu pozostało już niewiele czasu, a promienie wstającego słońca z całą pewnością odbiorą wilkołakowi jego zwierzęcą naturę, przywracając zupełnie już ludzką postać.

Bestia dyszała głośno, łapała zębami nogi krzesła, ale była zbyt mądra, by zacisnąć na nich swoje szczęki; usiłowała dostać się do gardła człowieka, który ośmielił się wejść jej w drogę.

Borys cofnął się jeszcze o krok, potknął się o coś i nie zdołał utrzymać równowagi. Upadł na plecy, uderzył głową o ścianę, ale na szczęście nie upuścił krzesła. Wilk wsparł łapy na jego piersi, koszulę szarpnęły pazury. Zablokował pysk zwierzęcia krzesłem, znów czuł na twarzy kwaśny odór, słyszał kłapnięcia zębów. Bestia zwyciężała, ale gdy krzesło wyślizgiwało się już z jego mdlejących z wysiłku dłoni, drapieżnik odskoczył i znów zaatakował szafę z kryjącą się w niej Aliną.

Borys poderwał się z podłogi, uniósł krzesło, zamachnął się szeroko. Usłyszał cichy, ledwie słyszalny gwizd, podobny do tego, jaki wydają wodne ptaki. Znieruchomiał, bo oto stała się rzecz dziwna: wilk, wsparty dotąd na dwóch łapach, oblegający z uporem szafę, opadł na podłogę, podkulił ogon, przyczaił się.

Pasternak odłożył krzesło i odwrócił głowę.

W salonie był jeszcze ktoś.

Ktoś, kto okryty ciemną opończą obserwował całą scenę spod okna, kto w milczeniu patrzył, jak wilk wściekle atakuje kryjącą się przed nim kobietę.

– Nie powinno pana tu być, panie nauczycielu.

Borys, zdyszany i przerażony, próbował przebić wzrokiem półmrok salonu. Szczupła sylwetka wydawała mu się znajoma, podobnie jak głos, młody i silny.

– Nie powinno tu pana być. Niestety, jest już za późno, by wycofać się z tej historii.

Pasternak skrzywił się z niedowierzaniem.

– Kaszycki – wyszeptał. – Jan Kaszycki?

Skulony pod oknem mężczyzna zaśmiał się cicho.

– Dlaczego? – szeptał gorączkowo Borys. – Skwierzyński, Stezl, Milczanowski... Dlaczego?

– Marzyłem o tym latami – głos Kaszyckiego zmienił się, pobrzmiewała w nim głucha nienawiść. – Zimowymi nocami grzałem się myślą o ich śmierci, brałem z niej siłę w każdej chwili zwątpienia.

– Dlaczego? – Borys powtarzał wciąż jedno i to samo pytanie. – Dlaczego czterech niewinnych ludzi musiało zginąć?

– Niewinnych? – prychnął gniewnie dziennikarz. – Oni nie byli niewinni! Nie byli nawet ludźmi! Byli potworami!

– Kim jesteś, aby ich sądzić?

– A kim jesteś ty, aby odmawiać mi tego prawa? – Kaszycki zrobił krok do przodu, a przyczajony pod szafą wilk podniósł się w oczekiwaniu na komendę. – To ja spędziłem młodość w zimnej oficynie, to ja znosiłem upokorzenia, odbierając od właściciela kamienicy comiesięczną zapomogę dla samotnej wdowy i jej syna. To ja patrzyłem na zapłakaną matkę, gdy co wieczór, kiedy myślała, że już śpię, wpatrywała się w fotografię ojca, którego nigdy nie poznałem. To ja doglądałem jej, kiedy w jej płucach zalęgła się choroba, to ja błagałem o pomoc, o pieniądze na lekarstwa i wynagrodzenie lekarzy. To ja wreszcie szedłem samotnie za drewnianym wózkiem, który wiózł ją na cmentarz. A wszystko przez tych, których nazywasz niewinnymi ludźmi!

– Kim ty jesteś? – zapytał Borys, nie odrywając spojrzenia od ciemnej sylwetki na tle okna.

– Nie domyśliłeś się jeszcze? – Dziennikarz zaśmiał się cicho, bez śladu radości. – Przybyłem do Sanoka jako Jan Kaszycki, ale nie jest to moje prawdziwe imię. Naprawdę nazywam się Adam Hłysko. Mówi ci coś to nazwisko?

Borys pokręcił przecząco głową.

– Tak myślałem. – Hłysko wyciągnął przed siebie dłoń, wilk poderwał się z podłogi, podszedł do swego pana i nadstawił łeb pod dotyk jego dłoni. – Ci, którzy rządzili tym miasteczkiem, nie zdawali sobie pewnie sprawy, czyją krwią naznaczone są ich fortuny. Nie wiedzieli, ile bólu i nieszczęścia przynieśli ludziom, których nigdy nie znali. Zabijając nieznanego człowieka na leśnym trakcie, zasiali ziarno, które wykiełkowało po latach.

Pasternak otarł spocone czoło, rozprostował zesztywniałe palce.

– W dalszym ciągu niczego nie rozumiesz, prawda? – Skryty w półmroku młodzieniec delikatnymi ruchami dłoni pieścił wilczy łeb. – Człowiek, którego zabili twoi krajanie, nazywał się Jakub Hłysko, był zaufanym powiernikiem lwowskiego przemysłowca Antoniego Hardasiewicza. Wyruszył ze Lwowa z misją powierzoną mu przez chlebodawcę, zostawiając w domu brzemienną młodą małżonkę. Miał już nigdy nie powrócić z tej podróży. Jego żona miała już nigdy nie zaznać szczęścia, jego synowi nie było dane poznać swego ojca. Oboje mieli żyć na garnuszku Hardasiewicza, w małej oficynie na tyłach jego wystawnej kamienicy.

– Jesteś synem wędrowca, którego rajcy spotkali przed laty na drodze do Nowego Sącza...

– Jestem synem człowieka, którego zabito dla garści srebrników! – powiedział twardo Hłysko. Wilk warknął cicho i uniósł łeb, patrząc na swego pana. – Jestem jego synem... i jego mścicielem. Zbyt długo czekałem, zbyt długo milczałem, zbyt długo patrzyłem na biedę i cierpienie mojej matki. Ale po jej śmierci, kiedy znalazła już ukojenie i spokój za cmentarnym murem, nic nie zatrzymywało mnie już we Lwowie. Postanowiłem odnaleźć tych, którzy zgotowali mojej rodzinie taki los. Najpierw rozmówiłem się z tym, kto przez lata ignorował istnienie moje i mojej biednej matki, kto wysłał mego ojca w tę przeklętą podróż. Najpierw rozmówiłem się z Hardasiewiczem.

– Hardasiewicz zginął we własnym domu – przypomniał sobie głośno Pasternak. – Spłonął we własnej kamienicy.

– Jego śmierć była ukojeniem. Dla mnie, dla duszy mego ojca, wreszcie dla niego samego. Nie miał po co żyć. Pieniądze, których przez całe życie pragnął, nie przyniosły mu szczęścia. Stracił ukochaną kobietę, a jego syn związał się z grupą rewolucjonistów, zwalczając to, w co wierzył ojciec.

– To ty go zabiłeś!

– To ja wyrównałem pierwszy z rachunków, to ja rozliczyłem pierwszego z wierzycieli mojego zmarłego ojca – wysyczał przez zęby Hłysko. – Pierwszego, ale nie najważniejszego. Hardasiewicz opowiedział mi o podróży, w którą wysłał swojego wiernego sługę. Nie miałem żadnego punktu zaczepienia, ale wiedziałem, jaką trasą podążał mój ojciec. Imałem się różnych zajęć, byłem nauczycielem, tragarzem, pracownikiem urzędu pocztowego, wreszcie dziennikarzem. Cierpliwie czekałem, bo wierzyłem, że w końcu znajdę ślad mordercy.

– To ty zabiłeś Skwierzyńskiego... To ty zabiłeś Stezla... A dziewczyna? Jasnowłosa posługaczka z blizną w kąciku ust? Czym ci zawiniła? Nie jesteś lepszy od ludzi, na których chciałeś się zemścić!

– To nie ja ich zabiłem – warknął Hłysko. – Nie ja zabiłem Stezla i Skwierzyńskiego, choć bardzo żałuję, że nie zginęli z mojej ręki.

– A zatem kto?

– Milczanowski! To on zabił swoich wspólników. Kiedy pod murem klasztoru znaleziono ciało Skwierzyńskiego, nie wiedziałem, że sprawa morderstwa doprowadzi mnie do ludzi, których poprzysiągłem odnaleźć. Potem Stezl, stary, ale nie niewinny, dokonał żywota we własnej sypialni. Na ślad mordercy wpadłem dopiero tej nocy, kiedy bestia podeszła pod dom wdowy. Wtedy właśnie spojrzałem w jej ślepia i zrozumiałem, kim jest morderca.

Hłysko spojrzał na warującego u swych stóp wilka, pogłaskał go z czułością, pozwolił, by pies polizał jego palce.

– Myślę, że zwierzęta są lepsze od ludzi – podjął po chwili milczenia. – Przynajmniej ja mam z nimi lepsze doświadczenia. Spójrz na niego, taki piękny, taki silny, a jednocześnie tak wierny i posłuszny. Tamtej nocy, kiedy Milczanowski zakradł się pod dom wdowy, aby zabić jedyną osobę, która mogła go rozpoznać, ukryłem się w komórce i przez szparę między deskami komórki zobaczyłem narzędzie mordu. Tak właśnie trafiłem na jego ślad. Kto jak nie myśliwy mógłby wytresować wielkiego tropiącego psa? Wszyscy w miasteczku znali łowieckie pasje Milczanowskiego. Wiedziałem, że w lesie, w dole Sanu, ma swój domek myśliwski. Nie mógł przecież ukrywać tak dużego psa w mieście bez wzbudzania podejrzeń. Nie myliłem się. Ukryty wśród zarośli obserwowałem, jak późnym wieczorem karmi swojego ulubieńca, jak go tresuje. Nawet nie wiesz, jak bardzo się zdziwił, kiedy odwiedziłem go w jego własnym domu z bestią przy nodze. Powiedział mi wszystko, zdradził każdy sekret, ze szczegółami opowiedział to, co przed laty zrobili z moim ojcem. Zdradził nazwiska tych, którzy wzięli udział w zbrodni. Nie zdołałem pomścić śmierci ojca i cierpienia matki, bo Skwierzyński i Stezl zginęli z rąk swego kompana. Milczanowski był pierwszym, któremu wymierzyłem sprawiedliwość. Kiedewicz stchórzył, sam odebrał sobie życie. Sprawiedliwość dosięgła też Szczudlika i Ochmańskiego.

– Skwierzyński, Stezl, Milczanowski, Kiedewicz, Szczudlik, Ochmański – wyliczał powoli Borys. – Wszyscy, którzy przyłożyli rękę do śmierci twojego ojca, już nie żyją.

Dziennikarz skinął głową.

– Sprawiedliwości stało się zadość. Cierpienie mojej matki i moje zostało pomszczone. Jest jednak jeszcze jedna kwestia, która musi zostać rozwiązana.

Pasternak przełknął ślinę, zacisnął pięści, rozejrzał się w poszukiwaniu czegoś, czym mógłby się obronić przed psem.

– Ta dziewczyna i ty, prowincjonalny nauczyciel – mówił dalej Hłysko. – Oboje wiecie teraz, kim jestem, oboje znacie tajemnicę bestii.

Borys cofnął się o krok, spojrzał w kierunku przymkniętej szafy.

– Milczanowski był tępym i brutalnym człowiekiem. – Hłysko sięgnął do kieszeni. – Nie miał serca do zwierząt, potrafił je jednak układać. Spójrz, jaki to zmyślny wynalazek. Nigdy wcześniej tego nie widziałem. Na pozór zwykły drewniany gwizdek, ledwie słychać jego gwizd, ale okazuje się, że psy są wyjątkowo wrażliwe na wydawane przezeń tony. Ciekawe zjawisko. Wielodniowa tresura zmieniła psa w ślepe narzędzie. Wystarczy raz gwizdnąć, by pies natychmiast przybiegł do nogi. Dwa gwizdnięcia i stoi nieruchomo jak wykuty z kamienia. Trzy szybkie dźwięki w połączeniu z ruchem dłoni to rozkaz, by zaatakował ofiarę aż do jej unicestwienia. Miałem okazję szczerze porozmawiać z Milczanowskim, opowiedział mi dokładnie o tym, jak układał psa do atakowania ludzi. Jego pradziad w czasie rzezi galicyjskiej właśnie w ten sposób rozprawiał się ze zbuntowanymi chłopami. Po prostu szczuł ich psami. Tresował je tak, aby umiały wytropić zbiegłych chłopów w lesie, a potem zaatakować, bez litości i żadnych zahamowań. Widzisz, ten tutaj waży około osiemdziesięciu kilogramów, to tyle, ile dorosły mężczyzna. Jest silny i wytrzymały, ślepo posłuszny, i ma zęby, które bez problemów przegryzą skórę i zmiażdżą kości. Milczanowski tresował psa, wykorzystując do tego tę biedną dziewczynę, której nasi szlachetni rajcy przyprawili brzuch. Kolejny był Skwierzyński. Pies rozerwał mu gardło, ale nie obyło się bez pomocy człowieka, Skwierzyński o mały włos by uciekł, ale Milczanowski przytrzymał go i pozwolił psu dokończyć dzieła. Ze Stezlem poszło łatwiej. Wilczur coraz lepiej rozumiał to, czego oczekiwał od niego jego pan. Teraz zwierzę nie ma żadnych oporów, ślepo atakuje na rozkaz i wie, jak to zrobić, aby ofiara nie miała szans na obronę.

– Możesz uciec z miasteczka – odpowiedział cicho Borys. – Możesz uciec, choćby na koniec świata. Znalazłeś już ludzi, których tropiłeś, i zemstę, której szukałeś.

Hłysko uniósł dłoń przed siebie, wskazując na zesztywniałego ze strachu nauczyciela. Pies uniósł się z podłogi, w ciemności błysnęły obnażone kły. Jego pan przyłożył drewniany gwizdek do ust, dmuchnął raz, drugi i trzeci.

Przyczajony u jego stóp cień wystrzelił do przodu, jednym susem przesadził szerokość pokoju i dopadł do Borysa z impetem, który być może uratował życie nauczycielowi. Pies w ślepej furii zaatakował zbyt szybko, by zatopić zęby w ciele ofiary, uderzył pyskiem w pierś Pasternaka, odbił się i uderzył o ścianę. Borys rzucił się do ucieczki, chciał przeskoczyć ponad stołem, ale pies zaatakował ponownie, uderzył łapami w jego plecy, powalił na ziemię, szukając kłami karku. Pasternak przetoczył się na plecy, usiłując zrzucić z siebie oszalałe zwierzę. Ślina z rozwartego pyska spływała mu na powieki, kwaśny odór odbierał oddech, ostre zęby nieustępliwie zbliżały się do szyi. Spróbował wbić palce w oczy zwierzęcia, ale co raz to trafiał w łeb. Po omacku chwycił ucho, targnął za nie ze wszystkich sił, ale nie powstrzymało to bestii. Drapieżnik wyszarpnął głowę, jego zęby zacisnęły się na ramieniu nauczyciela.

Pasternak wrzasnął. Siła uścisku była straszna. Zęby przecięły materiał koszuli i skórę, zaczęły miażdżyć kość. Borys krzyczał i wzywał pomocy, a przyuczony do zabijania wilk rozwarł paszczę, znów dysząc nad jego szyją.

– Wspaniałe zwierzę, prawda? – Borysowi wydawało się, że głos Hłyski dobiega gdzieś z daleka. – Milczanowski miał okazję się przekonać o jego skuteczności. Tresując psa, nie przypuszczał, że sam stanie się jego ofiarą.

Pies zaatakował ponownie, wciąż szukając dostępu do gardła nauczyciela. Zęby szczękały tuż przy jego twarzy, pazury drapały tors. Borys wił się jak piskorz. Przełożył rękę pod brzuchem wilka, spróbował dosięgnąć jego oczu z drugiej strony. Poczuł na dłoni coś lepkiego i ciepłego. Przypomniał sobie martwe ciało Szczudlika i jego dłoń zaciśniętą na urwanym psim uchu. Wbił rozczapierzone palce w łeb zwierzęcia. Pies zaskowyczał, nie ustąpił, ale impet jego natarcia osłabł.

Pasternak nie przestawał szarpać zranionego ucha, czuł coraz wyraźniej ciepłą lepkość między palcami. Podwinął pod siebie nogi, uniósł biodra, gwałtownym wyrzutem ud spróbował strącić z siebie psa. Bestia zsunęła się z jego piersi, drapiąc pazurami dywan i po raz kolejny usiłując chwycić go zębami za gardło. Borys przetoczył się po podłodze, wstał i ruszył ku stojącemu pod oknem Hłysce. Skoro nie mógł pokonać zwierzęcia, musiał odebrać jego panu możliwość sterowania bestią. Niemal przeskakiwał już stół, kiedy pies zaatakował ponownie. Wyciągnął się w górę, stanął na dwóch łapach, znów skierował pysk w stronę karku nauczyciela, ale ten odtrącił go ramieniem. Wilk upadł miękko na podłogę i błyskawicznie ponowił atak, tym razem niżej, wczepiając się zębami w przedramię Pasternaka.

Borys zawył z bólu, zachwiał się, szeroki wypad nogami uratował go przed upadkiem. Pociemniało mu przed oczyma, kiedy kły przeorały kość od połowy przedramienia aż po nadgarstek. Guziki koszuli strzelały jeden po drugim. Niewiele myśląc, zaparł się stopami o podłogę, rozerwał przód koszuli, narzucił psu na pysk kawał materiału, odepchnął go kopniakiem pod ścianę i ruszył w kierunku Hłyski.

Dzieliły go od niego już tylko dwa kroki.

Oślepiony na moment wilczur runął pod ścianę, gwałtownym szarpnięciem łba odrzucił z pyska strzępy koszuli, obrócił się dookoła siebie, szukając dzikim wzrokiem człowieka, który ośmieszył go przed jego panem. Hłysko sięgnął pod marynarkę. Pasternak, widząc ten ruch, domyślił się, że dziennikarz ma broń. Wyciągnął przed siebie ręce i zobaczył, jak dłoń Hłyski wysuwa się spod marynarki, zaciśnięta na pięciostrzałowym rewolwerze o długiej lufie.

Nie zdążę – pomyślał Borys. – Nie zdążę.

Postąpił krok, rozłożył szerzej ramiona, odbił się od podłogi i rzucił się na Hłyskę, ścinając go z nóg. Borys zacisnął dłoń na jego nadgarstku, drugą ręką chwycił go za gardło. Usłyszał jeszcze brzęk tłuczonego szkła i w jednej chwili obaj mężczyźni, spleceni w ciasnym uścisku, zawiśli w powietrzu, dwa piętra ponad uliczką.

Chwila ta trwała krócej niż jedno uderzenie serca i zaraz obaj runęli w dół, otoczeni rojem odłamków rozbitego okna. Borys zdołał jeszcze usłyszeć dziki krzyk, sam nie wiedział, własny czy też Hłyski, w uszach zaszumiał mu zimny wiatr.

Upadli na ulicę. Hłysko uderzył plecami w tężejącą na mrozie kałużę, Borys wbił się barkiem w jego szczupłą pierś. Jęknął cicho. Poczuł siłę tego uderzenia każdą kostką i każdym nerwem swego ciała.

Minęła długa chwila, zanim zdołał przewrócić się na bok. Spojrzał w nieruchomą twarz Hłyski, w szkliste oczy, zobaczył strużkę krwi wypływającą z wpółotwartych ust. Stęknął z bólu, wyjął z zaciśniętych palców dziennikarza drewniany gwizdek, drugą dłonią wymacał przyciśnięty ciałem rewolwer. Z wysiłkiem przewrócił się na plecy. Przyłożył gwizdek do ust. W pierwszej chwili nie był w stanie nabrać powietrza, nadwerężone żebra bolały przy każdym oddechu. W końcu zdołał zadąć w gwizdek.

Minęła długa chwila, zanim pies odnalazł wyjście, zbiegł schodami i wybiegł na pogrążoną w ciszy uliczkę. Jak duch przemknął wzdłuż fasady kamienicy, powoli zbliżył się do dwóch leżących mężczyzn.

Zamarł w oczekiwaniu na rozkaz.

Borys z wysiłkiem uniósł broń, odwiódł kurek, skierował lufę między lśniące jak mokre kamienie ślepia i nacisnął na spust.

Echo wystrzału przetoczyło się śpiącymi ulicami miasteczka.

Opuścił broń i osunął się w ciemność.

14

Borys otworzył oczy.

W jednej chwili znikła gdzieś gęsta lepka mgła, zniknął rozwarty psi pysk, który widział przed swoją twarzą. Zacisnął kurczowo dłonie, pod palcami wyczuł sztywno wykrochmaloną pościel. Zamrugał, wpatrując się w nierówności na suficie wysoko ponad łóżkiem. Przymknął oczy i na powrót osunął się w czarną bezdenną studnię. Nie wiedział, jak długo spał. Obudził go ruch i czyjaś obecność.

– Spokojnie, chłopcze, żadnych gwałtownych ruchów – usłyszał cichy głos profesora Hildenberga. – Spokojnie, zaraz dam ci się napić.

Borys z wysiłkiem przełknął pierwszy łyk wody. Zaschnięte usta i spieczone gardło utrudniały przełykanie.

– To nie wilk, profesorze – mówił gorączkowo, kiedy zaspokoił już pragnienie. – To nie wilk, to pies... Myśliwski pies Milczanowskiego, którego Kaszycki, ten dziennikarz...

– Spokojnie, chłopcze. – Hildenberg odstawił szklankę, przytrzymał usiłującego wstać z łóżka Pasternaka. – Wszystko już się wyjaśniło. Byłem przy rewizji mieszkania Kaszyckiego, znaleźliśmy jego zapiski i notatki, a w piwnicy kojec i klatkę. Nie wiem, jak wpadł na trop Milczanowskiego, ale to on pozbawił go życia, wcześniej zmuszając torturami do wyjawienia całej prawdy o morderstwie sprzed dwudziestu lat.

– Profesorze...

– Leż spokojnie, nie wstawaj. Umieram z ciekawości, by usłyszeć twoją opowieść i poznać wydarzenia ostatniej nocy, ale to może poczekać. Upadłeś ze sporej wysokości, masz uraz głowy, który wydaje się niegroźny, ale wolę się upewnić, że wszystko jest dobrze.

– Alina. Co z nią?

– Jest bezpieczna.

– Gdzie?

– Rankiem była przesłuchiwana. Widziałem, jak wychodzi z magistratu. Czekała na nią ta ciemnowłosa Żydówka, razem poszły w stronę jej domu.

Borys spróbował wstać, ale coś ukłuło go pod obojczykiem, a promieniujący z tyłu głowy ból przesłonił oczy czarną wstęgą.

– Kazałem ci leżeć!

Opadł na poduszki, przymknął oczy.

– Potrzebuję czegoś do pisania.

Hildenberg skinął głową i na kilka minut wyszedł z pokoju. Wrócił z notatnikiem i ołówkiem.

– Nie powinieneś wysilać teraz wzroku – powiedział, siadając przy łóżku. – Może podyktujesz mi to, co chcesz napisać?

– Proszę pozwolić, profesorze. – Borys sięgnął po notatnik. Powoli, nie unosząc głowy z poduszki, zapisał kilka zdań, robiąc przerwę co dwa, trzy wyrazy i sprawdzając, czy tekst jest wystarczająco czytelny. Wyrwał kartkę, złożył ją na czworo.

– Mam do pana prośbę. Proszę znaleźć kogoś, kto przekaże ten list Alinie. Jeżeli to możliwe, jeszcze dzisiaj.

– Dobrze. A teraz postaraj się zasnąć. Przekonałem Zamenhoff, aby dała ci dzień odpoczynku i nie przesłuchiwała cię dzisiaj. Będzie tu jutro z samego rana.

Borys zamknął oczy.

Wczesnym jesiennym popołudniem jadąca od strony miasta dorożka zatrzymała się przed budynkiem sanockiego dworca, dowożąc młodego szczupłego mężczyznę w sfatygowanym płaszczu pod same drzwi poczekalni. Młodzieniec zapłacił woźnicy, zeskoczył z powozu i ciągnąc za sobą poprzecieraną w wielu miejscach skórzaną walizę, wszedł do środka.

Rozejrzał się po poczekalni, sprawdził rozkład jazdy, wyszedł na zewnątrz i uważnie zlustrował puste jeszcze perony. Wrócił do poczekalni, usiadł na ławce pod ścianą i raz po raz zerkał na wysoko zawieszony zegar. Dopiero co minęła czternasta i do odjazdu pociągu na Lwów pozostało jeszcze pół godziny.

Wraz z upływem kolejnych minut w budynku dworca pojawiali się śpieszący na pociąg podróżni, a każde otwarcie drzwi powodowało, że młodzieniec niemal zrywał się z miejsca, wbijając wzrok w twarze nowo przybyłych. W końcu podniósł się i podszedł do okienka kasowego. Chrząknął niepewnie.

– Przepraszam, czy nie widział tu pan... młodej kobiety? Wysoka, szczupła, rudawe włosy? Podróżuje samotnie.

Kasjer zerknął chytrze z głębi okienka.

– Mówi pan o żonie... O wdowie po Szczudliku?

– Widział ją pan?

– Nie była sama.

– Ktoś jej towarzyszył?

– Była z nią ta czarnowłosa Żydówka, która przyjmuje u siebie w domu mężczyzn. Obie opatulone w płaszcze i spakowane. Kupiły bilety i czekały na pociąg, kiedy pojawiła się trzecia kobieta, starsza, najpewniej matka Żydówki. Jeszcze przed chwilą widziałem ją po drugiej stronie ulicy. Wygląda na to, że...

Młodzieniec zerwał się z miejsca, przebiegł przez poczekalnię, wyskoczył na zewnątrz. Rozejrzał się. Po drugiej stronie ulicy, przy ogrodzeniu, zobaczył wspartą o drzewo kobiecą postać. Dobiegł do niej, chwycił kobietę za ręce.

– Co się stało? – zapytał głośno. – Co takiego się wydarzyło? Dokąd pojechały?

Oczy kobiety wypełnione były łzami, patrzyła gdzieś daleko niewidzącym wzrokiem, zupełnie nie zwracając uwagi na stojącego przed nią mężczyznę, który ściskał jej dłonie i podniesionym głosem domagał się odpowiedzi. Opinająca wygoloną czaszkę chusta przekrzywiła się, ale Żydówka nic sobie z tego nie robiła, wpatrując się w coś, co tylko ona mogła dostrzec.

– Co się stało?

– One musiały wyjechać – cichym, trzęsącym się głosem odpowiedziała kobieta. – Musiały wyjechać. Nie mogły tu zostać. Oni nie daliby im żyć. To miasto by je zadusiło.

– Dokąd pojechały?

– One musiały wyjechać... Nie miały innego wyjścia.

Młodzieniec biegiem wrócił do poczekalni.

– Wdowa po Szczudliku i ta druga kobieta – rzucił głośno do kasowego okienka. – Gdzie pojechały?

– Kupiły bilety na pociąg do Przemyśla, siódma pięćdziesiąt osiem.

Młodzieniec zamyślił się. Przemyśl, siódma pięćdziesiąt osiem. Pierwsze połączenie wychodzące z Sanoka. Pierwsze w stronę Lwowa. Wahał się przez moment, sięgnął do kieszeni i poprosił o bilet. Lwów, na czternastą trzydzieści osiem.

Wyszedł na peron, rozpiął płaszcz, wciągnął głęboko w płuca rześkie jesienne powietrze. Pociąg był już podstawiony. Odszukał właściwy wagon, ruszył w jego kierunku, kiedy pod ścianą dworca dostrzegł kota. Czarnego kota z białą łatą przecinającą wpół trójkątny łeb. Natychmiast rozpoznał ulubieńca swej dawnej uczennicy. Przystanął w pół kroku, spojrzał na drzwi wagonu, potem na kota. Bez namysłu podbiegł do kocura, chwycił go za kark, schował pod płaszcz, wskoczył na platformę wagonu i zatrzasnął za sobą drzwi.

Książki oraz bezpłatny katalog Wydawnictwa W.A.B.
można zamówić pod adresem:
02-386 Warszawa, ul. Usypiskowa 5
oraz pod telefonem 0 801 989 870
handlowy@wab.com.pl
www.wab.com.pl

Redaktor prowadzący: Dariusz Sośnicki
Redakcja: Anna Adamiak
Korekta: Mariola Hajnus, Krystyna Kiszelewska
Redakcja techniczna: Anna Gajewska

Projekt okładki i stron tytułowych: Grzegorz Korzeniowski
Fotografia autora: © Marcin Sośnicki

Wydawnictwo W.A.B.
02-386 Warszawa, ul. Usypiskowa 5
tel./fax (22) 646 01 74, 646 01 75, 646 05 10, 646 05 11
wab@wab.com.pl
www.wab.com.pl

Skład i łamanie: Komputerowe Usługi Poligraficzne
Piaseczno, Żółkiewskiego 7a
Druk i oprawa: ABEDIK S.A., Poznań

ISBN 978-83-7414-683-8